Prix
des lecteurs de POINTS

Les éditions POINTS organisent chaque année
le Prix du Meilleur Polar des lecteurs de Points.

Pour connaître les lauréats passés
et les candidats à venir, rendez-vous sur

www.prixdumeilleurpolar.com

Valentin Musso est né en 1977. Agrégé de lettres, il enseigne la littérature et les langues anciennes dans les Alpes-Maritimes.

La Ronde des innocents
Les Nouveaux Auteurs, 2010
et « Points Thriller », nº P2627

Les Cendres froides
Les Nouveaux Auteurs, 2011
et « Points Thriller », nº P2830

Valentin Musso

LE MURMURE
DE L'OGRE

ROMAN

Éditions du Seuil

TEXTE INTÉGRAL

ISBN 978-2-7578-3695-8
ISBN 978-2-02-108210-4, 1ʳᵉ édition)

© Éditions du Seuil, 2012

À mes parents.

Qui chevauche si tard dans la nuit et le vent ?
C'est le père avec son enfant.
[…]
– Mon fils, pourquoi cacher avec tant d'effroi ton
visage ?
[…]
– Père, père, n'entends-tu pas
Ce que le Roi des Aulnes doucement me promet ?
– Sois calme, sois calme, mon enfant,
C'est le vent qui murmure dans les feuilles mortes.

GOETHE, « Le Roi des Aulnes »

Au commencement était l'acte.

SIGMUND FREUD, *Totem et Tabou*, 1913

D'abord, il y avait eu l'odeur. Légèrement aigre, comme celle que dégagent certaines plantes malodorantes, tout juste perceptible, se diffusant dans l'air sans qu'on pût clairement en distinguer la source. Puis, au fil des jours, elle s'était faite plus persistante sans être pour autant homogène, changeant d'intensité selon l'heure de la journée, comme la teinte et la luminosité du ciel. Depuis peu, c'étaient des relents d'eau croupie qui le saisissaient lorsqu'il remplissait son arrosoir à la pompe de la citerne, au fond du jardin.

« Encore un gari crevé », avait supposé Julien. Quelques mois auparavant, à coups de hautes doses d'arsenic, il avait mené une guerre impitoyable contre des rats peu farouches qui pullulaient dans le jardin et s'étaient même aventurés jusqu'aux portes des cuisines, provoquant un branle-bas de combat dans la maisonnée.

Occupé à des travaux plus urgents, le jardinier n'avait pas encore pris le temps de jeter un œil dans le réservoir d'eau. Une corvée de plus qui pouvait bien attendre… De toute façon, la patronne ne s'aventurait jamais près de la remise où il stockait ses outils. Elle n'en avait que pour ses massifs de camélias et ses mimosas qui s'épanouissaient dans l'allée.

Mais ce matin-là la puanteur était plus tenace et, après avoir rempli son arrosoir à la pompe, Julien remarqua qu'un étrange dépôt, noirâtre et collant, en obstruait la pomme. Il pesta et se décida enfin à inspecter la cuve.

S'arc-boutant, il saisit l'anneau métallique à deux mains et fit glisser avec peine la dalle de ciment. Comme libérée d'un bocal, une bouffée putride l'atteignit en plein visage. La pestilence était telle qu'il eut un mouvement de recul et dut reprendre sa respiration. Il sortit de sa poche une boîte contenant des allumettes de sûreté, s'approcha à nouveau de la citerne et en gratta une au-dessus de l'eau.

Au début, à la lueur avare, il ne vit qu'une masse indistincte flottant à la surface de l'eau sombre et stagnante. Trop volumineuse cependant pour être un animal.

– Quésaco ? murmura Julien entre ses dents.

La citerne était large et la « chose » semblait collée à la paroi opposée. Le jardinier se dressa sur la pointe des pieds et tendit le bras pour en éclairer l'intérieur, mais la première allumette s'éteignit.

Il se hâta vers la remise et chercha un outil qui pût lui servir de perche. Son choix se fixa sur une binette. De retour à la citerne, à l'aveugle, il accrocha la masse au bout de sa gaffe improvisée et la ramena doucement vers le bord. Elle fit un bruit sourd en heurtant la paroi.

Julien enflamma une deuxième allumette. La puanteur qui émanait de la cuve était difficilement soutenable mais il se pencha à nouveau. Son cerveau eut du mal à analyser ce que ses yeux lui transmettaient.

Il vit un corps menu, à moitié décomposé, dont la chair putréfiée s'était collée aux lambeaux de tissus qui la recouvraient. L'enfant – car, à l'évidence, il ne pouvait s'agir que d'un enfant – flottait la tête immergée dans l'eau. Au moment où la deuxième allumette finissait de se consumer, replongeant la cuve dans une semi-obscurité, Julien sentit une sueur glacée lui courir le long du dos. Malgré l'effroi qui le saisissait, il fit jouer à tâtons la binette dans l'eau trouble pour tenter de retourner le corps. Celui-ci n'offrit guère de résistance et il le sentit chavirer comme une frêle embarcation.

Le jardinier craqua une nouvelle allumette. La tête formait un angle étrange avec le corps, défiant les lois de l'anatomie. Il constata qu'elle s'était presque détachée et ne tenait plus que par quelques filaments de chair. La face, boursouflée et violacée, contrastait avec la lividité du corps ; la bouche et le nez étaient recouverts d'une mousse blanchâtre qui s'animait à la lumière en petites bulles irisées. Les yeux, quant à eux, n'étaient plus que deux orbites ténébreuses.

Le jardinier ne put soutenir plus longtemps cette vision, il lâcha l'allumette dans la cuve, laissant l'obscurité retomber sur ce tombeau de fortune.

PREMIÈRE PARTIE

1

Paris, hôpital Sainte-Anne, 24 mars 1922

Un ciel d'ardoise pesait sur le bâtiment des services généraux, brisé seulement par le campanile qui couronnait le belvédère.

Frédéric Berthellon quitta le quartier réservé aux aliénés et pénétra dans la vaste cour d'honneur. En tant que médecin chef de la division des hommes, il visitait chaque jour les patients de cinq pavillons, accompagné par quelques internes et par les gardiens chefs. Un travail quotidien qu'il accomplissait désormais à contrecœur et dont la routine ne lui permettait plus de fuir le souvenir de l'agression qui l'avait immobilisé durant plusieurs semaines et revenait le hanter presque chaque nuit.

Une réorganisation des services à l'hôpital de Charenton avait conduit Sainte-Anne à accueillir deux nouveaux malades en début de semaine. Leur dossier mentionnait des « états dégénératifs permanents », la hantise des médecins et des gardiens, car ceux qui en souffraient étaient insaisissables et surtout incurables.

Le premier était un délirant chronique qui avait tenté d'assassiner sa compagne dans une crise hallucinatoire et paranoïaque – selon les thérapeutes de Charenton, un individu imprévisible, enclin à des réactions défensives ou agressives, dangereuses pour autrui autant que pour lui-même. Le second, maniaque et mélancolique, avait eu un parcours des plus sinistres : martyrisé par ses parents, il avait été abandonné à l'âge de 10 ans avant d'errer de foyer en famille d'accueil. Tombé dans l'alcoolisme à la fin de l'adolescence, hantant les refuges et les maisons de répression, il avait à maintes reprises essayé de se suicider, avant qu'on ne le condamne à une tutelle et une surveillance continues pour avoir retourné sa violence contre l'employé d'un foyer social qui en avait perdu l'usage d'un œil.

Au moment de leur admission, ces patients étaient apparus à Frédéric calmes, presque atones – eau dormante dissimulant les arcanes inaccessibles de la dégénérescence mentale. Tout comme Albert, son propre agresseur. Depuis deux jours, lors des visites, il veillait à ce qu'un gardien ne les quittât pas un instant des yeux.

Avec de tels malades, Berthellon savait sa mission quasi vouée à l'échec. Obsessions, impulsions, perversions… Le fameux triptyque de la terminologie de la médecine mentale rassurait les aliénistes de salon en leur donnant l'impression de pouvoir classifier le monde varié et complexe des psychopathes et d'avoir prise sur eux. Mais il semblait dérisoire à Frédéric, qui était plongé chaque jour dans la réalité des déchéances physiques et morales. Que serait-il capable de proposer à ces deux nouveaux internés ? Des bains prolongés, des douches en pluie, des extraits d'opium, peut-être la camisole en dernier recours… pauvres armes qui ne guériraient jamais la racine du mal mais permettraient tout juste d'endiguer fugitivement leurs accès de violence.

Un mal de crâne tenaillait le médecin depuis son lever. Malgré le fin grésil qui lui fouettait le visage, il s'arrêta près d'une rangée d'arbres et se massa lentement les tempes, tentant d'effacer de son esprit le visage des deux hommes qu'il venait d'examiner. Un infirmier qui escortait un individu à l'allure craintive vers la zone d'hospitalisation le regarda d'un œil indifférent, sans même le saluer. Peut-être l'avait-il déjà croisé en début de matinée, mais il ne s'en souvenait plus. Il détourna la tête.

Tout comme les patients qui vivaient entre ces murs, Frédéric se sentait un peu en prison à Sainte-Anne. Car si les médecins étaient tenus de renoncer à toute clientèle extérieure, ils l'étaient aussi de résider à l'asile. Son univers était donc réduit à l'admission et au suivi des malades, ainsi qu'aux cours qu'il donnait dans une aile du bureau des examens – et les querelles de clans incessantes qui empoisonnaient la vie de l'hôpital rendaient ses journées encore plus pesantes. Depuis sa rupture avec Édith, six mois plus tôt, il n'avait quasiment pas pris de jour de repos. Son seul temps libre, il le consacrait à l'écriture d'articles, comme collaborateur principal des *Annales de médecine mentale*, un journal de référence dans le milieu.

Le médecin traversa la cour vers les bâtiments administratifs où le directeur de Sainte-Anne l'attendait. Un rendez-vous qui ne pouvait pas être étranger à la courte missive qu'il avait reçue la veille et qu'il avait relue des dizaines de fois jusqu'à la connaître par cœur. « J'ai fait le nécessaire pour que tu sois contacté par voie hiérarchique et que le préfet t'accorde un congé de plus de 48 heures », concluait l'expéditeur.

Frédéric emprunta sous la voûte d'entrée de l'asile un escalier qui conduisait aux étages. Comme à l'accoutumée, la porte du directeur était ouverte. Le médecin frappa malgré tout pour signaler sa présence.

– Ah, Berthellon ! Entrez !

L'homme ajusta son pince-nez et s'appuya sur son sous-main.

– Les visites se sont-elles bien passées ?

La question revenait sempiternellement dans sa bouche depuis l'agression. Si elle était posée avec empathie et bienveillance, elle créait chez Frédéric un malaise récurrent.

– Parfaitement, répondit celui-ci de façon mécanique.

– Bien. Prenez place, ne vous gênez pas. Je voulais vous parler… Vous savez que vous me mettez dans l'embarras ?

– Moi ?

Le directeur se carra dans son fauteuil.

– J'ignorais que vous étiez dans les petits papiers de la Sûreté. Je n'ai pas pu vous en parler hier soir mais j'ai reçu un appel du cabinet d'Émile Durand. Vous le connaissez ?

– Pas personnellement.

Frédéric savait simplement que cet ancien directeur de la mutualité au ministère de l'Hygiène dirigeait depuis un an la Sûreté générale.

– Vous avez dû être recommandé, alors. Rien n'est très clair pour le moment, on doit me rappeler dans la journée pour me dire de quoi il retourne. Ce que je sais, c'est que la Sûreté générale a besoin – je cite – de « solliciter l'avis d'un consultant dans une affaire criminelle mettant en péril la sécurité publique ». Rien que ça ! On réclame urgemment vos services et je crains que vous ne deviez vous éloigner de l'hôpital quelques jours.

Des spécialistes de la pathologie mentale, il y en avait pléthore dans les grands hôpitaux parisiens, dont beaucoup étaient plus expérimentés et plus célèbres que Frédéric. Ce dernier savait que cette demande ne devait rien au hasard ou à une quelconque renommée, mais à l'intervention d'un homme, rencontré au milieu de la guerre dans une tranchée du nord-est de la France. Le même qui lui avait adressé la lettre qu'il avait encore dans sa poche.

– Votre absence ne nous arrangera certes pas, mais une collaboration avec les services de police peut être excellente pour votre carrière. Songez à Lacassagne et à Magnan !

Le directeur inclina le buste et reprit :

– Vous ne savez rien de cette requête ?

Frédéric estima qu'il devait tout lui dire.

– Peu de choses, en fait. J'ai reçu un courrier hier.

Son interlocuteur le fixa avec curiosité.

– Si la Sûreté intervient, c'est qu'il ne s'agit pas d'une simple expertise mentale comme vous avez déjà pu en faire pour les tribunaux, n'est-ce pas ?

Le psychiatre lui tendit la missive par-dessus le bureau.

– Non, monsieur. Pas une expertise mentale au sens où nous l'entendons. Il s'agit visiblement d'une affaire criminelle non encore résolue.

– Non résolue ? Mais qui devez-vous examiner, alors ?

– C'est là toute la singularité de cette affaire : il n'y a aucun patient à examiner…

Nice, trois jours plus tard

Une étrange lumière jaunâtre, presque palpable, traversait la verrière aux fermes métalliques de la gare du Sud – structure monumentale provenant d'un pavillon de l'Exposition universelle de 1889 qui accrochait le regard de tous les voyageurs.

À sa descente du Calais-Méditerranée-Express, après une nuit éprouvante en couchette, Frédéric Berthellon prêta à peine attention à l'architecture qui l'entourait. Sur le quai nord, il longea la lampisterie, la consigne et une imposante bascule à bagages avant de le distinguer au milieu des silhouettes d'hommes et de femmes qui se pressaient devant le bureau du chef de gare. Louis Forestier ne passait pas inaperçu : quoiqu'il fût d'une taille quelconque, ses larges épaules et son cou volumineux lui donnaient une carrure impressionnante. Cet homme de 40 ans semblait planté sur ses jambes comme un poteau en terre, indéracinable. Tout le contraire de Frédéric, au physique longiligne et au profil d'adolescent. Des éclats d'un shrapnel, Forestier avait gardé une blessure courant le long de sa pommette jusqu'à son œil droit, qu'il ne pouvait plus fermer complètement. Le médecin remarqua son visage creusé par la fatigue. Les responsabilités qui pesaient sur ses épaules ne l'avaient pas arrangé. Frédéric était surpris de sa présence à la gare.

– Ma vieille branche ! lui lança son ami en le serrant dans ses bras.

Il usait fréquemment de cette expression désuète, bien qu'étant de cinq ans son aîné.

– J'aurais pu me débrouiller seul, tu sais. Tu ne dois pas avoir un moment à toi…

Forestier balaya l'air d'un geste de la main.

– Tu croyais que j'allais te laisser moisir ici ? Allez, donne-moi cette valoche… Bon sang ! Qu'est-ce que tu as mis dedans ? Elle pèse trois tonnes.

– Les *impedimenta* d'un long voyage, ironisa Berthellon.

Louis Forestier appartenait à la première génération des « mobilards », celle qui avait participé à la naissance des différentes unités de la police judiciaire. Devant la montée de la criminalité, que la désorganisation des services empêchait d'enrayer, Clemenceau et Célestin Hennion, le directeur de la Sûreté générale, avaient institué en 1907 un ensemble de brigades mobiles capables de se lancer à la recherche des criminels de droit commun sur tout le territoire. En effet, à l'exception de Paris et de quelques grandes villes de province, la police n'était qu'un agrégat de groupes autonomes au ressort géographique réduit, incapables de s'adapter à la mobilité induite par le développement des chemins de fer et de l'automobile.

Forestier avait intégré ces unités peu après leur création. Diplômé en droit, il avait pourtant commencé son parcours dans un minable poste de police de quartier, comme « chien » de commissaire. Dans des locaux crasseux, il se morfondait à régler les problèmes quotidiens et ennuyeux de son secteur : enregistrer les plaintes d'épouses battues par leur mari alcoolique, mettre au violon quelques pickpockets patentés ou supporter les clabaudages de concierges indiscrètes. Toute initiative lui était interdite et il jalousait secrètement ses collègues du Quai des Orfèvres dont les exploits s'étalaient dans les gazettes. En raison de deux petits centimètres qui lui faisaient dépasser la taille autorisée – une loi absurde du préfet Lépine interdisait qu'on recrutât des inspecteurs faisant plus de 1,67 mètre sous la toise, par crainte qu'ils ne puissent se fondre dans la population –, il n'avait pu postuler dans la police judiciaire.

Sa vie s'écoulait sans surprises, jusqu'au jour où il avait entendu parler des nouvelles brigades et posé sans trop y croire sa candidature. Il avait obtenu un rendez-vous et s'était présenté au 31 de la rue Greffulhe, entre l'église de la Madeleine et la gare Saint-Lazare, où il avait été reçu par le commissaire divisionnaire Faivre, un petit homme à la barbichette grise et à la nervosité légendaire. « Ne paraissez devant lui qu'en costume modeste, lui avait-on conseillé avant son entretien. Faivre déteste que les policiers attirent l'attention. » C'était donc revêtu du costume le plus miteux de sa penderie qu'il avait subi, durant plus d'une demi-heure, le laïus du commissaire sur les devoirs d'un policier… et avait été engagé le jour même, quittant ainsi la « Judée » pour la « Renifle », la Préfecture de Police pour la Sûreté générale. « Soignez tout de même un peu votre allure ! lui avait lancé le commissaire en le congédiant. On dirait que vous avez planqué toute la nuit. »

Sans vacances ni repos hebdomadaire, disponibles quasiment vingt-quatre heures sur vingt-quatre, les fonctionnaires des brigades mobiles bénéficiaient d'émoluments confortables. Mais Forestier considérait la question du salaire comme secondaire : pour la première fois de sa vie, il avait l'impression de pouvoir exercer réellement son métier de policier.

Puis la guerre avait dispersé les brigades. Beaucoup de collègues de Louis étaient morts, « tués à l'ennemi », dès les premiers mois du conflit : l'un tombé dans la Somme, d'autres disparus plus au nord.

À la fin des hostilités, le ministère de l'Intérieur avait eu pour objectif de poursuivre la réorganisation de la police. Le nombre des brigades régionales, originairement au nombre de douze, avait été porté à dix-sept : des polices d'État avaient notamment été créées à Toulon et à Nice. Louis avait épousé en 1919 une jeune femme d'origine italienne, Clara, qui habitait dans cette bande de littoral du sud de la France qu'on appelait depuis quelques années déjà la « Côte d'Azur ». Grâce à ses états de service exemplaires, il avait facilement obtenu une mutation ainsi qu'un avancement à la brigade mobile de Nice en tant que commissaire. Comme tant d'autres, la guerre l'avait abîmé, et ce changement d'air et de décor lui avait été salutaire.

*

La pureté du ciel prit Frédéric Berthellon au dépourvu lorsqu'il sortit de la gare à l'imposante façade polychrome. Des petites marchandes transportaient dans de grands paniers les roses et les œillets qu'elles vendaient aux voyageurs.

– Qu'est-ce que tu en dis ? demanda Forestier en indiquant de la main une très belle Panhard vert olive aux roues chromées garée devant le parvis.

– Mazette ! On ne vous refuse plus rien dans les brigades !

– Tu parles ! Si tu savais le nombre de courbettes qu'on a dû faire pour l'obtenir. C'est tout juste si on ne nous l'a pas retenue sur nos salaires… Mais bon… Si on passait à la maison, histoire d'y déposer tes affaires ?

Les deux hommes s'installèrent dans la Panhard.

– Je suis tellement content de te revoir, reprit Louis, même si j'aurais aimé que ce soit dans d'autres circonstances. Ça commençait à faire un bail, non ?

– Plus d'un an, je crois. Comment vont Clara et Jean ?

– Ça va, ça va…

– Quel âge a le petit maintenant ?

– Il a presque 2 ans et demi. C'est à peine si je vois le temps passer. Je ne crois pas que Clara soit à la maison ce matin. Tu la verras ce soir. Elle a promis de te préparer une bonne daube – elle n'a pas oublié à quel point tu t'es empiffré la dernière fois !

– Empiffré… Comme tu y vas ! J'ai juste fait honneur à votre cuisine locale.

Frédéric Berthellon n'était venu qu'une seule fois à Nice, à la fin de l'année 1919, juste après la mutation de Louis. Il avait été fasciné par l'architecture, la douceur du climat et cette impression presque magique de n'être jamais à plus de deux rues de la mer.

Mais son ami avait quelque peu tempéré son enthousiasme, car, derrière ce décor séduisant, la guerre avait fait subir à la ville de profondes mutations. Les grands hôtels qui avaient accueilli pendant trente ans les fortunes de l'Europe entière avaient été transformés dès le début du conflit en hôpitaux militaires, les blouses d'infirmière succédant aux robes de soirée en satin. La clientèle aristocratique, ruinée et endeuillée, avait pour ainsi dire déserté la Riviera et on ne comptait plus les riches demeures construites par des millionnaires excentriques qui avaient été vendues ou laissées à l'abandon.

Louis Forestier habitait, sur les hauteurs de la ville, une charmante petite maison de couleur *biglio d'olio di noce*, entourée par un jardin de curé organisé en espaliers.

– Tu connais le chemin, fit le policier en poussant la porte. Fais comme chez toi !

En haut d'un escalier en limaçon, Frédéric retrouva la chambre qu'il avait déjà occupée, une pièce carrelée de tomettes rouges au milieu de laquelle trônait un volumineux lit à baldaquin. Alors qu'il se penchait pour y déposer ses bagages, il sentit une affreuse douleur lui traverser le flanc gauche et il ne put réprimer une grimace. Cette satanée blessure… Il tenta de se ressaisir, car son ami venait d'apparaître dans l'embrasure de la porte. Louis passa machinalement ses doigts sur son œil estropié.

– Bon, il faut que j'aille au turbin, comme elles disent. Je vais te laisser te reposer un peu.

– Tu plaisantes ? s'insurgea le médecin, qui tentait d'oublier la douleur. Tu t'imagines que je me suis farci treize heures de train pour regarder pousser les fleurs dans ton jardin ?

– Fais attention à ce que tu dis à propos des fleurs de Clara. Je pourrais bien cafarder.

– Blague à part, je te rappelle que je ne suis pas venu ici en vacances aux frais de la Sûreté. Je suis censé t'aider, en qualité de « spécialiste des pathologies mentales », oui, monsieur, dans une enquête dont je ne sais presque rien et au sujet de laquelle tu distilles les informations au compte-gouttes.

Dans la lettre qu'il lui avait envoyée quelques jours plus tôt, Louis évoquait des meurtres perpétrés dans sa juridiction et réclamait son aide, mais il était resté étonnamment vague, tout comme la Sûreté, qui *via* le directeur de l'asile lui avait obtenu un congé spécial. Frédéric ne savait même pas précisément quel rôle il était censé jouer dans cette affaire. Il était prévu qu'il demeure à Nice une petite semaine avant de rejoindre Toulouse, où il devait participer de longue date à un congrès de psychiatrie et d'assistance aux aliénés.

– Je t'ai déjà expliqué qu'il ne servait à rien que je rentre dans les détails tant que tu étais à mille kilomètres des événements. On peut difficilement mener une enquête par téléphone ou télégrammes.

– Eh bien, je suis là maintenant. Qu'est-ce qu'il te faut de plus ?

– Je voulais juste te laisser souffler un moment.

– Rappelle-moi ce que vous disait Clemenceau autrefois…

Louis ne put s'empêcher de sourire, trop heureux de rapporter une anecdote qu'il ressassait à tout bout de champ. Il énonça d'un ton péremptoire :

– « Une brigade mobile, il faut que vous le sachiez, ce n'est pas un commissariat : ici, messieurs, on travaille. »

*

– Bienvenu à l'Excelsior Regina ! se gaussa Forestier en pénétrant dans la salle des inspecteurs.

Bien que son ami lui eût souvent parlé de l'état pitoyable des locaux de la brigade, Frédéric ne put dissimuler son étonnement. Rien n'avait changé depuis la dernière fois. Les inspecteurs se partageaient toujours des réduits exigus qui sentaient le tabac froid ; l'ensemble faisait penser à un camp de bohémiens et l'on avait du mal à croire que des policiers pussent travailler là à plein temps. Les dossiers concernant les affaires en cours étaient rangés d'une manière plus qu'aléatoire, des chemises de toile colorée s'entassant sur des étagères de fortune. Les murs étaient nus et tristes, et le plafond taché d'auréoles verdâtres en plusieurs endroits.

– Tu comprendras que mes hommes préfèrent le travail de terrain et ne passent au bureau que pour achever les procédures, commenta Louis, un peu honteux. Ça fait deux ans qu'on nous promet de nouveaux locaux. Je me prends encore à espérer qu'on pourra déménager avant l'hiver !

Dans un coin de la pièce, assis derrière une table bancale, se tenait un homme d'une trentaine d'années, sec comme un échalas, le cheveu court et la moustache fleurie.

– Viens que je te présente à René Caujolle.

L'homme se leva et serra la main de Frédéric avec la puissance d'un étau, ce que rien dans son physique n'avait laissé présager.

– Voilà donc le toubib qui va nous aider à résoudre l'affaire, lâcha-t-il d'un ton peu amène.

– Allons, Caujolle… Ne fais pas attention à ses manières cavalières, Frédéric, il a toujours eu des abords bourrus. Le docteur Berthellon va seulement rester quelques jours avec nous pour tenter d'y voir plus clair. Rien de neuf durant mon absence ?

– Rien de très passionnant, en tout cas. Encore une plainte dans l'affaire des lettres anonymes : un pharmacien qui vient d'apprendre qu'il était cocufié.

– Cette histoire commence sérieusement à me les briser, fulmina Louis. Comme si on n'avait rien de plus urgent en ce moment ! Bah, je verrai ça plus tard… Ah, tiens ! Marcel !

Venait d'entrer dans la pièce un homme sensiblement plus âgé que Forestier qui arborait une splendide moustache de mameluk. On se présenta. À l'exception du commissaire, Marcel Leroux était le plus ancien des mobilards, le seul inspecteur d'ailleurs qui tutoyât son patron. « Un vétéran », plaisanta-t-il. Il avait intégré en 1911 la 10e brigade de Lyon, quai Fulchiron, là même où avait été ouvert le premier laboratoire de police scientifique de France. Durant trois ans il avait assidûment fréquenté le « pigeonnier » d'Edmond Locard, sous les combles du palais de justice, dans lequel le célèbre savant allait révolutionner les méthodes d'investigation scientifique. Leroux parlait souvent à ses collègues de ces deux petites pièces mal chauffées, aux murs gris, envahies de flacons étiquetés, d'éprouvettes et d'alambics, où il pratiquait ses expériences.

– Un peu de sang neuf, voilà une bonne chose ! s'enflamma l'inspecteur d'un ton débonnaire qui plut à Frédéric.

– Leroux aura l'occasion de te faire visiter son laboratoire plus tard.

– Laboratoire, laboratoire !… Un bien grand mot pour une simple mansarde !

– Comme c'est dimanche, on travaille à tour de rôle, tu ne verras donc pas le reste de l'équipe aujourd'hui. Inutile de traîner, passons dans mon bureau, tu veux bien ?

*

Quoique en moins piteux état que le reste des locaux, la pièce qu'occupait Louis surprenait par son aspect spartiate et par l'absence de tout élément personnel. L'ensemble se limitait à un bureau très fonctionnel sur lequel étaient disposés une machine à écrire et un téléphone, une armoire croulant sous les dossiers, un fauteuil et deux chaises paillées. Frédéric remarqua au mur une photographie qui représentait la totalité des agents de la brigade de Nice devant la façade de l'immeuble.

– Installe-toi.

Louis s'empara aussitôt d'un dossier vert posé sur le coin de sa table. Il contenait plusieurs feuillets dactylographiés, ainsi qu'une pochette intérieure pour les photographies. Le policier sortit une dizaine de clichés de leur enveloppe et les tendit au médecin par-dessus le bureau.

– Le plus simple serait sans doute qu'on commence par ça !

2

Deux séries de photographies, deux lieux du crime.

Chacune des femmes était allongée sur le dos en travers d'un lit, entièrement nue, les bras le long du corps, les jambes raides et les pieds serrés. « Une vingtaine d'années tout au plus », jugea Frédéric. La première avait le corps svelte et la poitrine enfantine ; une fine toison ombrageait son pubis. La seconde était plus potelée ; les seins pleins, les jambes charnues, la peau étonnamment laiteuse.

– On les a trouvées exactement dans cet état et cette position, commenta laconiquement Forestier.

Les corps ne portaient aucune marque de violence particulière, à l'exception d'une profonde entaille, très nette, qui traversait la gorge de part en part et laissait aisément deviner quelle avait été la cause de la mort. Le sang avait abondamment coulé de la plaie et avait imbibé les draps et le lit en dessous. Mais ce qui attirait presque autant le regard que la blessure béante, c'était le crâne des victimes, qui avait été parfaitement rasé, comme celui des condamnés. Une absence de cheveux qui, étrangement, n'enlevait rien à leur féminité mais rendait la scène encore plus pathétique.

En habile sculptrice, la mort avait figé leurs traits. « La peur », songea aussitôt Berthellon. En tant que médecin, il avait souvent vu des cadavres : il se souvenait encore de l'époque où, à peine sorti de l'adolescence, il allait chaque matin à Bicêtre s'exercer à la pratique des autopsies, sous la direction d'un médecin de l'hôpital qui l'avait pris sous son aile. Mais c'était à une autre partie de sa vie que le renvoyaient ceux-là, une période qu'il avait, comme tant d'autres, essayé de refouler. Cette expression de terreur qu'affichaient les deux femmes, il l'avait souvent croisée durant la guerre, en Argonne ou dans les Ardennes. Sur le visage de pauvres types qu'on amenait à la chaîne dans des gourbis puant le sang, le vomi et la foire, criblés de trous par les grenades, une jambe ou un bras arrachés, encore coincés dans leur capote. Cette terreur, il l'avait lue aussi dans les yeux de ce musicien de fanfare recyclé en brancardier qui, pris dans l'éclatement d'un 210, s'était rué sur un camarade pour l'étrangler, sans aucune raison, et qu'on n'avait pu calmer qu'à coups de morphine.

Au bout de quelques minutes, Forestier brisa le silence dans lequel ils semblaient s'être tous deux empêtrés :

– Tu comprends sans doute maintenant la singularité de cette affaire. Ce sont des cas auxquels nous n'avons jamais été confrontés.

Frédéric aurait pu rappeler à son ami quelques meurtres abjects sur lesquels il avait enquêté depuis son entrée dans les brigades, mais il préféra rester concentré sur le cas présent.

– Qui étaient ces filles ? Tu me parlais dans ta lettre de prostituées…

Louis hocha brièvement la tête.

– La première victime s'appelait Louise Germain, dite Loulou. Je ne vais pas te faire sa biographie. Je sais simplement que c'était la fille de cafetiers parisiens qui a déserté le nid familial à 18 ans avec une de ses amies. Elles ont sillonné quelques villes de province avant de débarquer à Nice. Une procureuse les a alpaguées quasiment à la descente du train.

– Une procureuse ?

– Une courtière, une entremetteuse, si tu veux. Elles arpentent les rues jusque dans les hôpitaux et les églises pour procurer des recrues aux bordels. La jeune Louise est entrée à la Maison des Roses l'an dernier.

– Le nom est engageant…

– Pourtant guère original. Une maison de quartier pas très folichonne, mais rien de sordide non plus. Le genre de claque qui accueille des bourgeois de passage ne voulant pas trop attirer l'attention – sans compter les habitués, bien sûr. Apparemment, Louise était une fille plutôt discrète qui jouait selon les soirs les rêveuses ou les vierges de service. Le genre de putain qu'on habille parfois en marchande de fleurs pour satisfaire les bourgeois libidineux.

– Quand a-t-elle été tuée ?

– Il y a presque trois mois, début janvier. Au départ, je dois te l'avouer, je pensais que cette affaire serait une formalité.

– Ah bon ! La scène de crime est pourtant inhabituelle.

– Oui, mais le bordel où travaillait Louise est plutôt petit, moins d'une dizaine de filles, et l'ambiance bon enfant, si l'on peut dire. D'après ce que j'ai pu apprendre, les clients sont accueillis par une bonne et conduits dans le salon. Un domestique et le mari de la patronne sont toujours là pour éviter les incidents et il y a même un système de sonnerie dans les chambres. Je pensais qu'avec ces témoins potentiels appréhender le coupable serait l'affaire de quelques jours. Et pourtant, c'est comme si personne n'avait rien vu ni entendu.

– Comment ça ?

– L'abbesse n'a pas été des plus bavardes – tu imagines un peu la publicité pour son établissement ! J'ai sérieusement dû la cuisiner. La Maison des Roses ouvre tous les soirs à 20 heures et ferme aux alentours de 1 heure du matin. Notre homme – car je suis à peu près certain que l'assassin a agi seul – est arrivé tard, un peu après minuit. J'aimerais pouvoir te dire qu'il portait une cicatrice au milieu du visage ou qu'il avait deux doigts en moins, mais ni la patronne ni les filles qu'on a interrogées n'ont pu en faire un portrait précis. Un jeune entre 25 et 30 ans, taille un peu au-dessus de la moyenne, brun, cheveux plutôt abondants, avec une discrète moustache. Aucun signe distinctif… Bref, ça pourrait être la moitié des hommes de ce pays.

– Je vois.

– Il est resté environ une demi-heure dans le salon, à boire du bourgogne.

– C'est plutôt long s'il voulait commettre un meurtre et éviter d'attirer l'attention !

– Il l'aurait plus attirée encore s'il avait montré trop d'empressement : les filles ont ordre de d'abord faire boire le client, on ne monte pas sans avoir poussé à la consommation.

– Bien sûr…

Lorsqu'il était étudiant, Frédéric avait fréquenté avec deux ou trois copains des bordels parisiens, mais jamais de façon assidue. Il y venait d'ailleurs autant pour l'atmosphère feutrée et cossue des petits salons en rez-de-chaussée – où l'on pouvait passer des heures à boire, fumer et discuter avec les filles – que pour assouvir un besoin sexuel. Il se souvenait en effet que certaines d'entre elles vivaient dans la crainte de l'amende si elles ne parvenaient pas à faire boire suffisamment le client : elles jetaient même parfois le contenu de leur verre dans des tables à double fond aménagées par des patronnes cupides.

– Si le portrait est aussi vague, j'imagine que cet homme n'était pas un habitué.

– Malheureusement non, il venait pour la première fois. Généralement, quand il s'agit d'un inconnu, la maquerelle se montre méfiante. Mais d'après ce qu'elle m'a dit, le type portait beau : plutôt élégant, sachant parler. Je suppose qu'elle était déjà en train de calculer les bénéfices qu'elle allait faire grâce aux consommations. L'homme en tout cas a choisi Louise sans l'ombre d'une hésitation.

– Il l'avait repérée avant ?

– C'est possible. Elle n'avait pourtant pas un succès fou : les clients préfèrent en général les filles un peu exubérantes qui rient à gorge déployée… tout ce que le bourgeois ne trouve pas chez lui auprès de bobonne. Ensuite, on ne sait presque rien. Au bout d'une grosse demi-heure, comme personne ne redescendait, la patronne est montée voir ce qui se passait. Elle a trouvé le corps dans l'état que tu as pu voir.

– Et l'homme ?

– Disparu. La fenêtre de la chambre donne sur une arrière-cour. Il est passé par un rebord de toit en pignon et a probablement escaladé la façade : l'accès est difficile mais pas impossible pour une personne en bonne condition physique.

Forestier fit défiler entre ses doigts les clichés qu'il avait déjà observés des centaines de fois ces derniers mois.

– Comme tu peux le constater, les deux victimes ont été égorgées d'un geste net et précis, à l'aide d'un couteau qui devait être extrêmement tranchant. Je dis « devait », car on n'a pas retrouvé l'arme du crime.

– C'est étrange, remarqua Frédéric, mais on dirait qu'elles ne se sont pas débattues. Pas de signes de lutte dans la chambre, le lit ne semble même pas défait.

– Bien vu. Tu noteras que le sang s'est écoulé sur le côté du cou, ce qui prouve qu'elles étaient couchées quand on les a égorgées. Si elles n'ont pas cherché à se défendre, c'est qu'elles n'en ont pas eu la possibilité. Elles étaient totalement immobilisées au moment du meurtre.

– Immobilisées ? Par quoi ? Je ne vois aucune trace de liens sur les poignets ou les chevilles.

– Immobilisées par ça, fit le commissaire en tendant le gros plan d'une coupe à champagne qui traînait sur la table de chevet.

Berthellon comprit aussitôt.

– Elles ont été empoisonnées ?

– Oui, probablement par un mélange de grande ciguë et de datura. Tu es médecin, je te laisse conclure…

– Un mélange qui paralyse peu à peu les membres jusqu'à l'asphyxie. Le poison des Grecs, celui qu'a bu Socrate après sa condamnation à mort.

– Qu'est-ce que vous avez tous avec votre Socrate ? C'est exactement la remarque que m'a faite Raphaël.

– Raphaël ?

– Je t'expliquerai plus tard. D'après le médecin légiste, les deux filles ont dû être prises de violentes convulsions. L'effet du poison a certainement été foudroyant, mais elles ont eu largement le temps de comprendre ce qui leur arrivait.

– Les convulsions, la paralysie, la terreur… c'est ce qui explique leur expression si particulière ?

– Certainement. Le poison a dû faciliter la tâche du tueur, mais je crois qu'il voulait avant tout peindre cette expression sur leur visage.

Frédéric essaya de trouver une position plus confortable sur sa chaise paillée. La vue de ces corps, en dehors d'un contexte purement professionnel, le mettait mal à l'aise.

– Et pour les cheveux rasés ?

– Là, j'avoue qu'au départ on est restés dubitatifs. Les deux filles avaient une chevelure plutôt foisonnante, en particulier la seconde. Il leur a sans doute coupé les cheveux aux ciseaux avant de terminer au rasoir. Un travail méthodique, précis, qui a dû lui prendre du temps, beaucoup de temps.

– Et qui représentait un sacré risque ! Je suppose qu'il a emporté les cheveux avec lui…

Le policier acquiesça.

– Alors la chevelure doit avoir pour cet homme une portée particulière.

Louis fronça le sourcil.

– Tu penses à une sorte de fétichisme érotique ?

– N'allons pas trop vite en besogne. Disons que leur chevelure a dû exercer sur le tueur une impression profonde que la valeur intrinsèque de l'objet ne permet pas d'expliquer. Mais rien ne dit qu'elle ait provoqué chez lui une excitation sexuelle.

Le médecin posa les photographies sur le bureau avant de reprendre :

– Est-ce qu'on sait si ces filles ont été violées ?

– Le légiste pense que non. Pardonne-moi les détails sordides mais, si j'en crois les tenancières, chacune avait eu cinq ou six rapports dans la soirée. Pas de violences, donc, mais impossible de dire si cet homme a eu une relation sexuelle avec elles avant de les tuer.

– À mon avis, il n'y en a pas eu.

– Qu'est-ce qui te fait penser ça ?

– Je te le dirai quand tu m'auras parlé plus en détail du second meurtre.

Louis se plongea dans le dossier, mais il connaissait de toute façon par cœur le peu que l'on savait au sujet des victimes.

– Schéma à peu près similaire. Yvette Mercier, 23 ans. Elle disait avoir été lingère et couturière avant de venir frapper à la porte de l'Étoile, une maison de passe à Cannes. Mais il paraît que c'est ce que disent la moitié des filles pour redorer leur blason. Jupe effrangée, souliers usés, elle n'avait pas un sou vaillant en poche. Comme elle était jolie, pas farouche, la patronne l'a embauchée sur-le-champ. Un bordel de même rang que la Maison des Roses : taille moyenne, ambiance presque familiale, du sexe bien domestiqué.

– Et il s'agit du même homme ?

– J'en suis presque sûr, même si la description qu'ont faite les filles ne correspond pas vraiment au premier portrait.

– Étrange, non ?

– Pour le moins. Elles ont parlé d'un jeune gars à l'allure d'étudiant, habillé à la six-quatre-deux, avec un léger accent italien. Plutôt brun, mais sans moustache cette fois.

– Tu crois qu'il aurait changé volontairement d'apparence ?

– Ça m'en a tout l'air. Ce type est très malin. Ce n'est sans doute guère difficile d'impressionner des raccrocheuses sans éducation, mais ça l'est davantage de faire le beau parleur un soir et de jouer les étudiants attardés un autre. On a retrouvé le lieu du crime exactement dans le même état que le premier : aucune trace indiquant que la victime se soit débattue, un verre contenant de la ciguë et du datura sur une petite table, et, comme tu peux le voir, la fille a été complètement rasée.

– Et quand a eu lieu ce meurtre ?

– Deux jours après l'autre. L'assassinat de Louise n'a eu droit qu'à un entrefilet dans les journaux : il faut croire que les meurtres de putains passionnent moins les foules qu'au temps de Jack l'Éventreur. Mais il n'y avait pas tous les détails dont je t'ai parlé. Du coup, même si l'histoire a fait le tour des bordels de la région dès le lendemain, on ne peut pas dire qu'il y ait eu psychose. Mais ça, le tueur ne pouvait pas le savoir.

Frédéric esquissa un mouvement de la tête.

– Il pouvait penser que les filles seraient sur leurs gardes. Ce qui expliquerait qu'il ait voulu se transformer physiquement.

– Oui. Comme pour le premier meurtre, il s'est volatilisé par une fenêtre, mais par celle du couloir cette fois. Personne n'a rien noté de particulier – avant qu'on découvre le corps, bien sûr.

– Vous ne disposez donc d'aucun indice exploitable, à part cette vague description ?

Un sourire flotta sur les lèvres de Forestier.

– Pas tout à fait. On a retrouvé sur les verres laissés dans les chambres plusieurs séries d'empreintes digitales.

– Des empreintes différentes ?

– La plupart appartenaient aux filles, mais, à Nice comme à Cannes, on a pu isoler des traces inconnues de pouces et d'index.

Même après des années de service, Louis était toujours émerveillé par les possibilités qu'offrait la science dans la résolution des crimes. En comparaison d'autres pays d'Europe, l'identification par empreintes digitales avait eu du mal à s'imposer dans les services de police français, notamment à cause des réticences d'Alphonse Bertillon, l'inventeur du système anthropométrique fondé sur les mensurations, qui craignait que cette méthode d'identification ne supplantât la sienne. Mais le recours aux empreintes digitales avait tout de même fini par l'emporter, car il ne nécessitait ni matériel spécifique ni formation poussée pour les policiers. Naïvement, après quelques succès retentissants qui devaient autant à la chance qu'au procédé d'identification lui-même, on avait cru que les relevés d'empreintes permettraient de coincer des milliers de criminels en mettant un terme à la « religion de l'aveu ». Mais on s'était vite aperçu qu'ils ne permettaient pas les miracles auxquels les lecteurs de Conan Doyle et de Gaboriau étaient habitués.

– J'ai fait parvenir les empreintes au service central d'archives à Paris qui recueille les relevés dactyloscopiques des criminels et des délinquants. Les comparaisons n'ont malheureusement rien donné.

– Concrètement, comment faites-vous pour retrouver des empreintes dans les fiches de milliers d'individus ?

– Il faut que tu demandes ça à Leroux, c'est lui le spécialiste. Ce que je sais, c'est qu'on peut ramener toutes les extrémités digitales à quatre types fondamentaux ; ensuite, les empreintes sont classées selon les arcs, les boucles et les crêtes papillaires.

– Et la méthode de comparaison est sûre ?

– *A priori*, il y a peu de risques de passer à côté : si on n'a rien trouvé, c'est qu'on ne possède pas les empreintes de cet homme.

– Ce qui veut dire qu'il n'a jamais été arrêté par la police ?

La bouche du policier forma une moue.

– En fait, c'est plus compliqué que ça. Quand je suis entré dans les brigades, le nouveau patron de la Sûreté était en train de moderniser le service d'identité judiciaire : il avait fait regrouper toutes les fiches des malfaiteurs arrêtés, l'ensemble des sommiers judiciaires et les avis de recherches lancés par les parquets. Le problème, c'est que ces fiches étaient encore fondées sur l'anthropométrie inventée par Bertillon, qui commençait à apparaître complètement dépassée. À sa mort, on en a détruit quelque chose comme un million.

– Un million !

– Ces fiches étaient un vrai foutoir : la plupart faisaient double ou triple emploi. L'emmerdant, c'est qu'au départ les empreintes des criminels n'étaient pas reportées dans un fichier séparé. Du coup, j'imagine que des dizaines de milliers d'empreintes ont purement et simplement disparu.

– Ces empreintes ne vous servent donc à rien ?

– Ne sois pas si pessimiste. Bien sûr qu'elles nous servent à quelque chose : elles viendront confirmer l'identité du tueur si nous lui mettons la main dessus. Elles peuvent aussi permettre des rapprochements sur d'éventuelles autres scènes de crime.

Un court silence s'installa, pendant lequel le médecin essaya d'ordonner dans son esprit les premières informations fournies par Forestier.

– Je voudrais te poser une question : pourquoi m'as-tu fait venir, exactement ?

Louis fixa son ami avec surprise, comme si celui-ci venait de proférer une ineptie.

– Eh bien, ça me semble assez clair. Voilà des années que tu étudies des patients atteints de troubles mentaux, de penchants morbides et pervers, des aliénés dont la société ne sait que faire. Tu m'accorderas qu'il faut être passablement dérangé pour commettre des crimes pareils ! Cet homme n'est pas du même acabit que ceux que nous avons l'habitude d'arrêter. J'ai besoin que tu essaies de cerner sa psychologie, de comprendre ce qu'il cherche, les raisons pour lesquelles il commet des actes aussi tordus. En quinze ans de travail dans les brigades, surtout lorsque j'étais à Paris, j'ai essentiellement eu affaire à des bandes armées, à des anarchistes, aux apaches… Il y avait aussi des crimes de sang, mais leurs mobiles étaient clairs comme de l'eau de roche : l'argent, la passion, la haine… Mais là, ça me dépasse.

Frédéric sembla hésiter, puis il se pencha en avant pour prendre appui sur le bureau.

– Je ne sais pas, Louis… Tu me parles de cas cliniques, d'études en médecine mentale, mais il s'agit là de meurtres bien réels. Je ne suis pas policier, je n'ai jamais participé à une enquête de ma vie. J'ai peur que tu n'attendes trop de moi.

– Merde ! Ce n'est pas de policiers que j'ai besoin ! s'emporta Forestier. J'ai tout ce qu'il me faut ici, des hommes efficaces et expérimentés. Je veux un œil extérieur, qui nous ouvre de nouvelles pistes. Du « sang neuf », comme disait Leroux tout à l'heure. Tu as été expert auprès des tribunaux, tu as dressé des profils psychologiques dans des affaires judiciaires. En quoi est-ce différent ?

Frédéric haussa lui aussi la voix.

– Il y a une différence de taille qui t'a peut-être échappé : je n'ai aucun patient sous la pogne ! Tu me demandes d'émettre des hypothèses à partir de quelques photographies et d'un signalement banal qui, comme tu l'as remarqué, pourrait correspondre à n'importe qui !

Louis demeura immobile et silencieux avant de hocher la tête.

– Désolé, j'aurais sans doute dû t'en apprendre un peu plus avant de t'inciter à quitter ton poste à Sainte-Anne, même pour quelques jours. Je conçois que ma demande n'ait rien à voir avec les expertises psychia-triques que tu as pu faire par le passé.

Frédéric s'efforça d'atténuer la déception bien visible du policier, d'autant plus que son raisonnement était fondé et que sa requête pouvait paraître logique.

– Ce n'est pas ce que j'ai voulu dire. Malgré les circonstances, je suis content d'être ici. J'avais besoin de m'éloigner de l'hôpital…

Il avait la gorge nouée. Le simple fait d'évoquer Sainte-Anne faisait remonter en lui ses angoisses. Il essaya de cacher sa gêne.

– Je vais tout faire pour t'aider, mais je ne suis pas sûr que les considérations d'un psychiatre puissent t'être d'un grand secours dans le cas présent.

Forestier sembla ragaillardi.

– Écoute, on verra bien où tout cela nous mène. Dans un premier temps, j'aimerais simplement avoir tes impressions, même générales, sur ces meurtres.

Frédéric plongea à nouveau les yeux dans les scènes macabres qui s'étalaient sur le bureau et prit une pro-fonde inspiration.

– À l'évidence, tout ici obéit à un rituel : la disposi-tion des victimes, l'utilisation de la ciguë, les cheveux rasés… Il est utopique de croire que nous pourrions nous mettre dans la tête de cet homme : sa psyché s'est modelée au fil des années, elle s'est nourrie de fantasmes et de traumatismes. Si nous voulons essayer de le cerner, même de façon imparfaite, il va falloir abandonner un certain nombre de nos repères rationnels et accepter le côté symbolique de ses actes.

D'un clignement d'yeux, Forestier l'incita à continuer.

– Selon toute vraisemblance, le tueur est intelligent et cultivé, mais ce point est assez relatif. Il est surtout méthodique : la ressemblance quasi totale entre les deux crimes montre qu'il possède une parfaite maîtrise de lui-même. Il ne cède pas à la panique et n'hésite pas à prendre des risques importants : tout d'abord en agissant à visage découvert – il aurait sans aucun doute été plus aisé pour lui de jeter son dévolu sur des prostituées arpentant les rues –, ensuite en prenant beaucoup de temps pour élaborer sa mise en scène. Et, comme je le disais tout à l'heure, je ne pense pas qu'il ait eu de relations charnelles avec ces filles.

– Tu crois qu'il est impuissant ?

– C'est possible, bien que ce point ne me semble pas capital. L'impuissance supposée de cet homme a pu agir comme un amplificateur, mais je ne pense pas que ce soit la cause de sa perversion.

– Et le choix des prostituées, il est significatif pour toi ?

– Impossible de répondre à cette question pour le moment. Cet homme a peut-être une image profondément dégradée de la femme. Son choix pourrait le conforter dans cette perception, d'autant plus que notre société fait tout pour assimiler ces femmes à la lie de l'humanité.

– La tentatrice dénuée de toute morale, qui exonère l'homme de s'interroger sur ses propres penchants.

– Exactement. Il peut vouloir les punir de leur luxure, les trouvant indignes de vivre.

Le visage de Louis s'assombrit.

– Il n'aurait pas suffisamment de morale pour se retenir de tuer mais assez pour s'ériger en juge et les condamner à mort ?

– Ce n'est pas antinomique. Il a pu remplacer la morale qui est la nôtre par une autre échelle de valeurs. Je te l'ai dit, il faut essayer de se détacher de nos repères. Je suppose qu'on ne peut pas non plus écarter le fait que ces victimes-là étaient plus vulnérables et qu'elles lui apparaissaient comme des proies plus faciles. Mais je crois que tu aurais pu trouver ça tout seul.

– Non, non, tout ce que tu dis là est intéressant.

Frédéric dodelina de la tête.

– Il y a pourtant une chose qui me gêne.

– Tu penses à quoi ?

– Je ne sais pas vraiment… Les criminels psycho-sexuels ont souvent recours à un mode opératoire récurrent, mais ce n'est jamais la pure répétition qui les excite. Or, ici, le meurtre semble reproduit à l'identique, de façon parfaite : pas la moindre variation dans la mise en scène. La seule différence réside dans le physique des deux filles.

– C'est ce que j'avais noté moi aussi.

– On dirait que leur apparence, qui aurait dû être un point essentiel de son choix, capable de lui procurer du plaisir et de remplacer éventuellement le coït qui n'a pas eu lieu, n'a été pour lui que secondaire, comme si les corps de ces femmes n'étaient qu'un prétexte à la mise en scène. Cet homme, si fou qu'il puisse nous sembler, essaie de nous parler, de nous transmettre quelque chose.

– Par «nous», tu veux dire la police?

– Pas nécessairement. Il a besoin de partager ses failles et ses zones d'ombre avec quelqu'un. Ce que tu as sous les yeux peut être lu comme un message.

Frédéric fixa à nouveau la première série de clichés et plissa légèrement les yeux. Il venait de repérer des petites traces sur le corps de Louise, d'étranges symboles dispersés sur un bras, un sein et une hanche. Trop petits pour qu'on pût clairement les déchiffrer. Il fit défiler l'autre série entre ses doigts, à la recherche de signes semblables sur le corps d'Yvette.

– Je me demandais quand tu allais les remarquer.

Le médecin affiche une mine sceptique.

– Qu'est-ce que c'est?

– Des lettres.

Il s'approcha aussi près qu'il put des photographies et crut effectivement distinguer un A et un E, puis un signe qui ressemblait à un L ou un I.

– Pourquoi ne m'en as-tu pas parlé plus tôt?

– J'avais besoin de recueillir tes premières impressions avant d'aborder l'autre partie de l'affaire.

– L'autre partie? Je ne suis pas sûr de bien comprendre.

– Viens, suis-moi, fit Louis en se levant d'un bond. Il faut que je te présente quelqu'un.

3

Louis gara sa Panhard devant les hangars de l'aérodrome de la Californie, qui longeait le rivage sur plusieurs centaines de mètres et jouxtait à l'est le champ de courses. Quelques mécaniciens en blouse de travail, cigarettes aux lèvres, discutaient près des monoplans et des biplans parqués devant les baraquements.

– Qu'est-ce qu'on fait ici ? demanda Frédéric en sortant du véhicule, un brin agacé. Tu ne veux vraiment pas m'en dire plus à propos de ce Raphaël ?

– Je préfère que tu découvres le personnage par toi-même.

Forestier s'approcha du groupe d'hommes, fit un discret salut de la main et lança à la cantonade :

– Eh, les gars ! Vous savez où je pourrais trouver Raphaël Mathesson ? Il m'a dit qu'il serait à l'Aéro-Club cet après-midi.

– Raphaël ? fit le plus âgé en projetant d'une chiquenaude son mégot au sol. Vous allez devoir attendre qu'il redescende !

Frédéric se tourna avec étonnement vers le policier.

– Vous voyez, là-bas ? reprit l'homme en montrant un point au-dessus de la mer. C'est lui.

Ils levèrent leurs regards vers le ciel, que n'ombrageait aucun nuage. Au loin, ils distinguèrent une vague forme qui ressemblait à un oiseau égaré.

– Il tente une traversée Nice-Ajaccio ? demanda Louis avec dérision.

Les trois hommes pouffèrent.

– Le meeting est dans moins de deux semaines, dit le mécanicien. Faut bien s'entraîner.

Et il désigna une série d'affiches fixées aux murs des hangars.

Gde Semaine Aéronautique Internationale
6 au 14 avril 1922

pouvait-on lire au-dessus d'un dessin représentant un biplan, un hydravion et un dirigeable survolant la baie des Anges.

– Raphaël est pilote ? s'exclama Frédéric.

– Entre autres… répondit Louis. Disons que c'est l'un de ses multiples dadas, celui auquel il consacre le plus de temps.

– Mais qu'est-ce qu'il fait comme métier ?

Forestier toussota, puis laissa échapper un petit rire.

– Métier ? Je ne crois pas que ce soit un mot qu'il connaisse. Il est plein aux as, il vit de ses rentes. D'habitude, les individus de cette engeance, je ne les porte pas dans mon cœur, mais tu verras, lui est vraiment différent.

Louis Forestier était issu d'un milieu très modeste – malgré l'octroi d'une bourse, ses parents avaient dû faire de gros efforts pour l'envoyer à la faculté –, et Frédéric l'avait souvent entendu pester contre les rupins et les grands de ce monde. Il pouvait même tenir des discours plutôt extrêmes sur l'exploitation des classes laborieuses et l'argent qui gouvernait tout, attitude assez équivoque pour un mobilard qui avait eu à lutter avant guerre contre les anarchistes et les agitateurs d'extrême gauche.

– C'est un Anglais ?

– Son père l'était, en effet. Un homme brillant qui a fait fortune dans l'industrie navale. Dans les années 1870, il est venu sur la Côte pour accompagner sa femme atteinte de tuberculose.

– Le mal du siècle…

– Ils se sont arrêtés à Cannes et sont tombés amoureux de l'endroit. C'était la grande époque où les Anglais débarquaient en masse… les « hirondelles d'hiver », comme on les appelait. Tu comprends, pour eux, c'était un peu Baden moins la neige, ou Madère sans la fièvre jaune. Les parents de Raphaël s'y sont fait construire une immense baraque de style italien, un truc assez horrible mais qui sent l'argent à plein nez. Raphaël y est né. Il retourne de temps en temps à Londres pour gérer des affaires qui l'ennuient au plus haut point, mais il passe la plus grande partie de sa vie à Nice, où il a acheté une maison… je ne te raconte même pas !

Louis leva un doigt vers le ciel.

– C'est un crack dans ce domaine. Il a remporté deux prix au meeting de 1910.

– Et son rôle dans cette affaire ?

– Raphaël est une vraie encyclopédie. Tous les sujets le passionnent, ou presque. C'est sans doute l'avantage d'être friqué comme il l'est. C'est lui qui a compris pour les lettres… Mais il t'expliquera.

– Tu es déjà monté dans un de ces appareils ?

– Moi ! Tu plaisantes, j'espère ?

– C'est vrai, j'avais oublié.

Forestier souffrait d'acrophobie : même en lui pointant une arme sur la tempe, on n'aurait pas pu le faire monter sur une échelle.

Ce qui n'était qu'un ronron lointain se transforma bientôt en vrombissement. L'appareil de Raphaël Mathesson survola élégamment l'aérodrome, décrivit avec lenteur une boucle au-dessus de leurs têtes et amorça une descente vers la piste d'atterrissage. Le Caudron G3 plana à quelques mètres du sol avant que ses roues n'accrochent la terre battue, sans le moindre rebond. Deux des mécaniciens accoururent vers le biplan monomoteur tandis qu'il finissait sa course à quelques dizaines de mètres des hangars.

De la courte nacelle émergea un homme fluet et de petite taille coiffé d'un casque d'aviateur en cuir.

– Alors ? demanda-t-il à l'un des mécaniciens, qui tenait en main un chronographe.

– 8 minutes et 15 secondes.

– Impossible ! explosa-t-il. Ça fait presque une minute de moins que la dernière fois !

Louis s'approcha de l'avion.

– Salut, l'as des as !

– *Old man !* fit Raphaël, retrouvant le sourire. Qu'est-ce qui me vaut l'honneur de ta présence ?

– Je voulais assister à tes exploits. « Une minute de moins »… De quoi te plains-tu ? Tu essaies de battre un record de lenteur ?

– Tu ne crois pas si bien dire ! Ils ont inventé une nouvelle épreuve pour le meeting du mois prochain, une vraie torture : réaliser le plus lentement possible le parcours entre le pont Magnan et l'hôtel Ruhl !

Raphaël s'approcha d'eux et donna l'accolade à Louis.

– Je te présente Frédéric Berthellon, il est arrivé de Paris il y a deux heures.

– Depuis le temps que Louis me parle de vous ! dit-il en tendant la main à Frédéric. Votre réputation vous précède.

Raphaël Mathesson devait tout juste avoir atteint la quarantaine. Il avait des traits délicats, un regard vif et une bouche bien dessinée surmontée d'une fine moustache de dandy. Quelque chose dans son attitude et son allure surprit Frédéric mais il n'aurait pas pu dire quoi.

– Très heureux. Louis a fait le cachottier vous concernant.

– Tiens donc ! N'allez rien imaginer sur moi. *I'm as pure as the driven snow.* Que diriez-vous de prendre un verre ? Laissez-moi juste le temps de ranger mon coucou. Je sais que Louis ne boit jamais pendant le service, mais comme de toute façon il est de service vingt-quatre heures sur vingt-quatre… Si tu veux, je te préparerai un lait de poule !

*

La villa de l'aviateur millionnaire s'avançait sur une langue de rochers du cap de Nice, à la limite orientale de la ville. Frédéric demeura bouche bée lorsqu'il découvrit, au bout d'une allée agrémentée d'essences méditerranéennes odoriférantes, la demeure extravagante. De forme rectangulaire et de taille démesurée, elle s'organisait tout entière autour d'un patio bordé de deux galeries superposées et avait été construite en étages à demi enterrés en suivant la déclivité du terrain. La blancheur dépouillée des façades ressortait par contraste avec la couleur chaleureuse des persiennes. Bâtie à la fin du siècle dernier par un membre de la Chambre des lords attiré par le soleil de la Riviera, la villa avait été réaménagée deux ans auparavant, Raphaël ayant privilégié les lignes claires alors en vogue dans les constructions d'avant-garde.

L'entrée se faisait par la partie haute de la villa. Les trois hommes descendirent l'escalier principal, qui donnait sur le patio. La galerie du rez-de-chaussée était constituée d'arcs en plein cintre, tandis que celle du premier étage était entièrement vitrée. Un astucieux puits de lumière éclairait les espaces de réception situés dans la partie centrale.

Ils furent accueillis par une gouvernante du nom de Mary, une sexagénaire aux cheveux grisonnants au service de la famille de Raphaël depuis des décennies. Elle lui jeta un regard farouche en les débarrassant.

– Vous finirez un jour par vous tuer, fit-elle avec un accent anglais assez prononcé. Vous avez vraiment envie de terminer comme le capitaine Ferber ? Si votre mère était encore de ce monde…

– Vos remontrances n'ont rien à envier aux siennes, répondit Raphaël, un sourire aux lèvres. Qui sait de toute façon ce que l'avenir nous réserve ? Si je mourais dans mon lit, vous seriez encore capable de me reprocher mon intrépidité…

– Vous feriez mieux de ne pas plaisanter avec ça et de vous montrer moins insolent. Allez-vous passer au salon ?

– Merci, nous allons discuter dans mon bureau.

Raphaël Mathesson se tourna vers Frédéric.

– Vous ne m'en voudrez pas de ne pas vous faire une visite des lieux, je n'ai jamais été doué pour ça et je pense que nous avons des choses plus urgentes à régler.

Le bureau se situait dans une petite tour carrée, à l'angle de la villa, qui ouvrait sur des terrasses tournées vers la mer. L'intérieur de la pièce jurait avec la modernité du reste de la demeure.

– Tu as vu la babilleuse ? demanda Louis à mi-voix.

Les murs étaient tapissés de livres. Une corniche avait même été construite à mi-hauteur de la bibliothèque, à laquelle on accédait par un petit escalier métallique. Les reliures étaient onéreuses et le nombre de volumes exceptionnel pour une collection privée. Le mobilier très classique et la présence d'une cheminée à tablier créaient une atmosphère cossue et douillette qu'on aurait plus attendue dans quelque manoir ou cottage du fin fond du Surrey.

– Whisky, Frédéric ?

– *Whisky and soda*, plutôt.

– Vous allez me faire déprimer, les gars. Et pour toi, Louis, une eau de Seltz, comme d'habitude ?

– *Yes, sir*, fit-il avec un accent à couper au couteau.

– Louis vous a donc parlé des lettres ? reprit Raphaël.

– Oui, mais il ne m'a pas dit ce qu'elles signifiaient.

– J'ai voulu te laisser ce privilège, intervint le policier, puisque c'est toi qui as décrypté le message.

Raphaël tendit leur verre à ses invités.

– Effectivement, *eurêka !* Chaque corps portait une série de quatre lettres. Il y avait en tout quatre voyelles et autant de consonnes. Certaines d'entre elles étaient presque illisibles.

Louis Forestier leva son verre en direction de ses compagnons.

– Santé ! Je me suis trituré les méninges pour comprendre ce qu'elles pouvaient signifier. Puis j'ai eu l'idée des les soumettre à Raphaël, qui aime bien les jeux… intellectuels.

– Il m'a fallu presque dix minutes pour résoudre le mystère, reconnut celui-ci sans une once d'ironie dans la voix. Je dois dire que la présence d'un « y » m'a facilité la tâche. Les lettres formaient le mot « SIBYLLAE ».

Raphaël se tut, attendant visiblement une réaction de la part de Frédéric.

– Les sibylles, ce n'étaient pas les prêtresses d'Apollon ?

– Bravo ! Heureux de rencontrer quelqu'un qui a fait ses humanités. Ça me changera de Louis.

– Tout le monde ne peut pas passer sa vie dans les livres. Certains ont besoin de travailler pour vivre, fit le policier, bougon.

Raphaël l'ignora.

– J'ai immédiatement privilégié une forme de datif latin : « pour la sibylle » ou « à la sibylle ». Chez les Grecs, les sibylles étaient effectivement des prophétesses inspirées par Apollon. Pour la petite histoire, elles étaient assez proches des pythies, mais, contrairement à elles, ces prêtresses étaient indépendantes et menaient une vie itinérante. Ce mode de divination s'est ensuite répandu chez les Romains, qui connaissaient en particulier la sibylle de Tibur et celle de Cumes.

Raphaël se dirigea vers un pan de la bibliothèque derrière son bureau en acajou et en extirpa un volume en cuir assez épais dont il se mit à feuilleter les pages.

– Comment ne pas penser au chant VI de l'*Énéide* de Virgile…

– Évidemment ! se moqua Louis. Je me demande comment je n'y ai pas songé tout seul.

– … l'œuvre latine la plus célèbre évoquant la sibylle de Cumes ?

Frédéric se rappelait les versions latines décourageantes sur lesquelles il s'escrimait, adolescent. Il n'avait jamais été très doué pour les langues anciennes, mais il pouvait encore se remémorer les premiers vers du long poème de Virgile qui relatait le voyage d'Énée depuis son départ de Troie jusqu'à son arrivée dans le Latium, où serait plus tard construite la ville de Rome : « *Arma virumque cano…* », « Je chante les exploits du héros… »

– Au chant VI de cette épopée, Énée voit son père mort lui apparaître en songe : le vieillard l'incite à aller trouver la sibylle de Cumes, en Campanie. Grâce à elle, il pourra descendre aux Enfers et visiter le royaume des morts. C'est la fameuse *katabasis* des Grecs. Il y reverra son père et aura la vision de ses futurs descendants. Voici le texte de sa rencontre avec la sibylle – rassurez-vous, je vous épargne la version originale : « Énée s'empressa d'exécuter les recommandations de la Sibylle. Il était une caverne profonde, monstrueuse, qui s'ouvrait dans le rocher comme un vaste gouffre. La prêtresse y fit amener deux jeunes taureaux à la noire échine et versa sur leur front des libations de vin ; puis, entre leurs cornes, elle coupa tous les poils et jeta sur les flammes sacrées cette première offrande en appelant à voix haute Hécate qui règne dans le ciel et sur l'Érèbe. D'autres plongèrent le couteau dans le cou baissé des victimes et recueillirent dans des patères le sang tiède. »

Mathesson s'interrompit un instant, puis reprit :

– Je crois que le passage est assez clair. La sibylle, deux victimes, les poils ou cheveux coupés, l'égorgement…

Frédéric demeurait abasourdi.

– Vous voulez dire que notre homme se serait inspiré d'un texte vieux de deux mille ans pour commettre ses meurtres ?

– Il me semble que les lettres inscrites sur les corps et les ressemblances que vient d'évoquer Raphaël ne laissent planer aucun doute, nota Louis.

– Sans compter évidemment l'utilisation de la ciguë, qui nous renvoie elle aussi à l'Antiquité.

– Ce qui confirme donc ma première impression sur la culture et l'intelligence de cet homme, qui sont sans doute bien supérieures à la moyenne, renchérit Frédéric. Cette explication va aussi dans le sens que je suggérais : le tueur a bien voulu nous laisser un message, sinon je doute qu'il aurait perdu autant de temps à graver tous ces symboles sur la peau des victimes.

Raphaël posa le volume sur un coin de son bureau.

– En commettant son double meurtre, il aurait donc procédé à un sacrifice, les deux jeunes prostituées remplaçant les taureaux.

– Mais dans quel but ? questionna Louis. Et en l'honneur de qui aurait-il accompli ce rituel ? Car je ne pense pas qu'il ait fait cela uniquement pour narguer la police. Il y avait en effet peu de chances que nous arrivions à décrypter son message et à remonter jusqu'à ce texte latin. Tout le monde n'a pas un érudit comme Raphaël sous la main.

Le regard de Frédéric navigua entre les deux hommes.

– Je dois avouer que je ne m'attendais pas à une affaire de ce genre. Même si le tueur suit un mode opératoire précis, cette mise en scène me paraît trop… élaborée, artificielle. Chez les meurtriers récidivistes, on trouve bien sûr des points communs entre les crimes : un même type de victimes, une planification particulière, une manière de tuer, mais ce qui prédomine chaque fois, ce sont les pulsions sadiques, qui peuvent difficilement laisser place à une telle sophistication. À moins, bien sûr, que le texte de Virgile n'ait une signification personnelle et puissante pour l'assassin, qui pourrait remonter loin dans son passé et qu'il reproduirait ici de façon presque inconsciente.

– Il ne s'agirait nullement d'un jeu ?

– À coup sûr, non.

– Mais quel sens cette mise en scène pourrait bien avoir pour lui ?

Frédéric Berthellon prit son temps pour tenter d'être le plus concis possible dans ses explications.

– Vous avez dit le mot tout à l'heure : il s'agit pour lui d'un « sacrifice », mais, selon moi, d'un sacrifice symbolique. Cette race de tueurs, qui n'agissent pas pour des motifs de délinquance classiques, ont quasiment toujours été marqués par une extrême souffrance précoce. C'est pourquoi, si l'on veut comprendre quelque chose à leur motivation, il faut relier leurs actes criminels présents à leurs souffrances identitaires passées…

– Ah non ! le coupa Louis. Tu ne vas pas nous sortir un baratin sur les souffrances d'enfants battus qui seraient devenus malgré eux des criminels ! Mon père me frappait au ceinturon, ça n'a pas fait de moi un tueur.

– Allons, Louis, inutile de tout ramener à ta petite personne, tempéra l'aviateur. Laisse notre ami parler. C'est pour ça qu'il est là, non ?

– Il ne s'agit pas d'excuser ou de schématiser, reprit Frédéric. Je ne dis pas que cet homme a été battu comme plâtre par ses parents quand il était enfant. Mais le sadisme dont il fait preuve a sans doute une origine lointaine, qui resterait peut-être indéchiffrable même si nous pouvions l'étudier pendant des années. On ne peut pas exclure la possibilité que lui-même n'ait pas une conscience claire de cette origine.

– Tu veux dire qu'il ne saurait pas pourquoi il accomplit ces meurtres ?

– Exactement. On observe des tendances perverses chez tous les enfants et les adolescents, et on pense aujourd'hui qu'il existe dans le cerveau des organes présidant aux fonctions de reproduction et de destruction. Dans des conditions de développement normal, l'homme parvient à dominer ses instincts. Mais un ou plusieurs traumatismes originels peuvent créer de grands sadiques.

– Quel rapport avec le sacrifice symbolique dont tu parlais ?

– Tu vas comprendre. Pour survivre et dépasser cette blessure intime, le sujet – car tu me permettras d'endosser ma blouse de médecin et de parler à présent de « sujet » et non de « tueur » – tente de se soustraire à son traumatisme : il survit en se plaçant au-delà de la souffrance, qu'il finit par ne plus éprouver. S'instaure alors ce que j'appellerais une « mutilation de sa psyché ».

– Pas trop de jargon, s'il te plaît ! supplia Louis. Mais si cet homme n'éprouve plus de souffrance, pourquoi alors se met-il à tuer ?

– Si nous le savions ! Disons que lorsque, pour une raison ou pour une autre, l'expérience traumatisante menace de resurgir dans le réel, le sujet met en œuvre une ultime stratégie de survie, qui paradoxalement a pour issue la mort. Elle peut prendre chez certains la forme du suicide, et chez d'autres…

– Celle de meurtres ? compléta Raphaël.

– Oui. La défense consiste à tuer pour ne pas être soi-même anéanti. C'est pourquoi j'invoquais la notion de sacrifice. Ces tueurs doivent à tout prix trouver un « objet sacrificiel », une victime qu'il faut immoler rituellement.

– Mais quel réconfort ces sacrifices peuvent bien leur apporter ?

Frédéric se leva de son fauteuil et se mit à arpenter la pièce.

– Ce n'est guère difficile à comprendre. Il s'agit de faire vivre activement à autrui ce que le sujet a eu à endurer dans l'impuissance. Par le meurtre ou l'agression sexuelle, le criminel sacrifie sa victime, et cette issue mortifère peut lui procurer excitation ou apaisement, ou, pourquoi pas ?, les deux.

Raphaël posa un index sur son menton.

– Ce que vous dites me fait penser à un essai du docteur Freud que j'ai lu il y a quelques années. Il y citait le Richard III de Shakespeare, qui retourne le mal qu'il accomplit en bien pour lui.

Frédéric ne s'était pas attendu à une référence aussi pointue de la part d'un profane.

– En effet, Richard III réclame un « dédommagement » pour les affronts qu'il a subis et les atteintes à son narcissisme. Dans le cas qui nous occupe, le sujet surmonterait le sacrifice passé en s'arrogeant le droit de vie et de mort sur autrui, et, partant, en se plaçant hors des lois de l'humanité. Au-delà même du sacrifice, et si j'en crois le texte de Virgile, notre homme a commencé sa descente aux Enfers.

– Et sa visite du royaume d'Hadès ne fait visiblement que commencer, ajouta Raphaël, puisque c'est au tour des enfants à présent.

Ces quelques mots suffirent à jeter un froid dans le bureau.

– Les enfants ? répéta Frédéric en se tournant vers le policier. De quoi est-ce qu'il parle ?

Forestier eut du mal à dissimuler son air embarrassé et pianota sur l'accoudoir de son fauteuil du bout des doigts.

– Tu vas sans doute t'agacer de mes cachotteries, mais je ne t'ai pas tout dit sur les raisons de ta présence ici. En fait, j'ai omis l'essentiel. Depuis la mort des deux prostituées, il y a eu d'autres meurtres. Des meurtres d'enfants…

4

Tout le monde l'appelait Pierrot.

Pierre Corteggiani, 10 ans, avait disparu dans la matinée du 13 février, dans le quartier ouvrier de Riquier. Sa mère l'avait envoyé faire des commissions dans une épicerie, à deux rues de chez lui, et on l'avait aperçu pour la dernière fois sortant de la boutique, sans que personne pût indiquer la direction qu'il avait empruntée.

Après quelques recherches infructueuses menées par la famille puis par les habitants du quartier, sa disparition avait été signalée à la police municipale, mais, lorsque quelques interrogatoires superficiels eurent montré que l'enfant était réputé pour son caractère farouche et que les altercations avec ses parents étaient fréquentes, on avait privilégié la thèse de la fugue. L'origine sociale de la famille – ses parents étaient des immigrés italiens originaires du Piémont et le père ouvrier du bâtiment – n'avait guère aidé à faire de cette disparition une priorité. Néanmoins, en fouillant un peu plus avant, les municipaux avaient découvert que les disputes familiales cachaient une réelle maltraitance et que l'enfant était battu pour la moindre brou-tille, avec une violence qui avait souvent provoqué l'indignation du voisinage. On avait donc un moment soupçonné la famille de s'être débarrassée du corps après une dispute qui aurait mal tourné, quoiqu'on n'eût pas entendu de cris ce jour-là et qu'aucun indice matériel dans la maison ne permît d'étayer cette thèse.

La brigade mobile dirigée par Forestier n'avait eu vent de cette disparition que dix jours plus tard, après qu'on eut retrouvé le corps de l'enfant dans la citerne d'une maison bourgeoise de Cimiez. Incommodé par l'odeur pestilentielle qui se dégageait de la cuve depuis plusieurs jours, le jardinier l'avait inspectée et avait fait cette funeste découverte.

L'histoire avait mis le voisinage en émoi. Cimiez était le quartier le plus ancien de Nice et l'un des plus prestigieux. C'était là que, loin des rumeurs et des désagréments du centre-ville, avait séjourné de longues années durant la reine Victoria lors de ses visites hivernales sur la Riviera.

– J'ai en vu, des choses moches, dans ma vie, expliqua Louis avec une vraie émotion dans la voix, mais le cadavre de ce gosse… Il était complètement putréfié, la tête ne tenait plus que par quelques filaments de chair et de peau.

– Il a été égorgé ? demanda Frédéric, qui s'était figé depuis le début du récit du policier.

– Oui, comme les deux filles, mais avec une violence telle que les ligaments de la colonne vertébrale avaient été sectionnés.

– Il y a une chose que j'ai du mal à comprendre : pourquoi n'avez-vous pas été mis au courant de cette disparition ? Un enfant de 10 ans… ça relève plutôt du travail des brigades mobiles.

Louis soupira.

– Rivalités entre polices… Tu sais, l'installation des brigades en province ne s'est pas faite de façon idyllique. À Nice, on est un peu apparus comme des trouble-fête. Il existait déjà une concurrence entre police municipale, police spéciale et gendarmerie, alors… notre arrivée n'a fait qu'exacerber les jalousies et les tensions. Sans compter que depuis deux ans la police municipale de Nice est passée sous l'égide de l'État. Pour certains, notre présence ici ne se justifie plus.

– Mais comment peux-tu être sûr qu'il s'agit du même assassin ? Le choix des victimes me semble tellement différent.

– Lis-nous l'autre passage, Raphaël.

L'aviateur s'éclaircit la voix et tourna quelques pages de l'ouvrage qu'il avait repris en main.

– Après le sacrifice, Énée pénètre dans les Enfers par les gouffres du lac Averne et traverse le Styx avec l'aide du nocher Charon. La sibylle parvient ensuite à assoupir Cerbère, le gardien des lieux, et Énée découvre le royaume des morts. « Tout d'abord, il entend des voix et de puissants vagissements : ce sont les âmes des enfants qui pleurent, de ces petits êtres qui ne connurent pas la douceur de vivre, et qu'un jour sombre arracha du sein maternel pour les plonger dans la nuit précoce du tombeau. »

– Après le sacrifice rituel, la mort d'enfants qui ne verront jamais l'âge adulte… récapitula le psychiatre à haute voix.

– Oui. Notre homme semble suivre à la lettre le texte de Virgile.

– Ou plutôt il projette ses obsessions et ses déviances dans ce texte, nuança Frédéric. Comme nous l'avons dit, je doute qu'il s'agisse pour lui d'un simple jeu. Ce n'est certainement pas un vieux texte latin qui le pousse à agir. Les lignes que nous a lues Raphaël lui permettent une matérialisation, rien de plus.

– Mais il y a autre chose : malgré l'état de décomposition du corps, le légiste a identifié un signe tatoué sur un bout de peau.

– Des lettres ?

– Une seule, grecque : alpha.

– La première lettre de l'alphabet, précisa Raphaël, auquel on donnait dans l'Antiquité une valeur numérique, c'est-à-dire le chiffre 1.

– Donc, la première victime pour notre tueur, traduisit Louis. En dehors des prostituées, évidemment, qu'il ne semble même pas mettre à son tableau de chasse.

Un ange passa.

– Vous avez pu savoir si l'enfant a été tué juste après son enlèvement ? reprit Frédéric.

– C'est difficile à dire. Le légiste m'a expliqué que les phénomènes de décomposition sont deux fois plus lents dans l'eau. Le maximum de putréfaction est atteint au bout d'environ dix jours. C'est à peu près son estimation pour l'enfant, ce qui veut dire qu'il a probablement été tué le jour de son enlèvement.

– Mais pourquoi diable être allé placer le cadavre de cet enfant dans une citerne, et surtout si loin du quartier où il a été enlevé ?

– Ça m'a chiffonné moi aussi, au début. Ce type a pris le risque de se faire surprendre, même si les grilles qui entourent la maison n'ont rien d'infranchissable. Il ne pouvait pas non plus ignorer que la découverte du corps ferait grand bruit à Cimiez et plongerait le quartier dans la peur. La criminalité est proche de zéro dans cette partie de la ville. En fait, je crois qu'il voulait être sûr qu'on trouverait le corps, mais au bout d'un certain temps seulement. Peut-être pour laisser la police s'épuiser à retrouver l'enfant ou pour tirer un plaisir de la souffrance de la famille.

Frédéric hocha rapidement la tête.

– Ce n'est pas idiot comme raisonnement. Deux tendances pourraient être à l'œuvre chez cet individu, opposées en apparence mais qui se retrouvent chez les criminels psychopathes. D'abord, une volonté irrépressible de cacher le corps, sitôt le crime exécuté…

– Le cacher par honte ou par remords, tu veux dire ?

– Par remords, certainement pas, mais sans doute poussé par une honte presque enfantine, un réflexe de petit garçon qui sait qu'il va être grondé pour ce qu'il a fait. Ensuite, le corps caché est la source d'une jouissance sexuelle. Dès lors, il n'est pas rare que des tueurs reviennent sur les lieux du crime, à l'endroit où ils ont dissimulé le cadavre. Il leur arrive même de se mêler à la foule au moment de la découverte.

– On l'aurait donc peut-être déjà vu ?

– Ce n'est pas à exclure. Certains poussent le risque jusqu'à se faire interroger comme témoins ou espionner les policiers dans leur enquête.

À l'idée de cette éventualité, Louis sentit les poils se dresser sur ses bras.

– Mais tu as parlé de plusieurs meurtres, reprit Frédéric.

Le policier opina du chef et tenta de reprendre le fil de son histoire.

– Le deuxième enfant est Adrien Albertini, 11 ans. Origine sociale également modeste, famille de vitriers issue de l'immigration italienne des années 1860. Il arrive à la mère de faire le quart, mais de façon occasionnelle : elle n'est même pas inscrite à la préfecture.

– À nouveau des immigrés italiens…

– Oui. J'ignore pour le moment s'il faut y voir un dénominateur commun ou une simple coïncidence. S'il s'en prend à des victimes faibles et de milieu modeste, il n'est guère surprenant que les deux enfants aient été d'origine italienne, la population la plus pauvre de la région. Pour ce qui est du petit Albertini, il vivait dans la vieille ville. Il a été enlevé à la nuit tombée, le 26 février, près de deux semaines après la première victime.

– Qu'est-ce qu'il faisait dehors à cette heure ?

– On voit bien que tu ne connais pas le vieux Nice ! C'est un village à lui tout seul. Les gamins ont l'habitude de traîner assez tard dans les rues. Après la mort du petit Corteggiani, je peux te dire qu'on les a engueulés, les municipaux. Du coup, on a été informés de la disparition d'Adrien dès le lendemain. Ce qui n'aura d'ailleurs pas servi à grand-chose.

– Pourquoi ? Quand avez-vous découvert le corps ?

– Six jours plus tard. Dans les égouts de la ville.

– Les égouts ? Comment a-t-on fait pour le retrouver ?

– Oh, ça n'a pas été difficile. Il est fini, le temps où les cultivateurs de la région venaient vidanger les fosses d'aisances la nuit. On a maintenant un vaste réseau de tout-à-l'égout et la municipalité s'est lancée dans un gros travail d'entretien des eaux pluviales et des matières usées. Les égouts sont inspectés toutes les semaines. Ce que ne devait pas ignorer le tueur et ce dont il s'est peut-être servi pour qu'on tombe sur le cadavre assez vite.

– Et le corps, dans quel état était-il ?

– Pas beau à voir, mais mieux conservé que le premier. Le gosse avait été attaché à une de ces échelles métalliques qui permettent l'accès aux canalisations. Les agents n'ont touché à rien et on a retrouvé le cadavre dans l'état où le tueur l'avait laissé. Égorgé, bien sûr, comme Pierrot. La seule différence notable, c'est que le légiste pense que le garçon a été tué bien après son enlèvement.

– Qu'est-ce que tu entends par « bien après » ?

– Deux jours, peut-être trois. Le légiste n'exclut pas complètement de se tromper : la datation des cadavres n'est pas une science exacte, surtout vu les conditions particulières de conservation du corps. Mais, selon lui, il n'a pas séjourné dans la flotte. Il n'avait pas plu et le niveau des eaux n'était pas monté.

– Le mode opératoire a donc changé : il aurait séquestré l'enfant plusieurs jours avant de l'exécuter…

– Il faut le croire.

– C'est très inhabituel, mais évidemment pas impossible.

– Ce qui demeure, en revanche, c'est la présence de l'eau dans les deux cas.

– À nouveau l'inspiration virgilienne, commenta Raphaël, qui s'était tu jusque-là. Pour les Grecs, les Enfers étaient séparés du monde des vivants par des fleuves, le Styx mais aussi l'Achéron. Les morts devaient payer une obole au nocher Charon pour pénétrer dans l'Hadès. Tous les fleuves ont d'ailleurs une symbolique particulière : le Léthé apportait l'oubli, le Cocyte était formé des larmes des voleurs et des pécheurs, etc. L'eau pourrait bien marquer le passage symbolique des enfants chez les morts.

– Et sur le corps, il y avait aussi une lettre ? demanda Frédéric.

Le regard de Louis s'ennuagea.

– La lettre bêta, la deuxième lettre de l'alphabet grec. Ce qui suppose que, dans l'esprit du tueur, ce n'est que le début d'une véritable hécatombe.

5

En plus d'être un cordon-bleu, Clara Forestier était une hôtesse charmante qui savait mettre à l'aise quiconque franchissait le seuil de sa maison. On aurait difficilement pu la qualifier de « belle », mais une douceur dans son visage avenant et des traits délicats lui conféraient un charme auquel il était difficile de demeurer insensible. Lorsque Louis parlait de sa femme, ce n'était pas seulement en termes affectueux ; on décelait dans sa voix quelque chose qui relevait de l'admiration et de la gratitude. Car c'était elle qui l'avait fait renaître après les années de cauchemar qu'il avait traversées.

Louis parlait peu de la guerre. Et s'il en parlait, c'était pour raconter d'un ton badin des anecdotes de camarades de chambrée ou pour constater, l'air plus grave, qu'il avait eu de la chance. Lui n'avait pas fait partie de ces jeunes gens mobilisés dès 14 après trois années de service militaire et qui avaient enchaîné deux, trois ou quatre ans de combat avant d'être tués par une balle perdue à la fin des hostilités.

Dès le début du conflit, les brigades mobiles s'étaient fondues dans le vaste réseau de contre-espionnage organisé à l'arrière des lignes et de la zone de feu pour remplir des missions de défense nationale. La délinquance et la criminalité qui avaient été l'obsession des gouvernements au tournant du siècle semblaient s'être évaporées comme par magie. On ne parlait plus désormais que de chasse aux traîtres et aux défaitistes, si bien que le ministère de la Guerre et celui de l'Intérieur avaient décidé d'agir de concert. Beaucoup croyaient que les mobilards en avaient vu leur vie facilitée en demeurant à l'écart des combats. La réalité était pourtant bien différente. Les hommes de Clemenceau avaient reçu pour mission de pénétrer l'armée pour tenter d'y déceler les espions et avaient donc été soumis comme les autres soldats aux dangers du front.

En 1917, la mission des mobilards s'était compliquée. Après les folles offensives de Nivelle et l'échec sanglant de l'attaque du Chemin des Dames, les mutineries s'étaient multipliées, certains officiers faisant cause commune avec les révoltés. Les inspecteurs de la Sûreté avaient reçu l'ordre de se mêler aux contestataires pour identifier les meneurs, sans que l'on sût parfois éviter de terribles erreurs concernant leur véritable identité.

Cette nouvelle tâche avait été pour Louis un déchirement. Il s'était engagé dans les brigades mobiles en 1907 pour combattre le crime, et voilà qu'on lui imposait de dénoncer de pauvres bougres qui, après avoir connu la boucherie des combats, refusaient de monter au front pour servir de chair à canon. Ce qui avait frappé le policier, c'était que les mutins qu'il avait croisés n'agissaient jamais par lâcheté. Les poilus, habitués à vivre dans la boue et le froid, à voir des corps décapités, démembrés, mutilés, avaient fini par apprivoiser la mort. On ne vit pas trois ans dans la crainte quotidienne de mourir. On s'habitue à tout, même à l'horreur absolue. La flamme même de ces rébellions, les états-majors l'entretenaient chaque jour par leurs mensonges, leurs promesses non tenues et le peu de cas qu'ils faisaient des pertes humaines. La déception et la colère comptaient parmi les vraies raisons de ces mutineries.

Durant le printemps 17, Louis s'était enfoncé jour après jour dans une culpabilité dévorante, jusqu'à ce que, une nuit d'avril, le sort mette fin à son dilemme. Une nuit dont il n'était pas vraiment revenu.

Une hauteur, quelque part entre Reims et Laon. Un pays ravagé aux trois quarts, recouvert par un fin manteau neigeux. Dans la journée, les tirs d'artillerie se sont faits de plus en plus violents. Les Allemands, comme à leur habitude, tirent peu mais visent juste. Au crépuscule, du haut de la colline, Louis a regardé l'étrange défilé de brancardiers, de blessés et de brouettes se diriger en direction du sud. La nuit tombe, il fait froid. Des fusées au magnésium embrasent le ciel, leur descente ralentie par des parachutes pour éclairer les tranchées ennemies. Puis, à nouveau, l'obscurité.

Plus tard, des coups de sifflet. « Aux abris ! On va se faire marmiter ! Des shrapnels ! » Des saloperies qui éclatent en l'air en projetant des billes de plomb et vous tuent à petit feu. Louis a le temps de se mettre à couvert. Du moins le croit-il. En tombant et en libérant les balles, les obus font un étrange sifflement qui vous traverse le tympan. Louis se sent cloué au sol, le corps embourbé dans un mélange de neige et de terre humide. Il est blessé, ça il le sait. Mais il n'est pas encore capable de dire où. Il sent un liquide lui couler sur le visage. Du sang. Puis une atroce douleur lui traverse la poitrine. « Foutu », se dit-il. Il en a vu, des soldats touchés par des shrapnels, se tordre de douleur et crever au bout de plusieurs heures d'agonie.

Ensuite, il perd à moitié connaissance. Il perçoit vaguement des soldats autour de lui : « Sale blessure… Tiens-le ! » On le transporte, et chaque mètre effectué lui provoque une souffrance insupportable.

Lorsqu'il revient à lui, il est dans un poste de secours à moitié creusé dans le rocher, recouvert par des rondins et de la toile de tente. Il est entouré de blessés qui râlent ou hurlent, c'est selon. On vient sans doute de lui faire une piqûre de morphine car il sent moins la douleur. Il a du mal à ouvrir son œil droit. De l'autre, il voit un médecin penché au-dessus de lui. Un type jeune, même pas 30 ans, qui ne fait pas montre de la moindre panique. « Arrête de bouger, lui dit-il, on s'occupe de toi. » C'est drôle, il ne sent même pas que son corps bouge. Mauvais signe ? « Reste avec nous, reprend le type. Comment tu t'appelles ? » Louis marmonne son nom, mais il doit s'y reprendre à plusieurs fois pour que quelque chose d'audible sorte de sa bouche. « Écoute, Louis. Je ne vais pas te mentir, tu es salement touché. Mais je vais tout faire pour que tu t'en tires. J'essaie de stopper l'hémorragie. L'important, c'est que tu tiennes le plus longtemps possible jusqu'à ce qu'on puisse t'évacuer. Tu as compris ? » Louis essaie de faire un signe de la tête.

Ce médecin, il ne le sait pas encore, s'appelle Frédéric Berthellon. Et il vient de lui sauver la vie.

*

Malgré l'accueil chaleureux de Clara, les plats délicieux qu'elle avait préparés et la présence du petit Jean – un garçon brun aux yeux sombres qui était le portrait de sa mère –, Frédéric eut du mal durant tout le repas à détacher son esprit de l'affaire qui l'avait conduit à Nice. Quatre meurtres en moins de trois mois… Et l'homme qui en était responsable était toujours en liberté, capable de tuer à nouveau à n'importe quel moment. La singularité et la démesure de ces crimes le décontenançaient plus qu'il ne l'aurait imaginé. Le réel semblait être un mur contre lequel venaient se heurter son expérience et son savoir. Il tenta pourtant de donner le change et de participer avec entrain à la conversation.

Clara parla de sa famille et de ses origines. Frédéric apprit que son grand-père avait fait partie de la première vague d'immigration italienne qui avait suivi le rattachement de Nice à la France, dans les années 1860, celle d'hommes et de femmes qui s'étaient expatriés pour fuir la misère et la famine. Il était arrivé à l'âge de 30 ans et avait travaillé pour un salaire de misère dans la construction d'immeubles, alors qu'étaient lancés de grands chantiers dans le cadre de l'expansion du littoral.

Puis Louis raconta pour la énième fois sa rencontre avec Clara, à l'époque où il travaillait encore à la 1re brigade à Paris. La jeune femme, dont c'était le premier séjour dans la capitale, était en vacances chez une de ses cousines. Tandis qu'elles se promenaient dans le jardin des Tuileries, Clara s'était fait dérober son sac par un homme qui avait pris la fuite. Mal renseignées par un passant, les deux jeunes filles s'étaient retrouvées dans les locaux de la rue Greffulhe, à proximité du jardin. Elles y avaient été accueillies par un mobilard peu courtois qui s'était moqué d'elles en leur disant qu'il avait autre chose à faire que de courir derrière les tire-laine et qu'elles devaient se rendre dans un commissariat de quartier. Dans un coin du bureau, Louis avait assisté à la scène, fasciné par cette jeune femme qui s'indignait avec véhémence des manières rustres du policier. Il était intervenu pour la calmer et lui proposer de prendre sa déposition, dont il n'avait pas écouté un mot, trop absorbé qu'il était à contempler son visage et à imaginer une excuse pour la revoir.

– Et vous, Frédéric, avez-vous quelqu'un dans votre vie ?

– Allons, Clara ! fit Louis, surpris par son indiscrétion.

Le médecin sourit.

– Non, non, ce n'est rien. J'ai eu quelqu'un, mais les choses n'ont pas marché comme je l'aurais voulu. Louis vous a certainement parlé d'Édith…

Forestier ne put cacher son étonnement.

– Tu m'avais pourtant dit la dernière fois que vous vous étiez rabibochés.

– C'était il y a plus de six mois. Tout a changé depuis.

– Tu veux dire depuis la mort de son père ?

Le père d'Édith, Charles Cardin, avait été une figure de premier plan de la médecine anthropologique française, l'un des chefs de file de l'« école du milieu social ». Frédéric s'était rapproché de ce médecin à l'époque où il suivait des cours à la Salpêtrière et il l'avait toujours considéré comme son mentor. C'était d'ailleurs sous son influence qu'il avait décidé de se spécialiser dans les pathologies mentales.

Ce n'était toutefois qu'après la guerre qu'il était devenu un intime du professeur. Celui-ci avait usé de son influence pour lui obtenir la place convoitée de médecin de service à l'hôpital Sainte-Anne. Dans le même temps, il s'était rapproché de sa fille Édith, une jeune femme effacée qu'il avait courtisée, un peu par désœuvrement. Il avait même été question de fiançailles juste avant que Charles Cardin ne décède, à la fin de l'année 1921.

– Il faut croire que sa mort m'a ouvert les yeux, confia Frédéric. (Étonnamment, il était capable de parler d'Édith avec un détachement dont il ne se serait pas cru capable.) J'admirais éperdument le père, et ça a sans doute suffi à me donner l'illusion que j'étais amoureux de la fille. Il était tout à l'heure question du docteur Freud… je crois que n'importe quel psychanalyste parlerait de transfert !

*

La pendule du salon marquait 10 heures lorsque Louis et Frédéric s'installèrent dans un fauteuil, en tête à tête, autour d'une tasse de café. Au début, Frédéric évita d'aborder l'affaire : Clara pouvait entendre leur conversation et il ne voulait pas que les atrocités du monde auxquelles son ami était confronté chaque jour pénètrent un foyer aussi paisible. En général, Louis ne parlait jamais de son travail à la maison. Mais ces meurtres avaient pris une telle ampleur qu'il n'avait pu s'empêcher de les évoquer à quelques reprises à table. Clara avait été bouleversée par la mort de ces enfants. Sans doute, comme toutes les mères, pensait-elle que son propre fils aurait pu compter parmi les victimes ; mais ses origines italiennes l'avaient plus qu'une autre rendue sensible à leur sort tragique.

– Raphaël est vraiment quelqu'un d'étrange, remarqua Frédéric. Malgré la fortune qu'il doit gérer, il a l'air tellement insouciant. On dirait, je ne sais pas…

– Un enfant gâté au milieu de ses jouets ?

– Un peu. Au fait, comment l'as-tu rencontré ? Tu ne m'avais jamais parlé de lui.

– Oh, c'est une longue histoire ! Il y a deux ans, on a été confrontés à une bande organisée qui s'introduisait dans des villas de la Côte et faisait razzia d'objets de valeur. Raphaël a été cambriolé et Mary, la gouvernante que tu as croisée, s'est fait violemment agresser.

– Elle n'a pourtant pas l'air commode. Je m'étonne que les voleurs n'aient pas détalé en la voyant.

– Tu peux plaisanter, mais elle a vraiment failli y rester. Raphaël se moquait comme de l'an quarante de ce qu'on lui avait pris, mais qu'on ait pu toucher à un cheveu de sa chère Mary… Elle est au service de sa famille depuis son enfance, il la considère presque comme sa mère. Il était prêt à mettre à notre disposition des moyens financiers colossaux pour qu'on retrouve les lascars qui avaient fait ça.

– Vous leur avez mis la main dessus ?

– Ç'a été encore plus radical. L'enquête a été bouclée un mois plus tard lorsqu'ils se sont introduits dans une villa du Mont-Boron et qu'un gardien les a pris comme cibles au pigeon. Ils étaient deux : le premier a été tué sur le coup, le second ne marchera plus jamais.

Louis sortit de sa poche un porte-cigarettes.

– Tu en veux une ?… Non, bien sûr, tu ne fumes toujours pas. Nos routes se sont recroisées moins d'un an plus tard, quand la municipale a dégringolé un rade un peu particulier.

– « Dégringolé un rade » ?

– Fait une descente dans un endroit louche, traduisit Louis.

– Quel genre d'endroit louche ?

Louis poussa un soupir de lassitude.

– Ne me dis pas que tu n'as rien remarqué.

– Mais remarqué quoi ? s'impatienta Frédéric.

– Eh bien, Raphaël… fit le policier en baissant la voix, c'est un inverti.

Frédéric était réduit à quia. Puis il repensa à l'impression bizarre que lui avait faite le millionnaire sur le terrain d'aviation : il pouvait à présent qualifier son attitude de légèrement *efféminée*.

– Ça a l'air de t'en boucher un coin ! J'aurais pourtant parié que tu avais compris.

– Parce que tu penses que les homosexuels portent leur préférence sur leur visage ? demanda le médecin, non sans une certaine hypocrisie.

– Oh, n'essaie pas de me faire passer pour un horrible réactionnaire ! Raphaël peut bien faire ce qu'il veut, même si je ne cautionne pas vraiment ce mode de vie. Bref, quand il a été arrêté, il a fait savoir aux flics qu'il me connaissait. Je suis vite intervenu pour le sortir de cette mauvaise « passe », c'est le cas de le dire, et lui éviter le scandale. Encore que Raphaël ne fasse rien pour se cacher… Il a bien tort, d'ailleurs, on en a mis en prison pour moins que ça. On est devenus amis – il est très attachant. Quand on a découvert les inscriptions sur les corps, j'ai immédiatement pensé qu'il pouvait nous aider.

Clara entra dans le petit salon.

– La fine équipe, je vais me coucher.

Le policier écrasa le mégot de sa cigarette et se leva pour étreindre sa femme. Frédéric observa le couple enlacé avec un peu d'envie. Si le bonheur existait en ce bas monde, il était incarné par ses amis. Et cette image de tendresse conjugale lui renvoyait les échecs de sa propre vie amoureuse.

– Merci pour le repas et pour cette soirée, fit Frédéric en l'embrassant à son tour.

– *Sei sempre il benvenuto*, conclut Clara.

En reprenant place trop brutalement dans son fauteuil, Frédéric réveilla sa vieille douleur et, comme quelques heures auparavant, il eut l'impression qu'un pieu ardent lui transperçait le flanc.

Cette fois, Louis avait remarqué sa grimace.

– Tu as toujours mal ?

– De temps en temps…

Il essaya de se maîtriser, détestant étaler sa souffrance devant autrui, même un proche.

– Dès que je fais un effort, en fait.

– Tu y penses souvent ?

– Moins depuis quelque temps, mentit Frédéric.

– C'est vraiment un sale coup qui t'est arrivé là.

« Oui, un sale coup, vraiment… »

Il s'appelait Albert. À l'âge de 19 ans, sans qu'on n'eût jamais décelé chez lui de tendances particulières à la violence, il avait tenté de tuer sa mère à l'aide d'un couteau de tanneur volé dans l'atelier de son père. Alerté par les cris de sa femme, l'homme avait réussi à s'interposer et à maîtriser son fils, qui, passé la folie de son acte, avait littéralement plongé dans un état d'hébétude. L'arme tranchante avait atteint la femme à six reprises mais elle avait survécu à l'agression.

La seule explication qu'avait pu fournir Albert après son arrestation était qu'il avait entendu des voix qui l'avaient poussé à assassiner sa mère. Les psychiatres s'étaient succédé dans sa cellule pour établir sa responsabilité pénale – depuis la circulaire Chaumié de 1905, les tribunaux exigeaient une expertise mentale poussée pour savoir dans quelle mesure l'inculpé était responsable de l'acte qui lui était imputé. « Criminel aliéné » ? « Aliéné criminel » ? « Aliéné vicieux » ? Parmi cette longue liste des malades mentaux, un médecin dépêché à la prison avait classé Albert dans la catégorie des « aliénés dangereux », ceux dont les tendances font courir un péril à leur entourage immédiat plus qu'à la société. Reconnu irresponsable lors de la phase judiciaire, Albert avait été interné à Sainte-Anne.

Frédéric suivait ce patient depuis bientôt deux ans lorsque l'« incident » avait eu lieu. Comme d'habitude, Albert était calme ce jour-là. Il comptait au nombre des malades qui s'étaient étonnamment bien acclimatés à l'hôpital parisien : un mois à peine après son arrivée, on l'avait affecté à des travaux de jardinage et de terrassement. « En voie de guérison », avait-on fini par décréter.

Frédéric était en train de faire remplir les cahiers de visite et de pharmacie par l'un des internes quand Albert avait jailli du lit sur lequel il était assis. Le médecin avait à peine eu le temps de le voir fondre sur lui. Le choc lui avait coupé le souffle : il avait d'abord été projeté contre le mur du dortoir, puis aussitôt après il avait senti une étrange chaleur se propager dans son ventre, suivie d'une douleur envahissante. Il était tombé au sol, sans plus rien voir de la pièce que l'ombre de deux gardiens maîtrisant son agresseur et le plaquant sur son grabat.

Le couteau dissimulé par Albert avait blessé Frédéric à l'abdomen : la blessure était sérieuse mais l'arme n'avait touché aucun organe vital. Il avait surtout eu la chance d'être immédiatement pris en charge dans le pavillon de chirurgie de l'asile.

Au-delà du traumatisme personnel qu'elle avait pu représenter, cette récidive avait sonné pour Frédéric comme un échec professionnel et elle avait eu, au sein de l'hôpital, de graves répercussions.

Sainte-Anne avait toujours été le théâtre d'inimitiés persistantes. Mais depuis le début du siècle une querelle divisait les thérapeutes de l'hôpital. Quoiqu'il fût loin d'être le pire des asiles cliniques parisiens, il était néanmoins un modèle de ces hôpitaux-forteresses qui avaient fleuri au XIXᵉ siècle, où l'idée d'isolement total comme moyen thérapeutique avait été presque unanimement partagée par les aliénistes. «Les murs de l'asile sont déjà à eux seuls le remède contre la folie», répétait-on à l'envi dans les rangs des médecins. Depuis deux décennies, pourtant, des psychiatres militaient pour améliorer les conditions de vie des malades en les faisant travailler ou en substituant à la camisole et aux cellules d'isolement la clinothérapie et les bains permanents.

Un an durant, au sein de l'établissement, Frédéric avait fait partie de ceux qui remettaient en question l'isolement total pour les cas les moins graves et préconisaient le principe de prévention. Ils voulaient offrir un service ouvert aux psychopathes légers en leur permettant d'être soignés sans être séquestrés. Leurs efforts avaient payé puisqu'on prévoyait l'inauguration, dans le courant de l'année, du premier service ouvert de l'hôpital.

Mais les adversaires farouches de ce futur centre de prophylaxie mentale avaient profité de l'agression perpétrée par Albert pour freiner le projet. Frédéric s'était ainsi retrouvé malgré lui au cœur d'une polémique et avait vu nombre de ses arguments discrédités. L'aliéné, soutenaient ses détracteurs, n'était qu'un étranger au monde et devait être maintenu à l'écart. Il n'était pas un malade ordinaire. La notion même de «psychopathe léger» était, selon eux, sujette à caution : Albert n'avait-il pas été en effet considéré en voie de guérison lorsqu'il avait tenté de tuer le docteur Berthellon ? N'avait-on pas commis l'erreur de le sortir du quartier de sûreté alors que, sous ses apparences pacifiques, il n'avait jamais cessé d'être un danger pour la société ?

En réalité, ces considérations oiseuses servaient d'écran de fumée : beaucoup d'aliénistes voyaient d'un mauvais œil la remise en question des asiles traditionnels, car ils craignaient de perdre leur monopole en matière de psychiatrie publique. Et Frédéric savait qu'il était lui-même sur la sellette et que son agression servirait de prétexte pour retarder ou empêcher l'ouverture du centre prophylactique.

Conscient tout à coup de s'être laissé égarer, le jeune médecin essaya de chasser ces images pénibles de son esprit. Louis eut la délicatesse de ne pas chercher à le faire parler et tenta d'orienter la conversation sur l'affaire.

– Alors, est-ce que notre discussion avec Raphaël t'a permis d'affiner le profil du meurtrier ?

– J'ai déjà plusieurs idées. J'avais l'intention de te les mettre par écrit dès ce soir.

– Parfait ! Mais ce que j'aimerais, c'est que tu parles demain à mes hommes.

– Tes inspecteurs ?

– Tu auras certainement remarqué que ta venue ne provoque pas chez eux un enthousiasme unanime…

– L'accueil de Caujolle a été en effet des plus secs.

– Ne t'en formalise pas. Caujolle manque sans doute d'expérience mais c'est un excellent élément. Tu sais, il travaillait avec moi à Paris après guerre. C'est lui qui a fait des pieds et des mains pour me suivre. C'est une grande gueule, mais je ne regrette pas de l'avoir dans mon équipe. Mes inspecteurs ne supportent pas qu'on empiète sur leurs plates-bandes. Ils aiment le concret…

– « Je ne crois que ce que je vois » ?

– C'est un peu ça. Ils ne comprennent pas bien en quoi un médecin pourrait les aider sur cette enquête. Essaie de leur prouver le contraire.

– D'accord, je ferai mon possible. Mais, dis-moi, il y a un point qui me turlupine depuis tout à l'heure : comment se fait-il qu'on n'ait pas entendu parler de cette affaire ? Quatre morts, dont deux enfants… Tu n'as quand même pas pu museler les journalistes !

– Rassure-toi, je n'ai pas ce pouvoir. En fait, presque personne n'est au courant pour les lettres sur les corps ni pour le texte de Virgile, pas plus que pour le lien entre les meurtres. Comme je te l'ai dit ce matin, la mort des filles n'a guère passionné les canards. Ç'a été tout différent pour le corps du petit Corteggiani retrouvé à Cimiez. Mais, bizarrement, c'est l'hypothèse d'une histoire familiale qui a prévalu, même si on a bien précisé que les parents n'étaient en rien considérés comme des suspects.

– Et pour le meurtre du deuxième enfant ?

– Là, j'avoue qu'on a fait de la rétention d'informations. Nous n'avons rien divulgué des circonstances de la mort. Mes inspecteurs sont muets comme des tanches, je leur fais une confiance aveugle. La seule difficulté a été de persuader les agents de la ville qui ont découvert le corps de se taire. Pour l'instant, il faut croire qu'ils l'ont fermée. Mais il est évident que, s'il devait y avoir d'autres morts, on ne pourrait pas étouffer l'affaire très longtemps.

6

Le lendemain, Frédéric se leva plus tard qu'à l'accoutumée. Habitué à être debout dès 6 heures du matin pour préparer ses visites, il n'émergea des draps que vers 8 heures, mal reposé et nauséeux.

Louis était déjà parti au travail et il trouva Clara dans la cuisine, et un succulent petit déjeuner disposé sur la table.

– Tu sais, Clara, fit-il comme pour s'excuser du travail qu'il lui occasionnait, je n'ai pas l'habitude qu'on me chouchoute.

Elle lui adressa de la main un geste vaguement agacé.

– Assieds-toi, et ne t'occupe de rien sinon de dévorer tout ce qu'il y a devant toi.

Frédéric avala une longue gorgée de café encore chaud.

– Comment va Louis ? Je l'ai trouvé… fatigué par rapport à la dernière fois où je l'ai vu.

– Oh, il est tout le temps « sur la brèche », comme il dit ! Lui qui pensait lever le pied en venant sur la Côte… Il y a cette affaire, bien sûr, pour laquelle tu es là, mais aussi toutes les autres. Il a été très pris au début de l'année avec cette conférence de Cannes : la brigade a été réquisitionnée. Tu comprends, la conférence devait avoir lieu à Nice au départ, et puis, à cause de la saison d'hiver…

Frédéric avait suivi dans les journaux le déroulement de cette rencontre qui avait fait grand bruit. On avait accordé aux Allemands un moratoire sur les réparations fixées à la fin de la guerre. Paris, à travers la voix du président Millerand, s'était insurgé de l'aménagement de la dette. Jugé trop conciliant vis-à-vis des Allemands, le président du Conseil Aristide Briand avait même dû présenter sa démission. Sur ce sujet, Frédéric était plus qu'indécis, même s'il savait que les humiliations qu'on infligeait à l'ancien ennemi ne pouvaient que faire grandir les désirs de revanche.

Tout en buvant son café, le médecin relut les notes qu'il avait griffonnées sur son vade-mecum, un vieux calepin qui ne le quittait jamais.

Louis avait une tonne de paperasse administrative à gérer et il ne l'attendait pas avant 10 heures dans les locaux de la brigade. Frédéric en profita pour flâner un peu dans les rues avant d'emprunter le tramway. Il s'installa dans une voiture à trolley à moitié vide qui cahota durant tout le trajet.

Les roues du wagon émirent un grincement plaintif en s'arrêtant sur la place Masséna, déjà très animée : charrettes à bras, automobiles et bicyclettes se croisaient devant les arcades d'un rose pâli, à deux pas des palmiers et des fontaines du jardin Albert-Ier. Frédéric croisa des bouquetières et des petits décrotteurs italiens qui poursuivaient les passants de leurs cris. Il mit un peu moins de dix minutes pour rejoindre les locaux des mobilards à pied, à l'entrée de la vieille ville, rue de l'Église.

Les cinq inspecteurs permanents de la brigade étaient réunis dans la salle de travail. Frédéric avait eu l'heur de rencontrer la veille Caujolle, qui affichait la même mine méfiante et renfrognée. Marcel Leroux, lui, semblait toujours aussi avenant.

Louis compléta les présentations. Il y avait Alphonse Biasini, un trentenaire charmeur et bien de sa personne que ses collègues surnommaient Don Juan, ainsi qu'Aurélien Laforgue et Simon Delville, les benjamins de l'équipe, deux grands costauds aux cheveux noirs de jais qu'on aurait facilement pu prendre pour des frères. Les deux inspecteurs appartenaient naguère à la municipale et ils avaient postulé pour entrer dans la brigade de Nice lorsque celle-ci avait été créée en 1919, ce qui leur valait d'être considérés comme des judas par leurs anciens collègues.

Louis crut bon de justifier la faiblesse de ses effectifs.

– En général, chaque brigade régionale est dirigée par un commissaire divisionnaire assisté de deux ou trois commissaires de police et d'une dizaine d'inspecteurs. Mais Toulon avait déjà une brigade importante : du coup, ils ont limité la nôtre au minimum. Enfin, on n'est pas là pour se plaindre et je te passe la parole.

Frédéric lui fit un signe de tête distrait. Quoique habitué à s'exprimer en public, il éprouvait de l'appréhension devant ce cercle d'inspecteurs plutôt réticents. Il débuta donc d'une voix mal assurée :

– Le commissaire Forestier m'a demandé de vous faire part des conclusions auxquelles je suis arrivé et qui peuvent vous aider à dresser un portrait du meurtrier. Je ne suis pas là pour vous abreuver de jargon ou vous dire comment faire votre métier. Je ne suis pas policier et je me contenterai de rester dans mon rôle : celui d'un médecin habitué depuis de longues années à côtoyer et à étudier des criminels atteints de troubles psychiques et de maladies mentales.

Son exorde fut accueilli dans un silence glacial et Frédéric toussota pour s'éclaircir la voix.

– Je commencerai par quelques considérations évidentes auxquelles vous aviez sans doute abouti, même de façon intuitive. Je ne vous étonnerai pas en vous disant que l'individu que vous recherchez présente un état psychopathique prononcé. Il est impossible de déterminer si cet état existe chez lui *ab origine* ou s'il s'agit de perversions acquises. Cependant, la mise en scène sophistiquée à laquelle il a recours, les allusions à la descente aux Enfers, la logique dont il fait preuve dans ses actes me font sérieusement pencher pour la seconde hypothèse. La symbolique des meurtres fait sans aucun doute écho à un ou à plusieurs traumatismes qui peuvent remonter fort loin dans le temps.

– Un bon vieux traumatisme ! se moqua Caujolle. On a pourtant dit que Landru avait eu une enfance très heureuse.

Mutatis mutandis, la même objection que celle formulée par Louis chez Raphaël la veille. Bien que contrarié, Berthellon ne se laissa pas déstabiliser.

– Je suis bien d'accord avec vous, inspecteur. Il ne s'agit nullement d'excuser cet homme. Quelle qu'ait pu être son enfance, quelles que soient les épreuves qu'il a subies par le passé, rien ne justifie ses actes. Il s'agit simplement d'essayer de comprendre pourquoi il agit ainsi et ce à quoi nous pouvons nous attendre de sa part. Ces meurtres sont symboliques, rituels. Ils n'ont pas pour but la recherche d'un quelconque profit. Refuser de les décoder, c'est se priver d'éléments essentiels qui permettront peut-être, je dis bien peut-être, son arrestation.

Ce mot avait fait naître une étincelle dans l'œil des inspecteurs. Même Caujolle releva la tête.

– Le sadisme sexuel de cet homme est lui aussi évident, enchaîna le médecin. La vue du sang et la terreur qu'il suscite chez ses victimes doivent lui procurer une jouissance immédiate, ce qui est récurrent chez les meurtriers à mode opératoire répétitif.

Marcel Leroux, le vétéran de l'équipe, intervint :

– Sauf qu'il est impossible de dire si les traces de liquide séminal qu'on a retrouvées sur les filles lui appartiennent.

– C'est vrai, concéda Frédéric. Mais il n'est pas à exclure que le tueur soit impuissant ou qu'il considère une pénétration normale comme un interdit, un tabou. Il peut tout à fait y avoir crime sexuel sans éjaculation. On peut aussi imaginer qu'une insensibilité du centre génito-spinal empêche toute éjaculation au cours de l'acte sexuel ou la diffère sous forme de pollution, à moins que…

– Attends un peu, on n'est pas toubibs, le coupa Forestier. Il pourrait être atteint d'une maladie, c'est ça ?

Le médecin leva les mains en signe d'embarras.

– Ce n'est pas impossible. On constate des atrophies organiques du centre génito-spinal consécutives à des maladies du cerveau ou de la moelle épinière. Mais ces atrophies peuvent aussi bien survenir à la suite d'abus sexuels, de diabète ou de morphinisme. Les hypothèses sont infinies !

Frédéric se tut un instant avant de reprendre le fil de sa démonstration.

– Cet homme s'en prend à des victimes faibles ou incapables de se défendre. Le cas des deux prostituées est intéressant : il n'a pas cherché à les attacher mais les a paralysées en utilisant un poison.

– C'est un lâche, commenta sèchement Caujolle.

Frédéric soupira, agacé par les interventions de l'inspecteur.

– Je ne crois pas que les notions de lâcheté ou de courage fassent sens chez lui, fit-il d'un ton acerbe. Il éprouve un désir de domination, et ce désir se trouve d'autant plus exacerbé qu'il sent concrètement l'emprise qu'il possède sur ses victimes. Le tueur est sans doute d'une intelligence supérieure à la moyenne : ses mises en scène, son art du déguisement et de la dissimulation, sa discrétion en sont des preuves patentes. Tout tend à montrer qu'il a de l'instruction ; peut-être même a-t-il été élevé dans une famille assez stricte. Mais on ne peut pas exclure la possibilité qu'il soit un simple autodidacte. Je suis à peu près certain que dans la vie courante il est d'une normalité absolue. Il peut aussi bien être un voisin que vous croisez chaque jour en allant au travail. Inutile donc de s'attendre *a priori* à un homme au physique effrayant ou marqué d'une tare particulière et c'est pourquoi l'hypothèse selon laquelle il serait atteint d'une maladie ne doit pas être votre piste principale. Cela rend naturellement votre tâche d'autant plus difficile, car il doit être capable de se fondre dans la foule et de ne pas attirer l'attention.

Immergé dans son analyse, Frédéric ne prenait même plus la peine de consulter ses notes.

– Il se montre d'une maîtrise totale durant l'exécution de ses crimes. Le sang-froid dont il fait preuve le pousse à pendre des risques, mais ces risques sont toujours mesurés. C'est évidemment un point inquiétant pour nous, car il est peu probable qu'il commette d'erreurs assez grossières pour se faire prendre sur le fait. Chacun de ses enlèvements et de ses meurtres doit être soigneusement préparé : il n'agit pas au hasard et repère probablement les lieux au préalable.

– Pour compléter ce que tu dis, nota Forestier, je suis arrivé à la certitude qu'il possède un véhicule pour se déplacer, sinon il n'aurait pas pu enlever ces gosses sans attirer l'attention. Les deux enlèvements ne se sont pas produits au même endroit et il a déplacé les corps à deux reprises. Ce qui signifie qu'il doit avoir un minimum de moyens financiers.

– Ça m'a l'air logique. Il se pourrait aussi que ce repérage des lieux et des victimes lui procure une jouissance presque égale à l'exécution du meurtre. On peut aussi penser qu'il connaît ses victimes, même de façon lointaine.

– Tu penses qu'on devrait réinterroger les familles ?

– Peut-être, même si, en l'absence d'éléments nouveaux et concrets, je crains que ça ne serve pas à grand-chose. Cette maîtrise de soi va sans doute de pair avec un certain art de la conversation. Rien dans son attitude ou ses paroles ne doit être effrayant de prime abord. Aucune des deux prostituées n'a eu de réticences à monter dans une chambre avec lui, et Dieu sait le nombre de pervers qu'elles doivent croiser chaque jour !

– C'est sûr que s'ils sont tous comme Caujolle… murmura Delville en riant comme un bossu.

– Et toi, tu t'y connais en atrophie du centre génito-*pinal*, non ?

L'assemblée ricana.

– Bon, les enfants, la récréation est finie, tempéra Forestier.

– En ce qui concerne les deux garçons, ajouta Frédéric, il a certainement réussi à les amadouer, peut-être en leur promettant de l'argent en échange d'un service. Je ne pense pas qu'il ait immédiatement employé la force pour les enlever.

– L'argent… tu dis cela à cause de leur milieu social ?

– Oui. Il est possible que pour quelques pièces un gamin pauvre n'hésite pas à suivre un inconnu. En tout cas, il ne laisse aucune arme ni aucun indice sur les lieux du crime, à l'exception des empreintes que vous avez découvertes. Il est malin mais ne doit pas connaître dans le détail les moyens modernes que la police peut utiliser pour confondre un criminel. À moins qu'il ne se moque éperdument qu'on possède ses empreintes…

– Pourquoi ? demanda Marcel Leroux en lui jetant un regard circonspect.

– Parce que cet homme sait sans doute qu'il finira par se faire prendre. J'irai même plus loin en disant que, à mon avis, il est tenaillé entre deux attitudes : tuer le plus de victimes possible en faisant preuve d'ingéniosité et de sang-froid, mais aussi laisser un certain nombre d'indices derrière lui, consciemment ou inconsciemment, pour que nous remontions sa piste. Je crois qu'il sait qu'il ne pourra jamais cesser de tuer et qu'il veut que quelqu'un l'arrête à sa place.

– Un délinquant qui cherche à se faire arrêter, ça c'est original ! plaisanta une nouvelle fois Caujolle.

Frédéric ne se formalisa pas de sa remarque et poursuivit, impassible :

– Ça ne l'est pas chez ce genre d'individus. N'oubliez pas que nous n'avons pas affaire à un voleur de poules !

Frédéric regarda fixement tous les inspecteurs tour à tour et sa voix se fit plus grave.

– Mais n'allez pas mal interpréter mes propos. Nous sommes ici en présence d'un cas exceptionnel. Si cet homme se sent acculé et voit qu'il est perdu, il est probable qu'il cherchera à mettre fin à ses jours... tout en entraînant le maximum de monde avec lui.

– On ne vous demande pas de jouer les héros, résuma Forestier. Je ne veux pas d'initiative individuelle. Si nous arrivons à l'approcher, la prudence doit être de rigueur. Compris ? Parle-nous un peu des antécédents possibles de cet homme.

Frédéric agita la tête.

– Mon hypothèse, c'est qu'il a peut-être des antécédents psychiatriques lourds et qu'il a pu séjourner dans un asile une partie de sa vie. Pour ne prendre qu'un exemple, Joseph Vacher, que vous connaissez tous, a été interné dans un institut d'aliénés avant de perpétrer ses meurtres et ses viols pendant près de quatre ans.

Les inspecteurs acquiescèrent énergiquement, car l'affaire Vacher avait durablement marqué l'imaginaire de tous les flics de France. Au-delà même de sa singularité et de son caractère abominable – Vacher n'avait pas hésité à mutiler les parties génitales de ses victimes ou à les éventrer –, elle avait illustré le pouvoir grandissant des psychiatres en matière d'affaires criminelles. Il avait tiré trois coups de revolver dans la tête d'une jeune femme qu'il désirait épouser et qui le refusait. Déclaré irresponsable de ses actes par les médecins, il avait passé quelque temps à l'asile avant d'être libéré, avec en poche un certificat de complète guérison. Quarante-neuf jours après sa sortie, il assassinait et violait une femme de 21 ans.

– Cet homme a sans doute déjà eu affaire à la police, enchaîna Frédéric, peut-être pour des affaires d'attentat à la pudeur ou d'agression sexuelle. Je crains aussi qu'il n'ait fait d'autres victimes avant ces prostituées.

Par sa remarque, le médecin stupéfia son auditoire. Personne n'avait imaginé qu'il y ait un *avant* à cette affaire, comme si l'assassin n'avait pu naître que cette nuit de janvier où Louise Germain avait été assassinée.

– Comme je l'ai dit, beaucoup trop de méthode se dégage de ses meurtres pour qu'il en soit à un coup d'essai. Les tueurs dans son genre commencent tôt, très tôt. On pense que Joseph Vacher a débuté sa « carrière » à l'âge de 15 ans en étranglant un enfant, même si cela n'a jamais été prouvé. Notre assassin a pu tuer par le passé, donc, mais il est à mon avis resté inactif pendant une période assez longue. Dans le cas contraire, vous auriez certainement eu un écho de crimes semblables.

– Pourquoi aurait-il recommencé à tuer ? demanda Leroux comme une évidence.

Frédéric prit son temps, conscient que la réponse à cette question pouvait être essentielle pour cerner le tueur.

– Il est probable qu'un événement personnel récent a déclenché cette série de meurtres. Lequel ? Je n'en ai aucune idée pour le moment : ça peut être une chose anodine à nos yeux mais capitale pour lui, qui a pu réactiver un traumatisme très ancien, enfoui au plus profond de son être. Ce qui est sûr en tout cas, c'est que cet homme ne s'arrêtera que le jour où vous lui mettrez la main dessus.

*

À midi, Louis emmena Frédéric déjeuner dans sa « cantine », un petit restaurant à l'entrée de la vieille ville où l'on mangeait vite et pour pas cher. Le médecin se régala de *socca*, une galette de farine de pois chiches qu'il goûtait pour la première fois.

– Le casse-croûte des travailleurs du matin, expliqua Louis. Avec ça, tu es calé pour la journée.

Le policier était d'assez bonne humeur, car il avait eu l'impression que Frédéric avait fait mouche avec son équipe, même s'il avait craint par moments que son discours ne soit un tantinet longuet et pédant.

Caujolle interpella le commissaire dès qu'ils furent de retour à la brigade :

– Ah, patron ! Vous l'avez ratée de peu…

– De qui est-ce que tu parles ? fit Forestier en haussant les sourcils.

– D'une certaine Cathy, du bordel des roses.

– Qu'est-ce qu'elle voulait ? C'est en rapport avec notre affaire ?

– Impossible à savoir. Elle a dit qu'elle ne voulait parler à personne d'autre qu'au « commissaire Forestier ». Elle vous a à la bonne, visiblement. Vous la connaissez bien ?

– Vaguement, fit-il en levant les épaules, agacé par les sous-entendus de son subordonné.

Louis était d'un naturel physionomiste – un atout dans son métier – et il connaissait pratiquement toutes les filles de la ville, puisque la police avait pour mission d'exercer une surveillance permanente des maisons closes, où l'exploitation et les débordements n'étaient pas rares.

– Est-ce qu'elle va repasser ?

– Je lui ai conseillé de vous attendre, mais elle m'a dit qu'elle n'avait pas le temps.

– *Porca miseria !* jura Forestier, qui aimait bien émailler ses discours d'expressions locales fraîchement acquises. On n'est pas près de la revoir, celle-là !

Frédéric s'étonna.

– Pourquoi dis-tu ça ?

– Berthellon, qu'est-ce que tu peux être naïf parfois ! Ces filles sont asservies. Elles n'ont quasiment aucun moment de libre, leur maquasse les surveille en permanence. Si on apprend qu'elle est venue voir les flics, cette Cathy se fera mettre à la porte en deux temps trois mouvements.

– Alors pourquoi n'irais-tu pas la voir ?

Forestier leva les yeux au plafond.

– Tu me vois débarquer dans ce claque ? Tout le monde nous connaît là-bas, surtout depuis le meurtre. En plus, je n'ai aucune envie de causer du tort à cette fille. Elle doit déjà avoir assez de problèmes comme ça.

Le médecin plissa le regard, comme si une idée germait dans son cerveau, ce qui n'échappa guère au policier.

– Tout le monde vous connaît là-bas, mais il y a peut-être une solution…

Louis écarquilla les yeux.

– Je te vois venir à cent lieues, Berthellon. Et par avance je te dis non, tu entends ? Non !

7

La maison ne se distinguait que par un discret fanal rouge. Tel un falot accroché au mât d'un bateau, il servait de repère aux clients de passage. Les jalousies avaient été entièrement baissées et ne laissaient filtrer qu'une faible lumière vacillante. Il était un peu plus de 21 heures. La rue, déjà peu passante dans la journée, était vide et calme.

Frédéric frappa à la porte de la Maison des Roses, un peu anxieux à l'idée de la mission qu'il avait à accomplir. Louis avait rechigné une bonne demi-heure avant d'accepter qu'il aille interroger la jeune Cathy à la place d'un des membres de la brigade. La méthode était peu orthodoxe et le policier était attaché à la procédure, une rigueur qu'il avait héritée de son passage rue Greffulhe sous l'égide du commissaire Faivre, la probité incarnée, qui s'arc-boutait sur les règlements et ne souffrait aucune exception. Mais les arguments de Frédéric avaient payé : les mobilards risquaient d'être repérés et il fallait pouvoir approcher la prostituée sans éveiller de soupçons chez la patronne si l'on ne voulait pas qu'elle se referme comme une huître.

Le médecin fut accueilli par une domestique rondelette qui affichait un sourire forcé, peut-être destiné à rassurer les clients les plus timides. Il fut introduit dans un salon douillet mais surchargé, rempli de divans et de sofas de velours, de tentures colorées et de fauteuils d'imitation Régence. Les murs n'avaient pas été épargnés : entre deux miroirs aux cadres guillochés se succédaient de petites peintures représentant des scènes scabreuses. Frédéric repéra un Priape ithyphallique en train d'assaillir une nymphe au bord d'une rivière.

Sur les divans attendaient sagement six filles : quatre d'entre elles portaient des peignoirs transparents qui laissaient deviner leur nudité, une autre une tunique de lin évoquant celle des vestales romaines, tandis qu'une mulâtresse arborait une étrange toilette impudique qui découvrait entièrement sa poitrine et ses jambes. D'après la description que lui avait faite Caujolle, Cathy ne pouvait être que la vestale. La tenue, loin d'être innocente, était sans doute destinée à faire miroiter une virginité perdue depuis longtemps.

Les filles semblaient avoir été choisies pour satisfaire tous les goûts de la clientèle : chevelure brune, blonde ou rousse, corps bien en chair ou d'une minceur juvénile, poitrine opulente ou simplement naissante. Certaines étaient très désirables, mais la libido de Frédéric était en berne ce soir-là : il ne pouvait s'ôter de la tête les tragiques photos des deux premières victimes.

La maîtresse entra dans le salon et l'accueillit d'un sourire doucereux. C'était une femme assez forte, au visage défraîchi mais maquillé à outrance, vêtue d'une volumineuse robe à fanfreluches qui aurait à elle seule suffi à habiller ses six filles dénudées.

– Au choix, annonça-t-elle d'une voix obséquieuse.

Il fit mine de réfléchir un moment et désigna la prêtresse de Vesta.

– Excellent ! commenta-t-elle avec un sourire lubrique dans une formule qui tenait du réflexe.

Le couple passa dans un second salon séparé du premier par un épais rideau de velours cerise. La pièce était moins chargée que l'autre, mais on retrouvait aux murs les mêmes peintures plus pornographiques qu'érotiques.

– On m'appelle Cathy. Et toi, c'est quoi ton petit nom ?

– Frédéric, répondit-il, ne trouvant pas nécessaire de lui mentir.

Ils s'installèrent sur un divan moelleux et la jeune prostituée commença à minauder, prenant des poses suggestives qui le mirent plutôt mal à l'aise étant donné la raison de sa présence.

– Tu viens d'où ?

– De Paris.

– Tu es de passage, alors. Tu es ici pour le travail ?

– Si on veut.

– Qu'est-ce que tu fais dans la vie ?

– Des choses et d'autres…

– C'est quoi, tous ces mystères ? Laisse-moi deviner… Tu travailles pour le gouvernement et tu n'as pas le droit de parler de tes missions.

Frédéric songea combien ce genre de manège devait coûter aux filles et il se demanda comment les hommes pouvaient prendre plaisir à ces salades.

– Parle-moi plutôt de *toi*.

– T'es un drôle de numéro. D'habitude, les clients aiment qu'on leur parle d'eux. Tu veux savoir comment je suis devenue une prêtresse ?

– Par exemple, fit-il en se prêtant au jeu.

– C'est parce que je suis vierge !

Et elle partit d'un grand éclat de rire. Frédéric commanda une bouteille de champagne facturée à un prix exorbitant pour rassurer la maîtresse et pouvoir monter plus rapidement dans la chambre. Cathy poussa un cri de joie lorsque le bouchon sauta et que la mousse se répandit dans les flûtes. Ils parlèrent environ dix minutes.

– On pourrait monter à présent ?

– T'es un pressé, toi. Commandons une autre bouteille.

– D'accord, mais on la boira en haut.

*

La chambre était petite mais propre. Sous l'amas de couvertures et d'édredons, le lit paraissait plus grand qu'il n'était. Sur la droite en entrant, une porte entrouverte laissait deviner un minuscule cabinet de toilette.

Frédéric tenta de se mettre à l'aise et s'assit sur le bord d'un fauteuil en rotin coincé dans un angle de la pièce. Sans plus attendre, Cathy fit tomber sa tunique de lin et découvrit un corps plutôt bien fait mais usé avant l'âge.

– Attends, ne te déshabille pas tout de suite.

– T'avais l'air pressé, mon minou. J'ai cru que…

Entièrement nue, elle contourna le lit et enfila un déshabillé transparent qui ne dissimulait pas grand-chose. On frappa.

– Ah ! s'exclama-t-elle avec la même excitation feinte que dans le salon. Le péteux !

– Je t'ai un peu menti tout à l'heure, commença-t-il lorsqu'ils furent à nouveau seuls.

– Allez, je sais bien que t'es pas un agent secret ! répondit-elle pour se moquer.

Il baissa la voix, comme si quelqu'un était susceptible de les espionner.

– En réalité, je viens ici de la part du commissaire Forestier.

Le visage de la fille se décomposa. Elle venait de laisser au vestiaire son rôle d'aguicheuse professionnelle.

– Merde alors ! T'es un argousin ?

– Non, je suis médecin, mais j'aide le commissaire dans certaines enquêtes. Ne crains rien, personne ne me connaît ici, ni dans la maison ni à Nice.

– Qu'est-ce qui me dit que c'est vraiment lui qui t'envoie ?

– Comment je pourrais savoir que tu es passée à la brigade à midi ? Tu as rencontré Caujolle, un grand dadais pas très sympathique…

– C'est vrai qu'il tirait une de ces tronches !

– Tu vois ! Le commissaire m'a aussi dit qu'il se souvenait de toi : il est intervenu il y a environ un an et demi auprès du dispensaire à la suite d'une visite médicale qui s'était mal passée.

La colère se peignit sur son visage.

– Ces salauds prétendaient que j'étais malade alors que je me portais comme un charme, tout ça pour respecter leurs chiffres…

– Le commissaire n'a pas voulu te mettre dans l'embarras, c'est pour ça qu'il m'a envoyé. Personne ne saura qu'on a parlé ensemble. On aimerait apprendre pourquoi tu es passée à la brigade aujourd'hui. Est-ce que tu sais quelque chose au sujet de la mort de Louise ?

Cathy s'assit lourdement sur le lit et poussa un long soupir. Elle ferma avec une pudeur toute nouvelle les pans de sa tenue.

– Toutes les filles ont été traumatisées par la mort de Louise. Même la patronne, qui est une peau de vache, a pleuré. C'était quelqu'un de si gentil. Elle a jamais eu de chance. Ses parents étaient des brutes. Elle avait jamais fait le persil avant d'arriver à Nice. Je crois bien que c'était la seule fille de la maison qu'avait pas besoin de jouer les rosières. La vie ici l'a détruite. Tu sais, on a toutes l'air guillerettes comme ça, mais c'est pire qu'une prison. C'est pas pour rien qu'on appelle les maquerelles des « taulières ». Tu sais quand t'y entres, mais t'es pas sûre d'en sortir un jour.

– La patronne vous traite mal ?

– Oh, elle te dira qu'on est « ses enfants » et qu'on forme « une grande famille » ! Des bobards. Normalement, elle nous doit le logement, la biffre et les habits, mais elle nous fait tout payer. Tout ! On doit emprunter en permanence pour louer les chemises, les bas et payer le blanchissage. Ce qui coûterait quelques sous en magasin, elle nous le facture dix fois plus cher. Du coup, t'es plus riche en entrant qu'après avoir passé des années dans ce trou.

– Et l'argent des passes ?

– On en voit jamais la couleur. Ce qu'on touche nous sert à payer les dettes. Y a que les gants que donnent les clients, mais faut pas trop rêver : la plupart ont un nid de guêpes dans la poche, ils viennent pas ici pour entretenir une cocotte.

Frédéric baissa le regard. Il se rendait compte qu'il n'avait jamais éprouvé de compassion pour ces filles.

– J'étais pas là quand Louise a été tuée. Fin décembre, ma mère, qu'était déjà très malade, a attrapé une pneumonie. J'ai reçu une lettre me disant qu'elle vivait ses derniers jours. Je suis partie dans le Jura pour la voir une dernière fois et l'accompagner. La patronne a accepté de me donner une semaine entière, ce qu'elle fait jamais d'habitude. Crois pas que c'était par générosité : elle sentait que depuis quelque temps j'avais envie de tirer ma révérence. J'ai des dettes, bien sûr, près de 1 000 francs, mais je suis maligne et je finirai bien par trouver cet argent pour foutre le camp. Bon, enfin… Louise a été assassinée le 5 janvier et j'étais pas de retour lorsque le commissaire et ses hommes ont interrogé les copines.

– Tu sais pourtant quelque chose sur le tueur ?

– J'en suis pas certaine, mais j'ai peut-être quelques trucs qui pourraient vous aider.

Cathy se pencha vers Frédéric et rajusta son déshabillé.

– Une semaine avant mon départ, un type est venu ici : aux alentours de 25 ans, pas vraiment mon genre mais assez beau, je veux dire par rapport aux vieux bedonnants de la clientèle habituelle. On a bu, il était pas très regardant à la dépense. Puis on est montés. C'est là que je me suis dit que j'avais affaire à un compliqué.

– C'est-à-dire ?

– J'ai commencé à me déshabiller, mais lui est resté assis sur le fauteuil sans bouger. Un peu comme toi tout à l'heure, mais pas pour les mêmes raisons. J'ai cru qu'il voulait d'abord me reluquer. Certains clients aiment bien qu'on… enfin, tu vois, qu'on se tripote devant eux. Mais il a semblé mal à l'aise et il m'a demandé de le laisser tranquille un moment. Il est allé s'enfermer dans le cabinet de toilette à côté.

– Que s'est-il passé ensuite ?

– Je l'ai entendu se passer de l'eau sur le visage. Mais comme au bout de cinq minutes il revenait toujours pas, j'ai ouvert la porte. Je voulais essayer de le détendre. Il était torse nu, penché au-dessus de la vasque, complètement immobile. Quand il a vu que j'étais là, il est devenu complètement fou. Il a marmonné des trucs que j'ai pas compris et m'a fermé la porte au nez. Mais j'ai eu le temps de voir son corps…

L'inquiétude gagna le visage de la prostituée. Frédéric était pendu à ses lèvres.

– Son corps ? Qu'avait-il de particulier ?

– Son dos et sa poitrine… ils étaient couverts d'une immense brûlure : sa peau avait un aspect et une couleur bizarres, très blanche par endroits, cramoisie à d'autres. J'ai imaginé que c'était une brûlure, mais ça aurait pu être aussi une maladie. Pourtant, il avait l'air bien portant. J'ai hésité à sortir de la chambre et à descendre avertir la patronne. Elle est pas très tatillonne sur ce qui se passe dans les chambres mais elle se méfie des gars étranges. Finalement, je suis restée. On n'est pas des flotteuses, ici. Ce type m'avait pas touchée, il avait fait que me hurler dessus. Je suis restée assise sur le lit, je te dis pas la frousse que j'avais. Il a fini par ressortir, complètement resapé. Il était plus du tout en rogne : il s'est même excusé pour avoir crié si fort, puis il est retourné s'asseoir dans le fauteuil. J'osais plus trop bouger. Il m'a dit que je pouvais me rhabiller, qu'il me toucherait pas, que les gens qui faisaient ça étaient sales.

Les yeux de Frédéric devinrent ronds comme des billes.

– Il a bien utilisé ce mot ? Il a dit « sales » ?

– Oui, c'est ce qu'il a dit. Après, il a sorti une médaille de sa poche. Il s'est à nouveau excusé et il me l'a donnée en disant que c'était un cadeau, que j'aurais eu au moins un mec bien dans la journée.

– Quel genre de médaille ?

– Très jolie, tout en or, avec un profil de femme gravé dessus, au bout d'une chaînette.

– Tu l'as encore ?

– Elle est là-haut, dans ma chambre. Je l'ai cachée le soir même et j'y ai plus touché depuis. Il me donnait la chair de poule, alors ce bijou, j'ai plus voulu en entendre parler.

L'idée s'installa presque aussitôt dans l'esprit de Frédéric, mais il la garda d'abord pour lui.

– Quand je suis revenue à Nice, reprit-elle, tout le monde avait déjà été interrogé et personne n'a supposé que je pouvais savoir quelque chose. Mais j'ai très vite repensé à cet homme. La description qu'on avait faite du tueur pouvait bien lui correspondre.

– En as-tu parlé à quelqu'un ?

– Pas tout de suite, mais ça me tarabustait et j'ai fini par en discuter avec une des filles, qui m'a conseillé d'aller voir la taulière.

– C'est ce que tu as fait ?

– Oui. Elle s'est mise en pétard, je te raconte pas ! Elle m'a dit que mon histoire était sans intérêt et qu'on avait vu assez de cognes dans la maison. « On croirait que vous avez toutes envie que je ferme boutique », qu'elle a ajouté. Et puis, à force d'y penser, je me suis dit que je pouvais pas garder ça pour moi, au moins en mémoire de cette pauvre Louise.

– S'il s'agit vraiment de notre homme, pourquoi toutes les filles ont-elles prétendu qu'elles ne l'avaient jamais vu ?

Cathy haussa les épaules.

– Je sais pas, mais avec le nombre de clients qui défilent, si tu crois qu'on peut se souvenir de tout le monde… J'ai jamais vu la patronne faire la fine bouche devant un client, du moment qu'il se présente pas complètement aviné. Ce type est arrivé tard, la moitié des copines devaient déjà être dans les chambres. Personne s'est retrouvé en tête à tête avec lui comme moi.

Frédéric évalua rapidement la situation – il devait pouvoir apporter à Louis le maximum d'éléments concrets.

– Tu dis que tu n'as pas touché à la médaille depuis. C'est une façon de parler ou tu n'as vraiment plus du tout manipulé le bijou ?

– Non, j'y ai plus touché. Pourquoi ?

– Écoute, Cathy, je vais avoir besoin de cette médaille. J'aimerais que tu ailles la chercher, maintenant. Mais attention ! Tu ne dois toucher que la chaînette. Cet homme a peut-être laissé des empreintes sur le bijou. Je ne suis pas un spécialiste et je ne suis pas sûr qu'on arrivera à les prélever, mais c'est une piste qu'on ne peut pas négliger. Tu as compris ?

– D'accord, fit-elle, le visage grave, comme si elle prenait conscience de l'importance de ce qu'on lui demandait. Mais dis : la médaille, je pourrai la récupérer ? C'est de l'or, j'ai bien vu que c'était pas du toc.

– Je te donne ma parole, tu la récupéreras aussi vite que possible.

8

Le lendemain, aux aurores, l'ensemble de la brigade était sur le pied de guerre. Louis rapporta aux inspecteurs la conversation que Frédéric avait eue avec la prostituée. Selon lui, il fallait agir sans attendre mais de façon méthodique, pour éviter de se laisser entraîner sur une fausse piste.

Dans un premier temps, on chargea Leroux, qui depuis son expérience lyonnaise chez Locard était rompu aux techniques de dactyloscopie, de s'occuper de la médaille. Peu au fait des pratiques de relevé des empreintes, Frédéric fut surpris d'apprendre que l'inspecteur pourrait se charger tout seul de les révéler, qui plus est avec un matériel des plus rudimentaires. Il avait imaginé que les policiers devraient forcément faire appel à un de ces laboratoires scientifiques qui se multipliaient peu à peu en France.

– Vous pensez pouvoir en tirer quelque chose ? demanda-t-il avec curiosité. Vous croyez qu'au bout de presque trois mois les empreintes seront encore visibles ?

Leroux eut du mal à réprimer un sourire.

– Si on ne les efface pas par frottement, les empreintes restent visibles durant des années sur la plupart des surfaces. La médaille est petite, mais le recto est parfaitement lisse, nota-t-il en faisant miroiter le bijou à la fenêtre de la salle des inspecteurs. On distingue clairement des crêtes papillaires. Je doute toutefois qu'on puisse obtenir une empreinte complète. Un peu de poudre de carbone et nous en saurons plus… Vous êtes sûr que la fille n'y a pas touché ?

– C'est du moins ce qu'elle m'a affirmé.

Louis s'immisça dans leur échange :

– Si les empreintes qui se trouvent sur cette médaille sont les mêmes que celles relevées sur les verres, on aura marqué des points. Je transmettrai alors à Paris la description plus précise que nous avons du tueur pour qu'on la compare aux fiches du service central.

– Mais tu as dit que les premières empreintes n'avaient rien donné, objecta Frédéric.

– On n'est jamais à l'abri d'une erreur. On peut aussi espérer que les taches qu'il porte sur le corps, qu'elles soient dues à une brûlure ou à une maladie, permettront de l'identifier.

– Excuse ma question naïve, mais comment feront les inspecteurs à Paris pour retrouver cette fiche signalétique, si cet homme en possède une ?

– Avec beaucoup de patience, et de la chance. La judiciaire utilise deux types de classement. Le premier est alphabétique, il suppose de connaître le nom de la personne recherchée, même de façon phonétique : celui-là ne nous servira à rien.

– Évidemment.

– Le second est fondé sur les empreintes. Celles-ci n'ont peut-être rien donné, comme tu dis, mais peu importe. Toutes les fiches contiennent aussi la description physique précise des criminels. Elles indiquent tous les signes particuliers de l'individu : les cicatrices indélébiles, les tatouages, les grains de beauté…

– Le souci, enchaîna Leroux, c'est que ces marques particulières ne constituent pas en elles-mêmes une méthode de classement, si bien qu'il est impossible d'isoler les fiches des individus ayant des marques de brûlure semblables à celles que porte notre homme.

Louis reprit :

– Le seul moyen est donc de demander à un ou deux inspecteurs de compulser les fiches de ces dernières années – on ne pourra pas remonter jusqu'à Hérode ! – et de porter leur attention sur la partie consacrée aux signes particuliers. On peut aussi espérer que quelqu'un à Paris se souviendra d'un criminel portant cette marque pour le moins atypique.

Biasini, le bel Italien au sourire charmeur, prit part à la conversation.

– C'est du reste ce qu'on faisait autrefois. On comptait uniquement sur la mémoire des policiers pour reconnaître les récidivistes : tous les matins, les plus physionomistes se pointaient au dépôt ou dans les cours des prisons pour procéder à des identifications.

Ces remarques n'incitaient guère à l'optimisme, mais Louis ne semblait pas découragé pour autant.

– Je vais aussi demander qu'on fasse paraître notre description dans le *Bulletin hebdomadaire de police criminelle*. Il est diffusé à plus d'un millier d'exemplaires et atterrit normalement dans toutes les unités de police et de gendarmerie du pays. Ça ne coûte rien d'essayer.

La mention du bulletin de la police donna une idée à Frédéric. Il avait émis l'hypothèse que le tueur ait fait un séjour dans un asile, même si ce n'était pas forcément à la suite d'un meurtre. Il proposa donc de contacter tous les hôpitaux des environs pour leur transmettre la description du tueur, en se fondant essentiellement sur les taches de brûlure. On pouvait imaginer qu'un médecin aurait gardé un souvenir de lui. Bien sûr, il y avait le problème du secret médical : demander à un institut de livrer l'identité d'un malade, eût-il commis les pires atrocités, pourrait facilement apparaître comme une intrusion dans la relation qui unit le patient à son médecin.

– Vous et votre « secret médical » ! s'emporta le policier. Tu crois vraiment que quelqu'un pourrait avoir des scrupules à nous livrer cet homme, s'il sait que ça évitera peut-être des meurtres d'enfants ?

– Il faut espérer que non, mais je crains que ma démarche ne soit mal perçue par certains.

– Bon, écoute, je te laisse carte blanche. Fais-toi aider sur ce coup par ton bon ami Caujolle.

*

Les inspecteurs tournèrent comme des fauves en cage en attendant les résultats de l'analyse des empreintes digitales. Leroux en profita pour faire visiter son « laboratoire » à Frédéric. Il s'agissait en fait d'un réduit situé à l'étage – où l'on suait l'été et gelait l'hiver –, un invraisemblable bric-à-brac où l'inspecteur était le seul à mettre les pieds. « Chasse gardée ! » disait-on avec humour dans l'équipe. Dans tous les coins s'entassaient des becs Bunsen, des éprouvettes, une balance à précision, un alambic recouvert d'une chapelle, des bocaux étiquetés, des appareils photographiques portatifs... et même une cafetière de fabrication maison. Pour obtenir ce trésor, Forestier avait dû quelque peu tricher avec les budgets. Si l'administration avait compris l'intérêt d'introduire dans la recherche criminelle des procédés empruntés à la science, elle se montrait chiche lorsqu'il fallait acheter du matériel parfois coûteux. Mais Leroux était doué dans la traque de la « preuve matérielle ». Avant de travailler à Lyon avec Locard, il avait suivi en 1912 les cours de police technique qu'Alphonse Bertillon organisait sous les hautes verrières des combles du Palais de justice de Paris, où il possédait son laboratoire.

Leroux et Frédéric redescendirent une demi-heure plus tard pour livrer leur verdict, au moment où Caujolle ronchonnait et accusait ses collègues d'avoir mis en désordre les dossiers sur son bureau.

– Il y a bien une empreinte de pouce mais, comme je le craignais, elle n'est que très partielle.

– Est-ce qu'elle est tout de même exploitable ?

– Si l'on veut. Pour comparer deux empreintes, on retient traditionnellement dix-huit « minuties », c'est-à-dire l'arrangement des crêtes papillaires. Moins vous avez de points, plus les marges d'erreurs grandissent, mais elles grandissent de façon exponentielle. J'ai réussi à relever une dizaine de points en tout et pour tout : pas assez donc pour procéder à une comparaison totalement fiable.

– Concrètement, ça veut dire quoi ? s'impatienta Louis.

– Que ces relevés n'auraient aucune valeur devant un tribunal.

– D'accord, peu importe. On n'est pas en train de collecter des preuves pour un procès. Je veux juste savoir s'il s'agit du même homme.

– Alors je dirais que les points que j'ai relevés correspondent. À mon avis, c'est bien le même individu qui est monté avec Cathy ce soir-là et qui a assassiné les deux filles.

*

Outre les contraintes quotidiennes auxquelles la brigade était soumise, la journée se passa à l'exécution des tâches dont Louis avait fait l'inventaire. Le policier resta des heures au téléphone, jusqu'à ce qu'il reçoive l'assurance de la Direction de la police judiciaire qu'au moins deux agents seraient rapidement affectés à l'examen des fiches des récidivistes. Paris faisait grand cas de l'affaire, mais des coupes budgétaires récentes rendaient difficile la mobilisation d'inspecteurs au pied levé pour des vérifications aussi ingrates et à l'issue aussi aléatoire. Louis dut exagérer les résultats d'analyse des empreintes digitales pour être pris au sérieux.

Laforgue et Delville, les deux siamois de l'équipe, furent chargés de retourner interroger les familles des deux enfants : on pouvait espérer que la nouvelle description dont ils disposaient les mettrait sur la piste d'un suspect si, comme Frédéric en avait émis l'hypothèse, le tueur avait côtoyé de près ou de loin les victimes par le passé.

Leroux et Biasini s'attelèrent à la rédaction du « portrait parlé » du tueur pour le *Bulletin hebdomadaire de police criminelle*.

Frédéric contacta à Paris une de ses connaissances du Conseil général des hôpitaux pour obtenir le nom et les coordonnées des établissements spéciaux du sud-est de la France accueillant des aliénés. Il en profita pour demander qu'on lui expédie en plus la liste de tous les asiles de France, conscient qu'il faudrait sans doute élargir plus tard ses recherches. Les Alpes-Maritimes comptaient deux institutions : l'hôpital Pasteur, créé en 1910, et l'asile privé Sainte-Marie de l'Assomption, qui appartenait à une congrégation de religieuses, un ordre entièrement consacré aux soins des maladies mentales.

Il demanda à être mis en contact avec les directeurs des deux établissements et, après avoir décliné ses fonctions et indiqué qu'il travaillait de concert avec la police sur une enquête criminelle, exposa chaque fois sa requête. Il recherchait un individu né entre 1890 et 1902 – telles étaient les limites qu'ils avaient retenues –, portant des marques caractéristiques sur la poitrine et le dos, probablement interné à la suite d'agressions sexuelles. Le directeur de l'hôpital Pasteur se montra conciliant, lui assurant qu'il se renseignerait auprès des médecins et des infirmiers. En revanche, si les dossiers des patients étaient complets, il n'avait ni le temps ni le personnel pour entreprendre des recherches dans les archives. Mais rien n'empêchait Frédéric de venir sur place pour les consulter. L'asile privé fut quant à lui plus réticent à communiquer sur ses patients. À force d'insistance, on lui promit qu'on lui signalerait si un tel individu avait pu séjourner à l'institution, mais qu'il n'était pas question qu'on lui fournisse de nom. Frédéric dut se contenter de cette promesse. Il finit par élargir temporairement sa recherche à l'asile d'aliénés du Var.

Quoiqu'il ne fût à Nice que depuis deux jours et malgré le tragique de la situation, Frédéric commençait à prendre goût à l'enquête et il ressentait une certaine excitation à partager le travail des inspecteurs de la brigade. Le métier de Louis le fascinait, peut-être parce qu'il lui semblait à la fois très proche et très éloigné du sien. Cette enquête lui permettait en tout cas de fuir son travail trop prenant et répétitif, ainsi que les chicanes intestines de Sainte-Anne.

Quand il y songeait, Frédéric se rendait compte que rien, dans son origine ou son éducation, ne le destinait à faire carrière dans la médecine mentale.

Il avait passé toute son enfance à Paris, à deux pas de l'avenue Carnot, dans une petite pension de famille que sa mère avait ouverte au début des années 1880. Il gardait beaucoup de souvenirs heureux de cette époque et voyait encore les larges trottoirs d'asphalte qui descendaient de l'Arc de triomphe vers le quartier modeste où il avait grandi – quelques rues à l'ambiance familiale où l'on croisait une foule de mercières, de fournisseurs et de lingères.

Il n'avait pas connu son père. Selon les circonstances, la légende familiale faisait de lui un financier américain, un artiste fantasque, ou encore un aristocrate ruiné. Par la suite, Frédéric s'était souvent demandé pourquoi sa famille s'ingéniait à inventer des fables grotesques autour de ce père absent au lieu de s'en tenir à un silence pudique. Car la réalité était beaucoup plus prosaïque : à l'adolescence, en surprenant une conversation dans la cuisine de la pension de famille, Frédéric avait fini par apprendre qu'il n'était qu'un rond-de-cuir travaillant dans le bureau d'un ministère parisien, marié et père de trois enfants, et qu'il n'avait eu aucun scrupule à travestir sa situation professionnelle et son statut familial pour séduire sa mère. Malgré ces mensonges originels, celle-ci n'avait jamais vraiment coupé les ponts avec lui et Frédéric se souviendrait longtemps de cet « oncle » atypique qui, lorsqu'il n'était qu'un enfant, venait leur rendre visite à l'heure du thé et pour lequel on sortait le service en porcelaine et les serviettes de dentelle, comme s'il se fût agi d'un hôte insigne.

Frédéric avait grandi au milieu de femmes, entre une mère attentionnée mais entraînée au mensonge, une tante neurasthénique et une grand-mère aimante qui avait régné sur leur petite tribu jusqu'à sa mort. L'argent faisait défaut : la pension vivotait, bon an mal an, mais ils avaient du mal à joindre les deux bouts.

Un jour, un client de passage avait oublié dans sa chambre un livre d'anatomie richement illustré. On avait rangé le manuel dans la bibliothèque du petit salon, au milieu de récits à l'eau de rose qu'on mettait à la disposition des clientes. Curieux, Frédéric avait pris l'habitude de le feuilleter. Il avait bientôt connu par cœur la plupart des planches et s'amusait à cacher les légendes des figures pour se les réciter. Sans qu'il le sût, une vocation venait de naître. Son intérêt pour la médecine avait grandi au fil des ans, mais ses facilités intellectuelles compensaient mal un naturel peu studieux et une tendance au dilettantisme. Partagée entre la méfiance de ceux qui n'ont pas fait d'études et la perspective flatteuse de voir son enfant réussir dans la vie, sa mère l'encourageait dans cette voie tout en craignant que les sacrifices consentis ne se révèlent vains.

Elle se trompait. Frédéric était encore au lycée lorsqu'un professeur bienveillant l'avait mis en relation avec un médecin de Bicêtre pour qu'il le conseillât utilement dans ses projets.

Il avait passé ses deux premières années d'internat à la Salpêtrière, où planait encore l'ombre de Charcot. Cinq ans plus tard, il était reçu interne en médecine et intégrait à Bicêtre le quartier spécial pour enfants « idiots » et épileptiques. Frédéric avait été profondément marqué par cette période et il avait acquis la certitude que tout être, même en apparence condamné par une lourde déficience mentale, peut progresser si l'on se donne la peine de l'éduquer.

*

Biasini fut le seul inspecteur à s'occuper des affaires courantes de la brigade. Comme Frédéric, intrigué, lui demandait ce qu'il faisait, il expliqua qu'il établissait le signalement et le mode opératoire d'un voleur singulier qui leur donnait bien du fil à retordre.

– Quel genre de voleur ?

– Une voleuse plutôt… la « belle Kristina » !

L'affaire avait commencé trois mois plus tôt, lorsqu'un bijoutier marseillais avait porté plainte après avoir reçu la visite d'une jeune femme dont l'élégance et la distinction détonnaient dans sa petite boutique. Avec un fort accent slave, la princesse Kristina – tel était du moins le nom qu'elle avait donné – avait expliqué qu'elle avait un besoin urgent d'argent après avoir contracté des dettes de jeu. Elle avait sorti une magnifique bague ornée de diamants dont elle demandait 20 000 francs. Après une rapide inspection du bijou, l'homme avait estimé qu'il valait au bas mot trois ou quatre fois plus. Il pouvait le lui acheter, bien sûr, lui avait-il dit, mais il y avait d'abord des formalités à remplir, des papiers qui empêchaient de conclure la transaction sur-le-champ. La femme s'était levée comme une furie, lui avait arraché la bague des mains et avait feint de s'en aller avant de fondre en sanglots. Motivé par l'appât du gain, le bijoutier avait fini par se rendre dans l'arrière-boutique chercher les liasses constituant les 20 000 francs.

Après le départ de la jeune femme, il était retourné dans le bureau contempler son acquisition. Une aubaine qui échapperait à ses confrères du quartier ! Il avait failli tourner de l'œil en constatant que la bague qu'il tenait en main n'était qu'une vulgaire copie. La « princesse » avait profité de son mélodrame pour opérer une substitution.

La Sûreté de Marseille s'était d'abord chargée de l'enquête, mais dans les semaines qui avaient suivi on s'était aperçu qu'une escroquerie similaire avait eu lieu à Antibes. Plusieurs départements étant touchés, on avait confié l'affaire à la brigade de Nice, qui, à l'instar de celle de Toulon, était compétente dans toute la région de la Provence et de la Côte d'Azur.

– Je vais diffuser le signalement de la princesse auprès de l'ensemble des municipalités de la Côte. Si vous voulez mon avis, ça ne m'étonnerait pas qu'elle fasse un coup dans notre ville. C'est infesté de Russes, ici. Elle se sentira chez elle.

Biasini voulait mener son enquête dans les casinos, les restaurants et les hôtels chic de la ville. Grâce à ces deux seules escroqueries, elle avait déjà amassé 50 000 francs, puisqu'elle s'était montrée de 10 000 francs plus gourmande dans la bijouterie à Antibes. Et Dieu seul savait si elle n'avait pas grugé des préteurs sur gage ou d'autres bijoutiers qui n'avaient pas porté plainte pour des motifs peu glorieux… Il allait bien falloir maintenant qu'elle dépense tout cet argent !

*

Laforgue et Delville furent de retour à la brigade vers 15 heures. Malheureusement, leur visite chez les Corteggiani et les Albertini n'avait rien donné. Aucune des deux familles ne connaissait d'homme entre 20 et

30 ans qui pût porter sur le corps des marques semblables.

– On a essayé de rester assez vagues dans nos questions, comme vous nous l'aviez demandé, patron, dit Laforgue. Ils ont cru qu'on avait arrêté quelqu'un.

– Le jour où on arrêtera ce type, ajouta Delville, il vaudrait mieux que les familles ne soient pas dans les parages, c'est moi qui vous le dis.

9

– J'ai un mauvais pressentiment, Frédéric, l'impression que notre homme va bientôt frapper.

Le policier et le médecin longeaient le quai Rauba-Capèu. Une rafale de vent s'était levée, justifiant parfaitement le nom de la promenade[1]. Ils s'assirent sur un banc. Quelques voiles blanches à l'horizon passaient dans la baie des Anges, semblables à de frêles jouets.

– C'est un pressentiment ou tu te fondes sur les dates des meurtres ?

– Un peu les deux. Cinq semaines ont séparé les deux premiers meurtres du troisième, mais il ne s'est écoulé que trois semaines entre les deux derniers. S'il continue à ce rythme, on peut s'attendre à un nouveau meurtre dans les jours qui viennent.

– Si seulement nous étions capables d'appréhender sa logique !

– À supposer qu'il y ait une logique et qu'il n'agisse pas simplement selon ses pulsions…

Frédéric secoua la tête en signe de dénégation.

– Je le crois trop organisé pour agir au hasard, trop attaché à la symbolique de ses actes. Mais de là à pouvoir décrypter ses codes…

1. Rauba-Capèu : littéralement, « qui vole les chapeaux ».

– Je repense à ce que disait Delville tout à l'heure, reprit Louis. Il vaudrait mieux que je ne sois pas seul avec le tueur moi non plus le jour où on le retrouvera.

– Qu'est-ce que tu veux dire ?

– Tu le sais très bien. Je ne crois pas que j'aurais la force de l'arrêter et de prendre le risque qu'on le déclare irresponsable à la suite d'une expertise d'un de tes collègues.

Frédéric planta son regard dans celui du policier.

– Tu ne penses pas une seule de ces paroles, je te connais assez pour le savoir.

– J'ai peut-être changé, Frédéric. Je suis fatigué de toute cette violence. J'imaginais qu'après les quatre années d'horreur que nous avions connues le monde changerait, que l'*homme* changerait. J'étais crédule. Les vieilles habitudes reprennent, la criminalité repart à la hausse… Et c'est encore pire au niveau de nos gouvernants, on retrouve le même rapport de forces qu'auparavant. Tu as vu leurs tractations sur l'aménagement de la dette ? La France se sent bafouée, l'Allemagne est humiliée… On voudrait préparer une nouvelle guerre qu'on ne s'y prendrait pas autrement.

– C'est vrai, mais cet homme doit être arrêté et jugé. Même si la tentation est grande de régler les choses autrement.

– De belles paroles, oui ! Tu n'as pas vu les cadavres de ces gosses. Ça aurait tout aussi bien pu être mon fils étendu sur la table du légiste.

– Je comprends ta…

Forestier crispa ses poings puissants et haussa la voix.

– Non, tu ne comprends pas ! Voilà plus de cent ans que vous enfermez les aliénés dans des hôpitaux en prétendant être capables de les guérir. Vous avez voulu faire d'eux des malades comme les autres en laissant croire qu'on pourrait les réintégrer dans la société. Penses-tu vraiment que l'homme qui t'a agressé, cet Albert, puisse guérir un jour ? Il finira par être remis en liberté et recommencera aussitôt sorti des murs de vos foutus asiles.

Le puissant klaxon d'une voiture retentit derrière eux. Les deux hommes se retournèrent. Le véhicule était passé à deux doigts d'un vélo en prenant le virage à l'extrémité des Ponchettes. L'homme à bicyclette brandit un bras vengeur vers l'automobiliste.

– Excuse-moi, Frédéric. Je n'aurais pas dû dire ça. Je suis sur les nerfs en ce moment…

– Inutile de t'excuser. Tu crois que je ne suis pas en proie au doute, moi aussi ? J'ignore si tel ou tel aliéné sera susceptible de guérir un jour. La médecine mentale n'est pas une science exacte. Je ne suis pas davantage capable de te dire si les traits dominants d'un individu sont innés ou pas. Peut-être que les troubles de notre tueur ont une origine organique. Mais, de par mon expérience, je pense plutôt que les criminels récidivistes dans son genre ont subi des traumatismes dans un lointain passé.

Au-dessus de leurs têtes, les branches des palmiers se balançaient au gré du vent.

– Tu sais, reprit Frédéric, lorsque je suivais des cours à la Salpêtrière, le père d'Édith, qui était le médecin responsable de la chaire de clinique, accueillait les étudiants en leur racontant chaque année la même histoire : un jour, à la fin du XVIIIe siècle, Philippe Pinel, le premier des aliénistes, prit à témoin un responsable du Comité de salut public en faisant ôter les chaînes de tous les malades de l'hospice de Bicêtre. Devine ce qui se passa… Les aliénés ne se jetèrent pas sur lui. Ils se mirent au contraire à le remercier avec effusion et émotion. Par ce geste, Pinel voulait montrer que les « fous » n'étaient pas des possédés mais bien des hommes qu'on pouvait soigner.

– Jolie histoire mais…

– Attends, ce n'est pas fini. Aussitôt après, Charles Cardin nous apprenait que cette anecdote, bien que rapportée dans la plupart des manuels de psychiatrie, était totalement fausse et qu'elle avait sans doute été forgée par l'un des fils de Pinel.

– Pourquoi vous raconter une telle histoire pour la démystifier dans la foulée ?

– Pour nous montrer qu'en matière de médecine mentale il ne faut pas succomber à l'utopie ou aux croyances trop belles. Le cerveau est encore pour la science une *terra incognita*. Nous en connaissons mal le fonctionnement et il ne suffit pas de faire preuve d'humanité envers les malades pour espérer les guérir. Je suis extrêmement dubitatif en la matière, mais je peux te dire que, dans les milieux psychiatriques, le pessimisme thérapeutique est en train de prendre le dessus et que beaucoup de médecins croient maintenant à l'incurabilité de la maladie mentale.

– Et pour l'homme que nous recherchons…

– Là, mystère ! Les malades tels que lui sont rares, si rares qu'il nous semble presque impossible de comprendre comment ils en sont réduits à commettre leurs actes.

– Tu dis « réduits à commettre », comme s'ils étaient *obligés* d'agir ainsi, comme s'ils avaient abdiqué toute liberté.

– La question du libre arbitre agite la médecine mentale depuis plus d'un siècle, ce n'est pas maintenant que je vais essayer de la résoudre. À Sainte-Anne, la question a soulevé beaucoup de controverses : Valentin Magnan, dont je t'ai souvent parlé, considérait que les prédispositions aux crimes étaient pathologiques et que les dégénérescences privaient le sujet de son libre arbitre, même s'il était conscient de l'immoralité de ses actes.

– Le genre de théories fumeuses qui conduisent à acquitter les pires criminels…

– Là, tu exagères… Ces dernières années – je pourrais même dire ces dernières décennies –, malgré le concept de « responsabilité atténuée », les expertises mentales n'ont pas entraîné une plus grande clémence dans les tribunaux.

En dépit du vent, Louis tenta d'allumer une cigarette. Il s'y reprit à trois fois avant de tirer sa première bouffée.

– Pour en revenir à notre homme, continua Frédéric, soit nous décidons de le reléguer au statut de monstre, à l'écart des hommes, soit nous acceptons de le maintenir dans le champ de l'humanité et tentons de dépasser notre effroi pour comprendre son fonctionnement. La première solution est évidemment la plus confortable, mais tu comprendras que ce n'est pas celle que j'ai choisie.

– Un type qui tue deux femmes dans une mise en scène macabre, puis qui égorge des gosses en les laissant pourrir dans des lieux immondes… tu n'appelles pas ça un monstre ?

– C'est ce qu'on faisait autrefois. Je pourrais te parler pendant des heures du « criminel-né » de Lombroso, qu'on identifiait à l'aide de stigmates et de langage pseudo-scientifique. Plus personne de sérieux ne croit en ces balivernes ! Je te l'ai déjà expliqué : notre tueur pourrait tout aussi bien être cet homme qui vient de passer devant nous. Il est sans doute capable, comme tous les pervers, de se créer en public une personnalité artificielle. Il n'est ni un homme ni un monstre, ou plutôt il est à la fois un homme *et* un monstre.

– De toute manière, il est perdu pour l'« humanité », comme tu dis. Même si on le voulait, on ne pourrait pas le guérir et il ne pourra pas payer ses crimes autrement qu'en étant exécuté.

– Je le sais. Si nous l'arrêtons, les psychiatres qui feront son expertise n'auront d'autre choix que de le déclarer responsable de ses actes pour ne pas provoquer la colère des politiques et de la populace. Ils rédigeront sans doute un rapport plus conforme à leur sens de la justice qu'à leur savoir clinique. Cet homme sera guillotiné et cela ne nous avancera à rien.

– Il aura été puni pour ce qu'il a fait et il n'y aura plus de risque qu'il recommence un jour.

– Oh oui, les braves gens pourront dormir tranquilles ! Pour un temps du moins… Landru a été exécuté il y a un mois : crois-tu que cela empêche notre homme de tuer ou en empêchera d'autres à l'avenir ? Il sera exécuté, mais nous n'aurons rien appris de ses motivations et nous ne saurons pas comment la société a pu participer à créer un tel être.

– Attention, Frédéric, tu te laisses entraîner sur la voie du déterminisme.

– Tu as raison, il faut que je surveille mon langage.

Avec ses façades cossues et ses allées de palmiers, la Promenade des Anglais se déroulait devant eux comme un ruban le long de la mer. Une lumière douce irradiait la baie des Anges. Au loin, la pointe du cap d'Antibes se nimbait d'une brume rosée. Frédéric se demanda comment de telles atrocités pouvaient avoir été commises dans un lieu si beau et si calme.

– Tu sais, j'ai un peu forcé mon optimisme tout à l'heure à la brigade, avoua Louis. Je crains que nous ne trouvions rien dans les fiches. Et, même si nous avons de la chance, il faudra peut-être des semaines pour dénicher le signalement de cet homme.

– Le drame, conclut Frédéric, c'est que le seul moyen que nous ayons de l'arrêter est d'attendre qu'il agisse à nouveau.

10

30 mars 1922

Madame ne se levait jamais avant 10 heures. Sujette à des insomnies chroniques et à des migraines qu'aucun des médecins pontifiants qu'elle consultait n'arrivait à soigner, elle ne parvenait pas à trouver le sommeil avant une heure très avancée de la nuit. Par peur de devoir subir son courroux, chacun dans la villa respectait un silence monastique jusqu'à son réveil. Annie, la gouvernante, était le chef d'orchestre attitré de cette symphonie silencieuse, et elle réussissait si bien dans sa charge que Madame pouvait seulement se lamenter qu'on n'eût pas réussi à interdire aux oiseaux de chanter à l'aube.

Tout dans la maison était réglé comme du papier à musique : le réveil des enfants – on disait encore « *les* enfants » quoique Lisa eût près de 26 ans –, les promenades au bord de la mer, les leçons de piano dans le petit salon, les goûters dans la cuisine qui sentait la crème renversée et le pudding.

Annie ne s'était jamais faite à cette villa trop vaste et peu fonctionnelle. La cuisine à l'ancienne lui faisait regretter le confort moderne de leur hôtel particulier à Paris. Longtemps on n'était descendu sur la Côte d'Azur que pendant la saison d'hiver : rester au-delà du mois de mars aurait semblé une hérésie à Madame, une sorte d'entorse aux règles qui régissaient son monde. Puis, chaque année, insensiblement, comme le faisaient désormais bien d'autres hivernants, on avait repoussé le moment du départ et il n'était plus rare que la famille demeurât à Nice jusqu'aux premiers rayons pernicieux de l'été. Cette année en tout cas, la date du retour vers la capitale n'avait pas encore été fixée, même si la traditionnelle réception costumée que donnait Madame à la fin de leur séjour devait avoir lieu dix jours plus tard.

Annie disposa des toasts dans une assiette et versa du lait chaud dans un bol. Elle jeta un coup d'œil à la pendule de la cuisine, qui indiquait 7 heures précises. L'heure de réveiller John. Son précepteur n'arrivait qu'à 9 heures, mais si Madame interdisait qu'on vienne la déranger avant 10 heures, elle refusait que ses enfants fassent la grasse matinée, persuadée qu'un sommeil prolongé favorise la paresse et l'oisiveté. Avant de quitter la cuisine, la gouvernante recouvrit le bol d'une petite assiette pour maintenir le lait au chaud.

Dans la chambre de l'enfant, les persiennes en bois laissaient passer une lumière grise. Annie remarqua immédiatement que John n'était pas dans son lit, mais elle ne s'en inquiéta pas pour autant : souvent réveillé par le jour naissant, il avait l'habitude de se cacher par jeu avant qu'elle ne monte.

– *Where are you, naughty boy ?* fit-elle sur un ton de fausse colère. Je suis sûre que tu es caché… sous le lit.

Malgré son mal de dos récurrent et quoiqu'elle ne fût plus toute jeune, Annie se mit à quatre pattes et souleva la couverture qui touchait le sol.

– *Nobody's there ?*

Lorsqu'elle se releva, elle comprit que quelque chose clochait. Ce ne fut pas tant la fenêtre qui la gêna. Le printemps était arrivé avec un mois d'avance et les températures étaient exceptionnelles pour la saison. John avait toujours chaud et plus d'une fois, malgré ses remontrances, elle avait trouvé les fenêtres ouvertes en venant le réveiller. Non, ce qui attira son attention, ce furent les persiennes. Elles avaient été rabattues mais le loquet qui les fermait était soulevé. John n'aurait jamais dormi avec les volets ouverts. Elle les poussa et la lumière crue du matin inonda la chambre.

– John ! lança-t-elle avec appréhension à travers la pièce. *I'm not playing anymore !*

Elle passa en revue les cachettes habituelles de l'enfant : dans un renfoncement de la pièce à côté de l'armoire, derrière les rideaux de toile écrue, dans la petite salle de bains attenante à la chambre… Un très mauvais pressentiment s'empara d'elle. Elle sortit de la pièce et, le cœur battant, se mit à la recherche du garçon dans la maison.

Un quart d'heure plus tard, en larmes, elle se décidait à réveiller Madame.

*

– Les gars, j'ai besoin de votre attention ! lança Forestier à son équipe en sortant de son bureau.

Il arborait un visage impavide que ses inspecteurs connaissaient bien pour être annonciateur de mauvaises nouvelles.

– Je viens de passer dix minutes au téléphone avec Bouvier.

– Bouvier ? Tu veux dire le patron des brigades ? demanda Leroux d'une voix soucieuse.

– Ils vont nous augmenter les crédits ? hasarda Caujolle avec dérision.

Le commissaire lui décocha un regard noir.

– Pas de blague, je ne suis pas d'humeur. Cette nuit, un enfant a disparu. Et il est presque totalement exclu qu'il s'agisse d'une fugue.

– En quoi est-ce que ça nous concerne ? reprit Leroux. Depuis quand Paris a besoin de nos conseils ?

– L'enlèvement supposé n'a pas eu lieu dans la capitale. L'affaire dépend de notre juridiction.

– Je ne comprends pas. Comment peuvent-ils être au courant de cet enlèvement avant nous s'il n'a eu lieu que cette nuit ?

La voix du policier se fit plus sombre.

– Le gosse qui a disparu se nomme John Kendall…

– Kendall… répéta Leroux en lissant sa moustache. Comme l'industriel américain qui a racheté la villa Coralie ?

– Chapeau ! Tu es mieux renseigné que moi, Marcel. Effectivement, c'est le fils de Richard Kendall, un nouveau riche de Chicago. La mère est de sang bleu – une très vieille famille avec pas mal de relations mais complètement fauchée… Enfin, ça, c'était avant le mariage.

– Elle a la particule et lui le magot, résuma Biasini.

– L'enfant allait tout juste fêter ses 10 ans, reprit Louis. Comme chaque matin, la gouvernante est montée dans sa chambre pour le réveiller, mais elle a trouvé le lit vide et les volets entrouverts.

– Des traces d'agression ou d'effraction ?

– Apparemment pas.

– Ça ressemble plutôt à une fugue.

– Je sais. Mais visiblement le gamin n'a pas le profil. La mère, la sœur de John et tous les domestiques ont fouillé la villa de fond en comble, puis le parc, mais ils n'ont rien trouvé.

– Si je me souviens bien, expliqua Leroux, les jardins de cette maison doivent faire quelque chose comme dix hectares. On m'en a souvent parlé. Au départ, il n'y avait que des roches et du maquis, mais avant la guerre on a fait venir des tonnes de terre pour faire pousser les pelouses et les massifs. À mon avis, si un enfant cherche à se planquer dans un tel parc, il doit pouvoir y arriver sans problème.

– J'espère que tu as raison, mais on a déjà deux meurtres d'enfants sur les bras et je ne voudrais pas qu'on en ait un troisième. On va donc prendre cette affaire très au sérieux et essayer de la boucler avant que les journaux ne s'en emparent. Pour l'instant, on sait simplement qu'il n'y a pas eu de demande de rançon, même si ça n'est pas à exclure dans les heures qui viennent.

– Pourquoi est-ce qu'on n'a pas été contactés directement ?

– La mère est passée par le ministère. Ses relations… La Sûreté m'a appelé dès qu'ils ont eu vent de l'affaire. Elle et les enfants font la navette entre Paris et la Côte, mais le père passe beaucoup de temps à Chicago, officiellement pour ses affaires. Je suppose qu'il va rappliquer. Néanmoins, dans le meilleur des cas, il ne sera pas là avant cinq ou six jours. Ah ! J'ai gardé le meilleur pour la fin : Paris est prêt à nous envoyer deux agents de la brigade de Toulon si le besoin s'en fait sentir. Au cas où, Biasini, tu pourras me dire sur qui je peux compter là-bas.

Alphonse Biasini avait fait ses débuts dans la brigade du Var. Quand celle de Nice avait vu le jour, il avait rejoint l'équipe de Forestier pour grossir ses rangs. L'inspecteur ricana.

– Ils n'ont pas mis autant d'empressement pour les deux autres gosses. Un pur hasard, sans doute…

Alors que ses collègues s'esclaffaient, Louis reprit les choses en main.

– Bon ! Marcel, prends ton barda, on aura besoin de faire des relevés sur place. Laforgue et Delville, je vous veux avec moi. Autant arriver en force pour rassurer la famille. J'ai déjà contacté la municipale pour qu'elle envoie des hommes fouiller les environs de la villa. Essayez d'arrondir les angles avec eux. Caujolle et Biasini, vous gardez la boutique. Ne vous éloignez pas du téléphone. Au cas où vous auriez besoin de me joindre, j'ai laissé le numéro des Kendall sur mon bureau. Frédéric, il vaudrait mieux que tu viennes. Si on retrouve le gamin, je préférerais qu'il y ait un médecin sur place.

*

La villégiature des Kendall se situait à l'abri des regards, au bout d'une longue allée sinueuse bordée de palmiers et de massifs aux senteurs balsamiques. La brigade y fut escortée par le gardien des lieux, un dénommé Eugène qui affichait une mine livide et éprouvait le plus grand mal à aligner deux mots.

– Huit ans, monsieur le commissaire, huit ans… que je suis au service de M. et Mme Kendall. Jamais le moindre problème… ah, ça non !… Vous pourrez demander à Madame…

– Je n'en doute pas, assura Louis pour essayer de le calmer.

Puis, en aparté :

– Delville, je te charge de l'interroger. Vas-y doucement, ne lui donne pas l'impression qu'il est suspecté de quoi que ce soit. Essaie d'en apprendre le plus possible sur les habitudes de la famille et sur l'ambiance qui règne ici.

La villa Coralie était une demeure néoclassique toute en colonnes froides et altières qui contrastaient avec la surcharge décorative de la plupart des villas Second Empire de la Côte. Un lieu qui respirait le luxe et le calme, du moins en apparence, car l'atmosphère à l'intérieur était toute différente. Annie, la gouvernante qui les accueillit, avait les yeux rougis et le visage ravagé.

– Il faut que vous le retrouviez ! s'exclama-t-elle entre deux sanglots, aussitôt les présentations faites. John est tellement fragile… il n'a pas l'habitude de se retrouver seul.

Louis prit un ton amène.

– Nous allons faire le maximum. Vous voulez nous aider, n'est-ce pas, Annie ?

La gouvernante opina de la tête, le corps agité par des pleurs que l'arrivée des policiers avait relancés.

– L'inspecteur Laforgue va prendre votre déposition. Vous devez lui raconter tout ce qui s'est passé dans les moindres détails. Mais avant, il faut que vous me conduisiez à Mme Kendall.

– Madame n'est pas dans la maison. Elle est dehors, avec les policiers. Elle fouille la propriété depuis près de deux heures, avec Mlle Lisa.

– Lisa ? s'enquit Louis.

– La sœur de John, l'aînée de la famille.

– Bien. Alors conduisez-nous à la chambre du petit.

– J'aurais préféré que ce soit Madame qui…

– Nous irons voir Mme Kendall juste après, mais nous devons perdre le moins de temps possible.

La gouvernante se mordit les lèvres.

– D'accord, suivez-moi.

La chambre de John Kendall était une pièce de belle dimension contenant un lit, une armoire en noyer, deux coffres de rangement et un bureau – un ensemble très ordonné où seuls des avions miniatures suspendus au plafond et un train mécanique évoquaient l'univers de l'enfance.

– Personne n'a touché à rien depuis la disparition du petit ?

Annie, qui était restée sur le seuil, ne s'était guère calmée, et la vue de la chambre de John n'arrangeait pas les choses.

– Eh bien… j'ai fouillé la chambre ce matin en arrivant. Mais depuis…

– La fenêtre était déjà ouverte quand vous êtes venue réveiller le petit ?

– Oui, mais ces derniers jours il la laissait entrebâillée à cause de cette soudaine chaleur. Par contre, les persiennes n'étaient pas complètement fermées, et ça, ce n'est pas normal.

Forestier s'approcha de la fenêtre et examina les volets.

– Marcel, regarde.

Au niveau du loquet, la peinture s'était légèrement détachée, laissant apparaître de minuscules échardes.

Leroux baissa la voix.

– Hum… Tu penses à quoi ?

– Un couteau ou une lame introduit dans l'interstice pour relever le loquet. Les persiennes ont été ouvertes de l'extérieur. Pas de doute, c'est une affaire sérieuse.

Le commissaire se pencha par la fenêtre, qui donnait sur le côté est de la maison. Des échafaudages grimpaient le long de la façade, permettant un accès facile aux étages.

– Qu'est-ce qui se passe ? interrogea Annie, qui s'était approchée d'eux.

– Pourquoi y a-t-il tous ces échafaudages dehors ?

– C'est à cause des fissures et des infiltrations dans la façade. Les ouvriers sont en plein ravalement.

– Quand les travaux ont-ils commencé ?

– Il y a quelques semaines. En quoi est-ce important ?

– Vous devriez redescendre avec l'inspecteur Laforgue, conseilla Louis. Nous avons à travailler. Frédéric, j'aimerais que tu restes avec elle au cas où elle se sentirait mal.

– Très bien.

Leroux se pencha sur sa valise. Alors qu'elle s'apprêtait à quitter la pièce, Annie le regarda avec anxiété.

– Qu'allez-vous faire avec ça ?

– Ne vous inquiétez pas, c'est une mallette de prélèvements. Nous devons chercher des indices.

Une fois seuls, les deux policiers n'eurent plus à cacher leur crainte.

– C'est donc bien un enlèvement, constata Leroux.

– Qu'est-ce que ça pourrait être d'autre ? Quel intérêt ce gosse aurait-il eu à passer par la fenêtre alors qu'il pouvait sortir par le rez-de-chaussée sans que personne le remarque ? De toute façon, la persienne a été forcée de l'extérieur…

Leroux sortit un appareil photographique avec flash au magnésium.

– Je vais faire quelques prises de vue de la chambre.

– Il faudra inspecter la façade tout à l'heure. Comment a-t-on pu enlever un gosse de 10 ans en passant par ces échafaudages et sans réveiller personne dans la maison ?

– L'enfant a peut-être été drogué, remarqua Leroux entre deux clichés.

– Un enfant de cet âge pèse combien ? Entre 25 et 35 kilos ? Tu imagines le poids à trimballer ? Il aura fallu descendre l'échafaudage et ensuite passer les murs de la propriété… Je vois mal un homme faire le coup tout seul.

– Bon, fit Leroux en posant son appareil. Je vais m'attaquer à la vitre extérieure, c'est là qu'on a le plus de chances de trouver quelque chose.

L'inspecteur entreprit de recouvrir la surface de poudre de graphite. Louis en profita pour fouiller la chambre un peu plus avant. Il n'y avait aucune trace de lutte notable, ce qui confirmait l'hypothèse de son collègue. Il ouvrit les tiroirs du bureau et en sortit une série de dessins. La plupart représentaient trois personnages : un enfant encadré par deux femmes. Il les mit de côté. Il fureta ensuite un moment dans l'armoire, en vain, puis approcha de la fenêtre.

– Alors ?

– On a une magnifique série d'empreintes. Quelqu'un s'est appuyé contre la vitre. Et, vu la propreté qui règne dans cette maison, elles doivent être récentes. Je vais faire des clichés dactyloscopiques.

Louis tourna en rond dans la pièce pour tenter de chasser les pensées funestes qui l'assaillaient depuis que Leroux s'était lancé dans la chasse aux indices. Ce dernier sortit de sa mallette une série d'agrandissements : on y voyait des courbes et des arcs formant une étrange œuvre abstraite.

– Qu'est-ce que c'est ? demanda Forestier en fixant les dactylogrammes géants.

– Je crois que tu le sais. On ne peut pas faire l'économie de la comparaison des empreintes.

11

Forestier et Leroux traversèrent le parc, silencieux. Ils croisèrent deux policiers municipaux qui leur signalèrent que Mme Kendall et sa fille étaient descendues sur la plage. Ils longèrent une haie de pittosporums jusqu'à une terrasse qui dominait un escarpement tombant à pic dans la mer, puis empruntèrent une série de marches taillées dans le roc au milieu de grottes naturelles et de cuvettes remplies d'eau.

Ils finirent par déboucher sur une petite crique entourée d'une couronne de pins maritimes. La plage de sable descendait en pente douce jusqu'aux rochers de calcaire que venaient frapper les vagues à bout de course. Au loin, la mer aux reflets de malachite s'étalait sous une lumière implacable.

Ils aperçurent trois silhouettes au bout de la plage. Mme Kendall et sa fille étaient accompagnées d'un policier en uniforme qui vint à leur rencontre et se présenta.

– Elles ont à tout prix voulu venir avec nous inspecter les rochers.

La mère et la fille s'approchèrent. Mme Kendall était une belle femme d'environ 45 ans. Son visage, aux traits durs mais néanmoins harmonieux, était surmonté d'un large chapeau qui dissimulait en partie un chignon en banane. Elle portait une robe évasée à petites manches de tulle – une robe noire peu adaptée à la matinée et à la saison déjà chaude.

Derrière elle, dans une tenue sportive en jersey, suivait Lisa. Sa mère, au même âge, avait peut-être été plus belle qu'elle, mais elle n'était pas dénuée de charme avec son visage régulier, sa peau laiteuse et son nez légèrement arqué. Elle n'avait pas en tout cas hérité de la dureté de Mme Kendall.

– Madame, mademoiselle, commissaire Forestier, de la brigade mobile de Nice.

– On m'avait dit que vous viendriez, fit Edmonde Kendall sèchement. Mais vous avez pris votre temps.

– Nous sommes là depuis un moment déjà, remarqua Louis sans se départir de son calme. Nous avons inspecté la chambre de votre fils, avec la permission de votre gouvernante, bien entendu. Je crois que nous devrions remonter, nous avons à parler.

*

– Je ne suis pas sûre de bien comprendre. Vous pensez à… un enlèvement ?

Mme Kendall demeurait hiératique sur son sofa. Louis, Frédéric et Marcel Leroux la regardaient, fascinés par son port altier et sa froideur. D'expérience, le commissaire savait qu'il ne servait à rien de cacher la vérité aux familles qui se retrouvaient au cœur d'affaires criminelles. Dans le cas des Kendall, leurs relations leur auraient de toute façon permis d'être informés presque en temps réel des avancées de l'enquête. Pour autant, il fallait faire preuve d'une certaine diplomatie et éviter de trop entrer dans les détails. Juste lâcher le strict nécessaire pour collecter le maximum d'informations.

– Nous le pensons, en effet. Les relevés que nous avons effectués nous laissent supposer qu'au moins un homme s'est introduit cette nuit dans votre maison.

– Oh, mon Dieu ! s'écria la jeune Lisa, qui jusque-là était restée en retrait, debout derrière sa mère.

– Lisa ! fit Mme Kendall d'un ton sec pour la rappeler à l'ordre. Continuez, messieurs.

Louis eut du mal à détacher son regard de la jeune femme, qui sanglotait. Frédéric aussi l'observait avec attention. Quand elle était entrée dans la villa, il avait été autant frappé par sa singulière beauté que par l'état d'égarement qu'on pouvait lire sur son visage.

– Je veux être sûr tout d'abord qu'aucune des informations que nous allons vous révéler ne sortira de cette pièce.

– À qui donc voudriez-vous… ?

– Comprenez-moi bien, la coupa le policier. Dans ce genre d'affaires, la tentation est grande pour les familles de répondre aux sollicitations des journaux dans l'espoir d'entrer en contact avec le ravisseur ou de faire pression sur lui. Ces initiatives se révèlent souvent vaines et dangereuses. Vous devez faire preuve d'une extrême discrétion.

Forestier se tut brièvement pour juger l'effet de ses conseils, puis reprit :

– Nous avons relevé plusieurs traces de chaussures derrière la villa, sous les fenêtres de John, ainsi que sur les échafaudages. Le temps a été très sec ces derniers jours, mais le jardin a visiblement été arrosé à cet endroit-là. La position de ces traces ne laisse aucun doute : deux personnes ont escaladé les échafaudages ces dernières vingt-quatre heures. Et comme l'entreprise de maçonnerie n'a pas travaillé hier…

Le récit du policier avait un effet hypnotique sur la maîtresse des lieux.

– De plus, l'inspecteur Leroux a relevé des empreintes assez nettes sur la vitre extérieure de la chambre. Nous n'avons fait qu'une comparaison sommaire, mais il se pourrait fort qu'elles appartiennent à un homme qui a déjà été impliqué dans une affaire criminelle cette année. Le meurtre de deux prostituées.

– Des prostituées ? répéta Mme Kendall sans pouvoir dissimuler cette fois un franc dégoût.

– Deux femmes qui ont été tuées sans que le mobile soit encore très clair.

– Mais quel rapport avec John ? Vous pensez que cet homme l'a enlevé pour obtenir une rançon ?

– Ce n'est pas totalement exclu, mais c'est tout de même peu probable.

Il ne devait pas leur faire perdre espoir trop tôt.

– Je ne comprends pas. Pourquoi enlèverait-on un enfant si ce n'est pour en tirer profit ?

Louis eut du mal à dissimuler sa gêne.

– Il existe des crimes dont on peut dire qu'ils sont sans profit apparent.

Le policier se rendait compte que son assertion allait à l'encontre de tout ce qu'on avait pu lui enseigner à ses débuts dans la police, où on ne cessait de répéter l'adage juridique romain : *Is fecit cui prodest*, « Celui qui a commis le crime est celui à qui le crime profite ».

– Certains criminels sont mus par des pulsions profondément pathologiques, presque impossibles à déterminer, même pour la police.

– Soyez plus clair, je vous prie !

– Nous avons été confrontés à deux autres affaires d'enlèvements cette année. Deux enfants d'un âge similaire à celui de John.

Après réflexion, Louis avait conclu qu'il était impossible de passer sous silence les affaires Corteggiani et Albertini. Mais il fallait savoir choisir les mots.

– On les a retrouvés vivants ?

– Malheureusement non.

Frédéric eut juste le temps de voir la jeune Lisa tourner de l'œil. Se précipitant vers elle, il put la soutenir au moment où elle allait s'effondrer au sol. On l'installa rapidement sur le sofa et tous remarquèrent qu'à aucun moment Mme Kendall n'avait cédé à la panique. Annie apporta du sel volatil pour le lui faire respirer. Une scène anachronique qu'on aurait crue sortie d'un roman du XIXe siècle. Frédéric jugea qu'il ne s'agissait que d'un léger étourdissement. Lorsqu'elle eut repris ses esprits, malgré ses protestations, la gouvernante la conduisit dans sa chambre, à l'étage.

– Si vous le permettez, dit Frédéric, j'irai l'examiner tout à l'heure pour m'assurer que tout va bien.

– Ma fille est quelqu'un de très émotif.

« Il y a de quoi », pensa Louis, choqué par l'attitude glaciale de cette femme.

Celle-ci dut remarquer l'expression de réprobation du policier.

– Vous pensez sans doute que je suis une femme dure. Mais c'est la vie qui m'a endurcie.

– Mon rôle n'est pas de vous juger, madame.

– Je n'ai pas toujours vécu dans le luxe et l'opulence qui m'entourent aujourd'hui. Ma famille était totalement désargentée, criblée de dettes. Durant toute mon enfance, nous avons dû jouer une comédie permanente, vivant dans la nostalgie d'une fortune ancestrale évanouie. Mais l'argent importait peu pour moi. Voyez-vous, mon premier mari avait une situation très modeste, mais j'étais follement amoureuse de lui. Lisa est d'ailleurs le portrait craché de son père – nous sommes tellement différentes toutes les deux ! Il est mort il y a quinze ans d'un cancer foudroyant. Ce fut une épreuve très difficile pour moi. Jamais je n'aurais pensé me remarier un jour.

Le médecin et les policiers ne furent pas longs à comprendre la situation : John était en fait le fruit de son second mariage avec Richard Kendall. Leur hôtesse vit leur léger trouble.

– Richard m'a sauvée de la dépression, c'est un époux exceptionnel, qui a toujours été à mon écoute. Pourtant, tout nous séparait quand je l'ai rencontré : nos âges, nos fortunes et surtout nos goûts.

Un petit sourire triste apparut sur ses lèvres.

– Je l'ai croisé pour la première fois à un Salon d'automne qui exposait les cubistes. Il s'extasiait devant ces toiles alors que je les trouvais hideuses. Il m'a tant appris depuis…

Son regard flotta un instant, comme si elle fuyait son malheur présent en se réfugiant dans des souvenirs lointains.

– Mais je m'égare. Rassurez-vous, je ne vous ai pas raconté tout cela pour vous tirer des larmes. Je ne suis pas à plaindre, mais je voulais que vous sachiez que je suis assez forte pour entendre la vérité, quelle qu'elle soit.

Forestier ne put s'empêcher d'être surpris et plutôt touché par la confession de cette femme. Son masque de froideur n'était qu'une protection. À présent que Lisa n'assistait plus à la conversation, il lui résuma ce qu'il savait des deux premiers meurtres. Un silence pesa dans le salon.

– Vous comprendrez donc que le temps nous est compté. Il faudrait d'abord que vous nous fournissiez une photographie récente de John – c'est la procédure que nous suivons en cas de disparition.

– Annie va vous donner cela.

– Marcel, tu t'en occupes ? Votre gouvernante m'a dit que vous aviez fouillé la chambre ce matin. Avez-vous remarqué un détail particulier ? Un objet, par exemple, qui aurait disparu ?

– Sa chaîne, répondit aussitôt Mme Kendall en désignant de la main un bijou imaginaire autour de son cou. John la porte avec une médaille de saint Jean-Baptiste qu'il a reçue à sa communion. Il ne dort jamais avec, mais il a l'habitude de la poser sur sa table de chevet le soir.

– Très bien, murmura Louis en échangeant un regard avec Frédéric.

L'homme avait donc emporté un « souvenir ». Un penchant fétichiste ? Comme les cheveux des deux prostituées assassinées ?

– Je vais maintenant devoir vous poser un certain nombre de questions pour comprendre comment cet homme s'y est pris.

– D'accord.

– Y a-t-il longtemps que vous venez à Nice en hiver ?

– Ça doit faire une dizaine d'années. Mon époux, mon second époux, a acheté cette villa au début du siècle, mais il ne l'avait jamais habitée. Nous l'avons fait restaurer après notre mariage. Vous savez, le petit paradis que vous avez vu dehors n'était autrefois qu'un désert.

– M. Kendall vous rejoint-il souvent ici ?

– Mon mari est quelqu'un de très occupé. Il vit la plus grande partie de l'année à Chicago pour ses affaires. Il vient généralement passer trois semaines avec nous en hiver sur la Riviera.

– Et cette année ?

– Il n'a pas dérogé à la règle. Nous devions le retrouver ensuite à Paris au début de l'été.

– Quand vous résidez à Nice, John a-t-il beaucoup de relations avec l'extérieur ?

– Avec l'extérieur ? Oh non ! Il passe la matinée à travailler avec son précepteur. Le reste du temps, il est toujours accompagné par Annie, sa sœur ou moi-même. Nous allons quelquefois sur la plage ou nous prenons l'automobile pour faire de petites expéditions et des pique-niques. Mais c'est à peu près tout.

– Il n'a pas de camarades de jeux ?

– C'est un peu compliqué. Aucune de mes relations n'a d'enfant de son âge. À la rentrée, il ira en pension. Il aura alors tout le temps de se faire des amis. En attendant…

– Est-ce que John semblait contrarié ces derniers temps ? Son comportement avait-il changé, même de manière imperceptible ?

– Non ! John est un enfant équilibré qui n'a jamais posé de problèmes. Il adore venir sur la Riviera. C'est un éden ici pour lui. Mais en quoi est-ce que tout cela pourrait vous aider ?

– Je ne sais pas encore précisément.

Mme Kendall s'agita sur le sofa.

– Écoutez, commissaire, je ne vais pas vous apprendre votre métier, mais à quoi toutes ces questions nous mènent-elles ? Vous avez dit que cet homme fréquentait les prostituées. Ne devriez-vous pas faire des recherches dans tous les coins douteux de la région ?

Forestier détestait qu'on remette en cause ses méthodes. Aussi se permit-il de hausser le ton.

– Madame, votre fils peut être retenu dans n'importe quel endroit de cette ville. Nous ne tomberons pas sur cet homme par magie. Nous devons essayer de remonter sa piste grâce à tous les témoignages, les indices et les détails que nous pourrons récolter, même les plus insignifiants en apparence. C'est pourquoi nous avons besoin d'en apprendre le plus possible sur vos habitudes, votre manière de vivre, les gens que vous fréquentez. Ça risque d'être long, mais je crains que ce ne soit une étape obligée.

*

– Ah, Bouvier ! Entrez. Vous faites bien d'arriver en avance, je n'ai que dix minutes à vous accorder, je suis attendu à l'Élysée.

– Monsieur le directeur.

Le patron des brigades mobiles entra dans le bureau lambrissé du ministère de l'Intérieur. Émile Durand et lui se connaissaient depuis plus de dix ans et les rapports entre eux étaient rarement solennels ou tendus. Cette fois pourtant, Bouvier affichait une mine crispée que le directeur de la Sûreté, encore les yeux dans ses dossiers, ne remarqua pas.

– Prenez un fauteuil, je vous en prie. Comment va votre épouse ?

– Très bien, je vous remercie.

– Bon. Des nouvelles de l'affaire Kendall ? Je suppose que c'est l'objet de votre présence ici.

143

– Je viens d'avoir au téléphone Forestier, de la brigade de Nice.

– Ah ! Forestier… Je me souviens de lui du temps où il travaillait avec Faivre. Vous savez que c'est un vétéran des brigades : il a participé à l'arrestation des chauffeurs de la Drôme. Une sacrée époque ! Tout ça ne nous rajeunit pas… Mais allez-y, je vous écoute.

Bouvier passa une main gênée sur son menton.

– Je crains malheureusement d'avoir de mauvaises nouvelles. Je vous fais grâce des détails, mais les hommes de Forestier ont fait des découvertes chez les Kendall.

– Quel genre de découvertes ?

– Des empreintes digitales dans la chambre du garçon.

– Bon début. Qui ont déjà donné quelque chose au sommier judiciaire ?

– Pas au sommier, monsieur le directeur.

– Où donc alors ?

– Dans une autre affaire sur laquelle enquête la brigade de Nice… Celle du meurtre de deux prostituées… et de deux jeunes garçons.

Le visage de Durand s'altéra sous l'effet de la surprise.

– Crénom ! Vous êtes certain de vos informations ?

– Selon eux, il n'y a pas le moindre doute. Les policiers n'ont pas trouvé d'empreintes dans l'assassinat des deux garçons mais, grâce à d'autres indices, ils ont pu rapprocher cette affaire de celle des prostituées. On peut donc raisonnablement estimer que dans les trois cas il s'agit du même homme.

Un bref silence plana dans le bureau.

– Ont-ils une piste sérieuse ?

– Quelques éléments : un portrait physique approximatif, une analyse psychologique qui pourrait laisser penser que cet homme a fréquenté un asile dans le passé. Un médecin aliéniste les assiste dans leurs investigations, des vérifications sont en cours…

– Bon sang ! grommela le directeur de la Sûreté. Vous comprendrez qu'il faut plus que de l'« approximatif » ou d'oiseuses considérations psychologiques. Peu importe le passé de cet homme, qu'il ait tué père et mère ne m'intéresse pas. Ce que je veux, ce sont des résultats !

– C'est ce que j'ai fait comprendre à Forestier. Cela dit, ses méthodes ont fait leurs preuves par le passé. Je crois qu'il est l'homme de la situation. Je lui ai déjà proposé de l'aide au cas où il manquerait d'inspecteurs.

– Vous avez bien fait, ne lésinez pas sur les moyens. Inutile de vous rappeler qui est le père de ce garçon… Je n'ai pas envie qu'un échec vienne jeter l'opprobre sur nos services.

– Évidemment, murmura le chef des brigades, qui avait épuisé toutes ses munitions pour calmer le directeur.

– Pensent-ils que l'enfant est encore en vie ? Devons-nous nous attendre à une demande de rançon ?

– Selon Forestier, il n'y en aura pas. Ça ne colle pas avec les autres cas dont je vous ai parlé. Il pense cependant que l'auteur de cet enlèvement gardera peut-être l'enfant en vie quelques jours. Deux ou trois tout au plus…

– Deux ou trois jours ! s'exclama Durand. Eh bien, ils ont intérêt à mettre à profit chaque minute du temps qui leur reste.

12

– Messieurs, je sais que la journée d'hier a été longue.

Louis Forestier parlait d'un ton solennel, plutôt inhabituel chez lui. La journée de la veille avait effectivement été interminable et les recherches menées pour retrouver John Kendall étaient restées vaines. Dans l'après-midi, deux journalistes avaient fait le pied de grue devant les grilles de la villa et Louis s'était vu contraint d'échanger deux mots avec eux pour les faire déguerpir. Il s'était contenté de quelques paroles creuses, se limitant à confirmer la disparition de l'enfant.

Louis et Frédéric étaient rentrés à une heure avancée de la nuit – tout juste avaient-ils trouvé le temps de prévenir Clara par téléphone pour l'informer de la nouvelle – et ils étaient repartis à l'aube.

– Mais ce n'est pas le moment de faire preuve de découragement ou de défaitisme. La disparition de John Kendall marque à coup sûr un tournant dans notre affaire. Le plus surprenant, c'est que tout laisse à penser que le tueur n'a pas agi seul : outre les doubles empreintes de pas qu'on a trouvées, il semble difficilement imaginable qu'il ait pu transporter le corps du petit sans l'aide d'un complice, ce qui ne cadre pas du tout avec le profil qu'on a dressé du meurtrier. N'est-ce pas, Frédéric ?

Le médecin confirma d'un hochement de tête.

– En effet, il est la proie de pulsions tout à fait personnelles et je l'imagine mal faire équipe pour perpétrer ses crimes.

– La seule explication possible, selon moi, c'est qu'il n'ait eu recours à un complice que pour cet enlèvement. Il n'en avait pas besoin pour les autres, surtout si on part du principe qu'il possède un véhicule. Bref, tout cela m'ennuie, car ce n'est plus un seul homme que nous recherchons aujourd'hui, mais deux. Pour le petit Kendall, on ne peut guère à mon avis envisager que deux hypothèses : soit l'enfant est déjà mort, soit le tueur a l'intention de le séquestrer pendant quelques jours, comme dans le cas du petit Albertini. Inutile de vous dire que nous ne retiendrons que la seconde possibilité. Nous devons coûte que coûte retrouver cet enfant vivant. Le compte à rebours a commencé.

Les inspecteurs réunis autour du commissaire ne perdaient pas une miette de son discours.

– De très nombreuses questions restent sans réponse. Où et pourquoi le tueur séquestre-t-il ses victimes ? Les garde-t-il en vie pour son plaisir personnel, pour leur faire subir des supplices – ce que l'autopsie du petit Albertini semble plutôt infirmer –, ou parce qu'il a été empêché pour une raison ou une autre de passer à l'acte ? Comment a-t-il fait pour approcher et enlever ces enfants à la barbe de tous, surtout dans le cas de John Kendall, qui vivait dans un univers surprotégé ? Pourquoi s'est-il attaqué à ce gosse de la haute après avoir privilégié des gamins d'un milieu populaire ? Existe-t-il un lien entre les trois victimes ? On a déjà noté plusieurs points communs entre les deux premières, mais on doit rattacher cet enlèvement aux autres meurtres. Si vous avez des remarques ou des suggestions à faire, c'est le moment.

Delville approcha d'un pas pour prendre la parole.

– Comme on l'a supposé hier, je crois que notre homme ne s'en est pas pris par hasard à cet enfant. Vous l'avez dit, patron, ce gamin vivait dans une tour d'ivoire et sortait relativement peu de la propriété. On peut donc imaginer que le meurtrier a eu l'occasion de fréquenter la villa Coralie, probablement dans le cadre de son travail.

Forestier acquiesça.

– Hier, poursuivit Delville, j'ai établi une liste, sans doute incomplète, de ceux qui ont pénétré dans la propriété ces six derniers mois. Je ne vous cache pas qu'elle est relativement longue : jardiniers, livreurs, ouvriers du bâtiment…, mais pas invérifiable. Je pense qu'on devrait concentrer l'essentiel de nos recherches là-dessus.

– D'accord. Tu te feras aider par Caujolle et Laforgue pour défricher tout ça. Biasini, tu pourrais en profiter pour réinterroger les familles des deux premières victimes et leur demander si elles connaissent les Kendall, même de nom. Bon, comme un malheur n'arrive jamais seul, j'ai une autre nouvelle déplaisante : la famille s'est attaché les services d'un détective privé, qui a dû arriver à Nice ce matin par le train de nuit. Bouvier m'a clairement fait comprendre qu'il devait avoir accès à tous les éléments de notre enquête et que nous ne devions pas « lui mettre de bâtons dans les roues »… ce sont ses mots.

– Comme si c'était notre genre ! railla Caujolle.

– Nous voilà vernis ! renchérit Delville.

– Calmez-vous, ce n'était pas ça la mauvaise nouvelle… Le détective n'est autre que notre ami Pauvert, dont Caujolle et moi vous avons déjà parlé.

– Oh, misère !

Ce seul nom sembla démoraliser tous les inspecteurs. Du coup, Frédéric se sentit à l'écart.

– Je crois que je suis le seul à ne pas connaître l'illustre Pauvert !

Forestier se tourna vers lui.

– Et crois-moi, tu ne perds rien.

– Tu m'éclaires ?

Louis grimaça à l'idée de se remémorer un passé déplaisant.

– Pauvert était un inspecteur de la 1re brigade. Un type pas franchement désagréable mais en qui personne n'a jamais eu confiance. On sentait que le travail de mobilard n'était pas un sacerdoce pour lui.

– Quand est-ce que tu l'as connu ?

– Juste après la guerre, quand j'étais encore à Paris. Je te la fais courte : il a fait capoter une affaire sur laquelle on travaillait depuis plusieurs mois. Une bande de salopards qui avait à son actif une dizaine d'assassinats. Un des membres a été arrêté, presque par hasard. Il savait qu'il irait à la butte et en moins de deux il a balancé ses complices, histoire de leur faire connaître le même sort. Va me parler ensuite de code d'honneur des bandits ! On avait une adresse. La brigade a préparé minutieusement son intervention. Mais Pauvert a parlé…

– À qui ?

– À la presse, bien sûr ! Il les a mis sur le coup quelques heures avant qu'on intervienne. Sans doute pour se donner la part belle dans l'arrestation et voir son nom cité dans un article. On se doutait depuis quelque temps déjà qu'il y avait un traître au sein de la brigade, mais personne ne pouvait croire réellement qu'un mobilard balancerait des informations aux journaux.

– Que s'est-il passé ?

– La plus belle déconfiture de l'histoire des brigades ! Les journalistes étaient déjà sur place quand on est arrivés et j'imagine que la bande les a pris pour des flics. Il y a eu une fusillade : un journaliste a été blessé, un mobilard a perdu l'usage d'un bras et il n'y a pas eu un survivant du côté de la bande. Certains se sont même entretués en pensant que l'un d'eux avait mouchardé.

– Qu'est devenu Pauvert ?

– La Sûreté n'a pas pu se résoudre à avouer publiquement qu'un mobilard avait vendu la mèche. On a essayé d'enterrer l'affaire et on l'a invité à démissionner. Il s'est reconverti en détective privé, en n'oubliant pas de signaler sur son *curriculum vitae* son expérience dans les brigades.

– Il ne manque pas d'air !

– D'après ce que je sais, il propose ses services à des rupins en appliquant nos méthodes pour son propre compte. Tu comprendras qu'on évite depuis de prononcer le nom de Pauvert.

Le téléphone retentit dans le bureau de Louis.

– J'espère que ce n'est pas encore Bouvier, s'emporta-t-il. Il commence à me les casser, celui-là !

Il fut soulagé d'entendre la voix de Raphaël Mathesson au bout du fil. Le millionnaire semblait mal réveillé et fut plutôt confus dans ses propos. Il voulait voir Louis de toute urgence, car il avait une théorie importante à lui soumettre. Les deux hommes convinrent d'un rendez-vous en fin de matinée dans un café de la place Masséna.

En sortant de son bureau, le policier ne comprit pas immédiatement l'origine du silence religieux qui l'accueillit. Puis il remarqua que tous les regards étaient tournés vers Marcel Leroux, qui tenait en main un exemplaire de *L'Éclaireur de Nice*. Louis redoutait le moment où la presse s'emparerait de l'affaire. En divulguant des détails peu connus ou en brodant sur le peu qu'elle savait, elle pouvait sérieusement compromettre une enquête.

– Regarde, fit Leroux en lui tendant le journal. Ils ne nous ont pas loupés !

Louis lut à haute voix.

LE MYSTÉRIEUX ENLÈVEMENT
DU FILS DU MILLIONNAIRE RICHARD KENDALL

C'est dans la nuit de mardi à mercredi que le jeune John Kendall, 10 ans, a été enlevé par des inconnus. La famille Kendall passe depuis plusieurs années la saison d'hiver dans une luxueuse demeure niçoise du bord de mer, la villa Coralie. Le père de l'enfant, Richard Kendall, est un Américain originaire de Chicago, connu pour avoir réussi dans l'industrie de l'édition. Sa fortune est estimée à plusieurs millions de dollars. La mère, née Edmonde Rochecourt, est issue d'une vieille famille nobiliaire française.

Pour le moment, la brigade mobile de Nice, dirigée par le commissaire Forestier, a refusé de faire le moindre commentaire sur cette disparition, se bornant à confirmer que l'hypothèse d'une fugue était exclue et que l'affaire était bien de nature criminelle.

On sait que la fenêtre de la chambre où dormait l'enfant a été fracturée. Aucun indice concluant n'aurait cependant été trouvé sur place. Les recherches se sont poursuivies toute la journée dans le parc entourant la villa, sans succès.

– Tu peux sauter la suite, va directement à l'inter-titre. C'est là où ça se corse !

Une affaire liée à d'autres disparitions d'enfants ?
D'après des sources non policières, l'enlèvement de John Kendall pourrait être lié à deux meurtres d'enfants perpétrés à Nice cette année. Le 23 février, comme nous l'annoncions à l'époque dans notre journal, le corps d'un enfant d'immigrés italiens a été retrouvé dans la citerne d'une villa bourgeoise de la colline de Cimiez. L'affaire avait causé une vive émotion et les parents de l'enfant avaient été un temps soupçonnés par les policiers avant d'être mis hors de cause. Un deuxième meurtre, dont nos journalistes n'avaient pas eu connaissance, a eu lieu début mars. Adrien Albertini, âgé de 11 ans, a été assassiné et son corps abandonné dans le système d'évacuation des eaux usées de la ville. La brigade de Nice chargée de ces enquêtes n'a jamais souhaité s'exprimer sur leur déroulement ni sur l'existence d'éventuels suspects. Officiellement, les policiers voulaient éviter un mou-vement de panique dans la ville. À l'heure où un troi-sième enfant est porté disparu, on peut cependant s'étonner du mutisme des autorités et de la manière dont la population est tenue à l'écart de ces horribles crimes. Un ogre règne sur la ville et, par son attitude irresponsable, la police nous a refusé toute possibilité de protéger nos enfants.

Durant la lecture de l'article, le visage de Louis était devenu pâle comme un linge.
– Quelle bande d'enfoirés ! Comment ces fouille-merde peuvent-ils être au courant ?
Malgré le précédent de l'affaire Pauvert, le policier n'envisagea pas une seconde que la fuite pût venir de

la brigade. Il avait une confiance illimitée en ses hommes.

– Les agents d'entretien de la Ville qui ont découvert le second corps, supposa Leroux. Ils ont très bien pu parler en échange de quelques billets.

– Mais pourquoi si tard ? Le meurtre a eu lieu il y a un mois : ils auraient pu monnayer l'information bien avant.

– Sauf qu'à l'époque cela n'intéressait personne. Un gamin, fils d'ouvriers italiens, il y a plus vendeur ! Le rapt de John Kendall a donné une nouvelle dimension à ces crimes.

– Ça ne tient pas la route. Comment auraient-ils pu faire le rapprochement entre les meurtres et cet enlèvement ? Sans les empreintes que tu as relevées, nous n'aurions probablement pas pu l'établir nous-mêmes.

– Que proposez-vous, patron ? s'enquit Caujolle.

Louis se leva comme un fauve de son fauteuil. L'article désastreux qu'il venait de lire semblait lui avoir donné une ardeur nouvelle.

– Je ne vois qu'une chose à faire : découvrir comment ces journaleux ont eu accès à ces informations.

*

Sur l'ancienne avenue de la Gare, récemment rebaptisée avenue de la Victoire, des panonceaux lumineux ostentatoires annonçaient aux passants la présence des locaux de *L'Éclaireur de Nice*, le quotidien le plus lu de la région. Plusieurs fois déjà la brigade avait eu affaire à ses journalistes ou à son rédacteur en chef, et les relations avaient été tendues. Créé à la fin du XIXe siècle, *L'Éclaireur* avait toujours soutenu des opinions très conservatrices et servait d'organe de diffusion aux idées de la droite du comté. Le journal avait pris fait et cause contre Dreyfus et, ces derniers mois, manifestait une sympathie douteuse envers le parti national fasciste qui avait vu le jour en Italie. Autant de raisons qui faisaient que Louis ne le portait guère dans son cœur. La plupart du temps cependant, *L'Éclaireur* ne se passionnait pas pour les questions de politique nationale ou internationale, se concentrant sur le local pour contrer son grand concurrent, *Le Petit Niçois*.

— Je suis désolé, monsieur le commissaire, mais je ne vois pas en quoi je pourrais vous aider. Nous avons pour habitude de protéger nos sources, et dans la mesure où vous n'avez rien voulu partager avec nous dans cette affaire…

Louis, qui sentit une bouffée de chaleur lui monter au visage, tenta de contenir son exaspération. Il ne s'était certes pas attendu à ce qu'Émile Leblond, rédacteur en chef du journal, se montre coopératif, mais la lutte allait s'avérer plus rude que prévu.

— Dois-je vous rappeler que j'enquête sur des meurtres ? Ce qui nous éloigne, vous en conviendrez, des petites luttes politicardes que vous traitez d'ordinaire dans votre journal.

— Vous confirmez donc que l'enlèvement de John Kendall est lié à ces assassinats d'enfants ? demanda Leblond du tac au tac, sans relever le ton condescendant du policier.

— Tirez-en les conclusions que vous voulez. La seule chose que je sais, c'est que je ne sortirai pas d'ici avant de savoir qui vous a fait parvenir les informations que vous avez relayées dans votre édition d'aujourd'hui.

— Si j'étais susceptible, je pourrais bien prendre vos paroles pour des menaces, commissaire. N'êtes-vous pas censé protéger les honnêtes citoyens plutôt que d'invectiver les membres d'un respectable journal ?

– Vous avez lancé des accusations graves contre ma brigade…

– Des accusations mesurées et justifiées. N'avez-vous pas essayé de soustraire à la connaissance du public la mort de cet enfant… comment s'appelle-t-il, déjà ?

Leblond prit l'édition qui trônait comme un trophée sur son bureau et y jeta un coup d'œil.

– Ah oui ! Adrien Albertini.

Le nom avait été prononcé d'un ton désinvolte. Seul devait compter pour lui le tirage de son canard.

– Les policiers ne sont pas des journalistes. Nous n'avons pas vocation à nous exprimer sur toutes les enquêtes en cours. Il y a parfois des raisons à rester discrets sur certaines affaires.

L'homme replia le journal et le posa sur un coin de son bureau, comme une invitation à mettre un terme à l'entretien.

– Je crois que cette discussion ne pourra nous mener que dans une impasse. J'espère en tout cas que vous parviendrez à retrouver le jeune Kendall. Ça ferait vraiment désordre si ce garçon devenait la troisième victime d'un ogre sanguinaire que vous n'arrivez pas à arrêter… Ce fut un plaisir, commissaire, conclut-il en désignant d'un geste discret la porte de son bureau.

D'abord, Louis ne bougea pas d'un centimètre, puis il enfonça un peu plus profondément son corps massif dans le fauteuil, prenant ses aises, comme pour provoquer son interlocuteur. Il aurait préféré ne pas en arriver à de telles extrémités, mais il n'avait plus le choix.

– J'espère que Mme Leblond se porte bien.

Le rédacteur fut pris au dépourvu.

– Très bien. Mais qu'est-ce que… ?

– J'en suis ravi, fit Louis avec un sourire mielleux. Et la princesse Bouglioff ? Comment va-t-elle ?

Le visage de Leblond vira au cramoisi et il se mit à parler en égrenant les syllabes :

– Com-ment o-sez-vous ?

Raphaël Mathesson avait l'habitude de faire à Louis sa « gazette » du monde aristocratique de la Riviera. Quelques mois auparavant, il lui avait appris que Leblond poursuivait de ses assiduités la princesse Bouglioff, une fortune que la Grande Guerre avait ruinée et qui se faisait entretenir par les bourgeois de la ville qui n'étaient pas au courant de ses déboires financiers. Sitôt qu'elle avait pressé ses proies, elle cherchait une autre victime à prendre dans ses rets et on racontait que Leblond avait déjà dépensé des milliers de francs dans l'espoir de devenir son amant.

– J'emploie comme vous des méthodes détestables, dit Louis en parlant de plus en plus fort. Croyez-vous que ce soient des manières de notable que de courtiser une femme qui s'est déjà fait entretenir par des dizaines de nigauds dans votre genre ? La princesse est à fond de cale et elle vous berne depuis des mois. Je suis sûr que Mme Leblond serait ravie de savoir où passe une partie de la confortable paye de son mari.

L'homme ne répliqua rien. Habitué à jauger ses adversaires, il tenta un moment de peser le pour et le contre. Au final, il n'osa pas invoquer la rumeur ni la calomnie, et se leva lentement de son fauteuil en cuir.

– Très bien. Mais c'est donnant-donnant. Je veux avoir l'assurance que vous ne divulguerez jamais ces informations. Personne n'est au courant et je pourrais bien perdre ma place au journal.

« Dans un torche-cul moralisateur comme le tien, c'est probable », remarqua Louis *in petto*.

– Vous l'avez, fit-il d'une voix peu aimable. Allons droit au but : quelles sont vos sources ?

Leblond se dirigea vers un coffre encastré dans le mur du bureau. Il donna plusieurs tours de molette, jusqu'à ce que la porte blindée s'ouvre en émettant un léger cliquetis.

– Nous avons reçu hier une lettre anonyme. Pour être tout à fait honnête, cela fait plusieurs mois que nous recevons au journal ce type de missives.

« L'affaire du délateur anonyme », songea aussitôt Louis. Celle dont Caujolle s'était occupé. Plusieurs notables de la ville avaient déposé plainte après avoir reçu des lettres portant le plus souvent des accusations d'adultère. La plupart d'entre elles devaient être farfelues, car les destinataires n'avaient pas craint le scandale en venant voir la police. À l'insu de Louis, l'affaire avait été l'occasion de franches rigolades à la brigade, car Biasini entretenait depuis plus de six mois une relation avec la femme d'une personnalité et les inspecteurs, à chaque nouvelle lettre, se demandaient si on n'y trouverait pas son nom. Quand Louis avait appris cette relation adultère, Biasini avait passé un sale quart d'heure et avait été sommé d'y mettre fin : il n'en fallait pas moins pour ternir la réputation des mobilards et leur attirer des problèmes.

Forestier n'avait pas imaginé en tout cas que des journaux aient pu recevoir eux aussi ces courriers délateurs.

Leblond tendit à Louis une feuille pliée en quatre. Combien avaient-ils été à manipuler la lettre de cette façon ? Aucun espoir d'obtenir des empreintes concluantes.

– Avez-vous aussi l'enveloppe ?

– Non. Mais la lettre n'est pas arrivée par la poste. Elle a été déposée au journal dans l'après-midi d'hier, avec mon nom sur l'enveloppe. Je l'ai jetée machinalement.

– Je présume que personne ici n'a vu qui l'a apportée.

Leblond fit un signe négatif de la tête. Forestier examina rapidement le papier. Un modèle courant et bon marché dont on ne pourrait rien tirer. L'écriture était très lisible, presque enfantine, constituée de caractères ronds. À première vue, elle ressemblait à celle des autres lettres que la brigade avait en sa possession.

Monsieur le rédacteur en chef,

Un enfant a aujourd'hui été enlevé à Nice au domicile de Richard Kendall. Sans doute la situation financière de cet homme d'affaires américain vaudra-t-elle à cette disparition de faire la première page de votre journal. Sachez cependant que, au cours des derniers mois, deux enfants ont été sauvagement assassinés. La première victime n'aura eu droit de la part de votre feuille de chou qu'à un entrefilet relégué en quatrième page. La brigade de Nice a tenté d'étouffer la seconde affaire et de la soustraire à la connaissance des citoyens de cette ville. Demandez au commissaire Forestier de vous parler d'un petit garçon retrouvé au début du mois de mars dans les égouts de notre ville, égorgé et attaché à une échelle d'inspection du réseau urbain. Combien faudra-t-il de morts pour que vous vous intéressiez à autre chose qu'aux sordides fricotages de nos politiciens ?

Louis, atterré, explosa :

– Et vous n'avez pas cru bon de nous informer de l'existence de cette lettre ! Vous publiez des informations en vous fondant sur un bout de papier anonyme ?

– Moins fort, s'il vous plaît, s'alarma Leblond en jetant un coup d'œil furtif vers la porte. Nous savions que nous n'obtiendrions rien de vous. Deux de nos journalistes sont allés interroger des agents d'entretien de la Ville, qui ont fini par nous confirmer la mort de cet enfant.

« Contre quelle somme ? » Mais tout cela importait peu à présent.

– Vous disiez que vous aviez reçu d'autres lettres. Vous les avez gardées, au moins ?

– Elles sont dans le coffre.

Il y en avait quatre en tout et pour tout. Deux étaient des répliques exactes de celles qui étaient conservées à la brigade dans le dossier de Caujolle – seul le nom du destinataire changeait. Louis parcourut rapidement les deux autres. À nouveau des accusations d'adultère ou de relations avec mineure portées contre des personnalités de la ville. Louis se demanda si Leblond n'avait pas reçu une lettre à titre personnel évoquant son amourette avec la princesse.

– Vous pouvez être rassuré, fit-il en se levant de son fauteuil, votre secret sera bien gardé. Mais si je peux vous donner un conseil, mettez un terme à votre relation malsaine avec cette femme. Elle n'a plus de princesse que le titre. Pour le reste, je prends tout… Pièces à conviction.

13

– Ton verdict ?

Leroux posa sa loupe sur la lettre qu'il avait examinée durant de longues minutes. Aux côtés du professeur Locard à Lyon, il s'était familiarisé avec la graphologie. Même s'il se considérait comme un débutant en la matière, ses impressions pouvaient se révéler précieuses.

– Je peux t'énoncer quelques constatations purement formelles. Le papier utilisé, quoique courant et de facture classique, n'est pas le même que pour les autres lettres détenues aussi bien par nous que par *L'Éclaireur*. Il est plus épais, plus granuleux aussi. Quant à la calligraphie, il y a de très nombreux signes de correspondance, mais je suis à peu près sûr qu'il s'agit de deux scripteurs différents.

– Comment le sais-tu ?

– Eh bien, l'auteur de lettres anonymes déguise presque toujours son écriture. Parfois il utilisera des caractères différents, parfois il écrira de la main gauche, s'il est droitier, et vice versa, mais il conservera malgré tout des petits automatismes. Regarde : les « q » par exemple ont partout une forme de « o » muni d'une petite queue en serpentin, les « h » sont toujours écrits en capitales et non en écriture cursive.

Louis examina les deux caractères.

– Tu as raison, bien que ce ne soit pas évident à l'œil nu.

– On ne le remarque pas car ces deux lettres ne sont pas les plus utilisées. Mais sur la dernière missive on ne retrouve pas ces particularités. Je crois que le faussaire a essayé d'imiter une écriture elle-même déformée. Il l'a fait avec talent, mais il est presque impossible de reproduire une graphie à l'identique. De plus, la dernière écriture manque de fluidité. Il ne suffit pas de comparer la forme des lettres, il faut aussi s'intéresser au nombre des levées de plume, à l'intervalle entre les mots, entre les lignes… Non, ça cloche. On dirait même qu'il s'y est repris à deux fois pour calligraphier certaines lettres.

– Très bien. Pour le contenu, je crois que tu es le mieux placé pour en parler, Frédéric. Vous devez recevoir des tonnes de lettres délirantes à l'asile !

– Plus que tu ne l'imagines ! Et, comme toi, je pense que nous ne possédons qu'une infime partie des lettres qui ont été envoyées. Certains anonymographes en écrivent plusieurs milliers. Je suis aussi d'accord avec Marcel : pour moi, celle que t'a donnée Leblond est d'un auteur différent. Bien sûr, dans toutes les lettres on trouve un mélange un peu étrange de formules ampoulées et de mots familiers. Dans la dernière, on peut noter des expressions comme « feuille de chou » ou « fricotages », qui font écho à des termes de même nature dans les autres courriers. On y retrouve aussi des constructions syntaxiques identiques. Écoutez : « Sans doute la situation financière de cet homme d'affaires américain vaudra-t-elle à cette disparition… » Ça ressemble drôlement à cette formule que j'ai lue ailleurs : « Sans doute votre femme trouvera-t-elle mille excuses pour justifier ses absences chaque après-midi aux alentours de seize heures. »

– Attends ! Je ne te suis plus. Les exemples que tu choisis tendent plutôt à prouver qu'il s'agit du même homme.

– Ou femme, car la majorité des anonymographes sont des femmes. Ça, ce sont les éléments visibles, superficiels. Mais si tu compares attentivement les lettres, tu remarqueras que dans la dernière il n'y a pas la moindre faute d'orthographe ni de syntaxe. Or j'en ai trouvé dans toutes les autres, même s'il ne s'agit souvent que de petites erreurs d'accord ou de construction.

– C'est un peu maigre, non ?

Caujolle trouva là matière à plaisanter.

– Il a peut-être pris des cours d'orthographe entre-temps.

– Très drôle…

– Je ne crois pas que ce soit anodin. Comme Marcel l'a dit, on ne peut pas lutter contre les automatismes. Encore moins tricher sur les pratiques grammaticales. Mais il y a autre chose. Je ne sais pas si tu l'avais remarqué, mais toutes les lettres sont liées à la sexualité ou à des affaires de mœurs. La dernière ne cadre pas avec ce schéma.

– On est donc tous d'accord, résuma Leroux. Mais pour imiter une écriture, il faut avoir un modèle. Quelqu'un a donc eu accès à ces lettres.

– Beaucoup de gens y ont eu accès, nota Louis. Cinq personnes sont venues déposer plainte, mais il y a peut-être eu des dizaines de destinataires, en plus des journalistes de *L'Éclaireur*. Ou alors…

Le regard de Louis se mit à briller. Pendant qu'il feuilletait le classeur des lettres reçues par la brigade,

une idée encore inconcevable quelques instants auparavant lui avait traversé l'esprit.

– Ou alors ?

– Nous ! Nous avions tous accès aux lettres.

Sa remarque jeta un froid. Caujolle s'insurgea :

– Vous vous rendez compte de ce que vous dites,
patron ?

– Calme-toi, laisse-moi m'expliquer. Tu te souviens
de ce que tu m'as dit l'autre jour ? Tu ne trouvais plus
le dossier des lettres anonymes. Tu as pesté pendant
dix minutes avant de remettre la main dessus.

– C'est vrai.

– Tu as même dit : « Qui est venu trifouiller dans mes
papiers ? » Cinq personnes sont venues déposer plainte,
mais dans le dossier que vient de consulter Frédéric il
n'y a que quatre lettres. Regarde par toi-même !

Leroux jeta au commissaire un œil inquiet.

– Qu'est-ce que tu cherches à nous dire ? Que quelqu'un s'est introduit ici et a fouillé nos dossiers ?

– Exactement.

– Mais qui ?

– Qui était au courant à la fois des détails des deux
meurtres, de l'enlèvement de John Kendall et du lien
qui les unit ? Qui pourrait vouloir que les affaires
éclatent au grand jour et nous faire passer par la même
occasion pour des moins-que-rien ?

La seule réponse possible s'était imposée à l'esprit
de tous les hommes réunis dans la pièce.

– Le tueur, bien sûr, énonça Leroux.

– Il s'est introduit sans problème dans une des villas les plus luxueuses de la Côte. Notre maison n'est
pas gardée vingt-quatre heures sur vingt-quatre ! Quel
mal aurait-il eu à pénétrer dans les locaux de la brigade ? Au vu de son profil, nous savons qu'il a une

solide instruction et qu'il est capable de dissimulation. Ça collerait parfaitement avec ce que Marcel et Frédéric nous disaient à propos des lettres : une imitation élaborée, une absence de fautes…

Frédéric intervint :

– Le tueur ne cherche plus à se cacher. Il veut nous faire savoir qu'il est au courant des progrès de l'enquête et augmente, par défi, les chances de se faire arrêter en rendant l'affaire publique.

– Rappelle-toi ce que tu disais… Il sait qu'il ne s'arrêtera jamais : alpha, bêta, gamma… Il continue sa descente aux Enfers. Mais, inconsciemment, il se pourrait qu'il veuille se faire prendre.

Louis se dirigea soudain vers son bureau.

– Attendez ! Il faut que je vérifie quelque chose.

On l'entendit pendant un moment remuer fébrilement ses papiers, puis il réapparut, tenant dans ses mains le fameux dossier vert qui contenait les documents concernant la double série de meurtres.

– C'est bien ce que je pensais, on a touché à mon dossier.

– Vous êtes sûr, patron ?

– Certain. Les photographies étaient rangées dans l'ordre chronologique. Or celles des meurtres des petits Corteggiani et Albertini ont été inversées. Cette fois, il n'y a plus de doute. Ce salaud est venu dans mon bureau se délecter de ses œuvres !

Leroux dodelina de la tête.

– Et dire qu'on ne s'est aperçus de rien !

– Bon, dans un premier temps, reprit Forestier, il nous faut renforcer la sécurité des lieux, quitte à ce qu'au moins deux d'entre nous montent la garde jour et nuit. Je serais néanmoins étonné qu'il revienne nous rendre visite, maintenant qu'il a eu ce qu'il voulait.

Raphaël était déjà installé à la terrasse du café Monnot, devant le Casino municipal – la « grange à foin », comme disaient les Niçois par dérision. Dans les magasins installés sous les arcades, on marchandait des bibelots, tandis que des vendeurs en burnous agitaient des chapelets d'eucalyptus sous le nez des passants. La terrasse était pleine de clients et l'aviateur millionnaire s'était isolé à une petite table à côté d'un massif de bambous, à l'extrémité d'une banne à raies rouges. Affublé de lunettes de soleil et d'une casquette en tweed, il fit un signe discret de la main à Louis et Frédéric.

– Il a sa tête des lendemains de fête, nota le policier avec agacement.

– Bonjour, les gars, marmonna Raphaël. Comme vous étiez en retard, je me suis permis de commander en vous attendant. Ravi de vous revoir, Frédéric. Ce café n'est plus ce qu'il était ! On dirait que toute la populace de la ville s'y est donné rendez-vous.

Frédéric regarda avec étonnement autour de lui : on n'y voyait que des femmes élégamment vêtues et des hommes appartenant de toute évidence à la bonne société niçoise.

– Enfin… Vous savez que j'ai croisé Henri Matisse à cette terrasse l'hiver dernier ? J'ai une toile de lui, un bocal à poissons rouges… Je ne te l'ai jamais montrée ?

– Je ne m'en souviens pas, maugréa Louis. Mais tu pourrais aussi bien me montrer la croûte du premier venu, je ne verrais pas la différence…

– Allons ! Cesse de faire ton homme des cavernes.

Une petite Niçoise passa devant leur table pour leur vendre des violettes. Raphaël lui donna une pièce, puis il releva rapidement ses lunettes et dévoila des yeux rougis et éteints.

– Comme vous pouvez le voir, j'ai peu dormi cette nuit.

– Ravi de l'apprendre ! J'aimerais bien moi aussi faire la bringue toute la nuit.

– Mon Dieu ! Quelle humeur massacrante !

– Tu m'excuseras, mais un gosse a disparu hier. Nous sommes sur les nerfs.

– Ah ! Le petit Kendall !

– Tu as lu *L'Éclaireur* ce matin ?

– Si tu crois que je perds mon temps à lire ce torchon ! Non, tout le monde est au courant…

Pour Raphaël Mathesson, « tout le monde » signifiait « son monde », celui des aristocrates, des artistes et des grandes fortunes qu'il fréquentait sur la Riviera.

– Figurez-vous que j'étais hier soir chez la comtesse de Beauchamp, à Villefranche. Sa villa Fiorentina… c'est une petite merveille ! Et je peux vous dire qu'elle sait recevoir. Il y avait même Edith Wharton. Vous la connaissez, Frédéric ?

Le médecin fut pris au dépourvu.

– Euh… de nom, mais je n'ai jamais rien lu d'elle.

– Vous devriez. *The Age of Innocence !* Un pur chef-d'œuvre ! Elle a reçu le Pulitzer l'an dernier, vous savez !

Raphaël était le roi des digressions. Louis s'impatientait et pianotait la table de ses doigts.

– Si on pouvait abréger les palabres… Je suppose que nous ne sommes pas venus pour disserter sur la littérature anglaise.

– Américaine ! Edith Wharton est américaine. Bon, qu'est-ce que je disais déjà ? Oui ! Hier, tout le monde parlait de la disparition du petit Kendall. D'ailleurs, j'ai reçu, il y a quelques jours, une invitation pour la soirée costumée qu'Edmonde donne mi-avril.

– « Edmonde » ? Tu connais bien la mère Kendall ?

– Un peu. Je ne suis pas allé à sa fête l'an dernier, mais il y a deux ans, quelle soirée ! Je m'étais déguisé en Édouard II d'Angleterre, mais personne, je crois, n'a compris l'allusion… Quel drame, cette disparition ! Vous avez une piste ?

Méfiant, Louis ne put s'empêcher de jeter un œil autour de lui.

– Inutile de préciser que tu dois garder pour toi tout ce que je vais te dire.

– *Obviously !* s'insurgea Raphaël.

– Il s'agit de notre tueur.

La surprise décomposa les traits déjà tirés de Raphaël.

– Non !

– Il n'y a pas de doute. Leroux a relevé ses empreintes sur une vitre dans la chambre du petit.

De la surprise, l'expression sur le visage de Raphaël passa à l'inquiétude.

– Mon Dieu ! Ça change tout, alors !

– De quoi est-ce que tu parles ?

– Eh bien, de la raison de ma présence ici ! Hier soir, la comtesse avait organisé une soirée littéraire : chacun devait lire des poèmes ou des nouvelles. Edith Wharton nous a même gratifiés de passages de son nouveau roman…

– Va à l'essentiel ! s'énerva Louis.

Raphaël fit une moue boudeuse.

– Très bien. À la fin de la soirée, la comtesse et deux autres invités nous ont joué un passage de *Jules César* de Shakespeare. « *Beware the ides of March !* »

– Passionnant ! Mais quel rapport avec notre affaire ?

– Au début, je ne l'ai pas vu, moi non plus. Je suis rentré chez moi, tard, mais, sans savoir pourquoi, je n'ai pas réussi à fermer l'œil. Quelque chose me tracassait. Je ressassais la scène de Shakespeare dans ma tête. Ce n'est que vers 3 heures du matin que j'ai compris.

Raphaël avala une gorgée de son verre de jus d'orange, comme pour faire durer l'attente.

– Je ne vous ferai pas l'affront de vous rappeler l'intrigue de la pièce.

– Tu devrais, pourtant !

Frédéric épargna cette peine à l'aviateur :

– Si mes souvenirs sont bons, nous sommes en 44 avant J.-C. Des défenseurs de la liberté romaine décident de tuer César, devenu trop ambitieux.

– Au début de la pièce, reprit Mathesson, César se retrouve face à un devin qui lui enjoint de se méfier des ides de mars.

– Les ides de mars ? répéta Louis. C'est quoi, ça, encore ?

Le serveur déposa sur la table deux tasses de café.

– Merci. Les Romains avaient un calendrier un peu particulier qui reposait sur trois fêtes religieuses : les calendes le premier de chaque mois, les nones le cinquième ou le septième jour, et les ides le treizième ou le quinzième jour.

– Ah oui ! C'est pour ça qu'on dit « renvoyer aux calendes grecques »…

– Tu ne cesseras jamais de m'éblouir ! railla Raphaël. Ils utilisaient ces dates comme repères en comptant le nombre de jours qui restaient jusqu'à la prochaine fête. Quel jour es-tu né ?

– Le 3 octobre.

– Eh bien, pour les Romains, tu serais né… le cinquième jour avant les nones d'octobre.

– Je crois que je commence à comprendre, intervint Frédéric, l'œil pétillant.

– J'aimerais bien en dire autant…

Raphaël fouilla dans la poche de son pardessus et en sortit une feuille pliée en quatre.

– Je crois que ce petit tableau va t'éclairer. Je l'ai établi en vous attendant.

Louis déplia la feuille et tenta de décrypter le calendrier sibyllin.

Calendrier moderne	Janvier	Février	Mars
1 …	calendes	calendes	calendes
4	veille des nones	veille des nones	IV
5	nones	nones	III
6	VIII	VIII	veille des nones
7…	VII	VII	nones
12	veille des ides	veille des ides	IV
13	ides	ides	III
14	XIX	XVI	veille des ides
15…	XVIII	XV	ides
28	V	veille des calendes de mars	V
29	IV	/	IV
30	III	/	III
31	veille des calendes de février	/	veille des calendes d'avril

Il grogna :

– Je n'y comprends toujours rien. Ton tableau m'embrouille plus qu'autre chose ! Pourquoi les chiffres romains ne sont-ils pas dans l'ordre ?

– Tu ne m'as pas écouté ! Parce que le décompte se fait à rebours jusqu'aux fêtes ! Mais peu importe, l'essentiel n'est pas là. J'ai encadré les dates de chacun des meurtres. Louise est morte le 5 janvier, c'est-à-dire le jour des nones. Pierre Corteggiani est mort le 13 février, le jour des ides. Si on suppose qu'Adrien Albertini a été tué trois jours après son enlèvement, cela nous mène au 1er mars…

– Le jour des calendes, conclut Louis, qui venait enfin de saisir son raisonnement. Notre homme suit le calendrier romain et ne tue que les jours des fêtes religieuses.

– Ça ne peut pas être un hasard.

– Tu avais raison, Frédéric ! Il obéit à une logique même dans le choix des dates. Sauf qu'il y a un hic : Yvette, la seconde fille, a été tuée le 7 janvier. Or, ça ne correspond à rien dans ton calendrier.

– C'est exact, concéda Raphaël, un peu contrarié. Mais si tu regardes bien il arrive que les nones tombent le septième jour du mois, comme en mars, par exemple.

– C'est vrai, dit Louis, pourtant peu enthousiaste.

Frédéric jeta un œil rapide au tableau.

– De plus, le meurtre d'Yvette est un peu particulier : il est la seconde pièce d'un diptyque, ce qui fait qu'on ne peut le dissocier du premier. Ici, c'est la symbolique de la victime sacrifiée rituellement qui a pris le dessus sur le calendrier.

Louis, qui avait retrouvé le sourire, lança un clin d'œil à Frédéric.

– Je te l'avais dit : cet homme est un puits de science.

– Tiens ! Voilà qu'on ne se gausse plus de mon érudition !

Louis ne releva pas la remarque et son visage se rembrunit presque aussitôt.

– Vous savez quel jour nous sommes aujourd'hui ?

– Oui. Le 31 mars, fit Raphaël avec gravité. La veille des calendes d'avril.

– Ce qui veut dire que si le tueur continue à suivre la même logique, il pourrait bien commettre un meurtre demain. Et je crains que, cette fois, nous ne connaissions non seulement la date… mais aussi le nom de la victime.

14

Le reste de la journée se déroula dans la morosité. Louis avait l'impression de brasser du vent. Certes, la découverte de Raphaël les avait fait progresser, mais ils ne s'étaient pas pour autant rapprochés de l'« Ogre ». C'est ainsi, après la parution de l'article dans *L'Éclaireur*, que les inspecteurs prirent l'habitude de surnommer le tueur d'enfants, quoique cette dénomination déplût fortement à Frédéric et encore plus à Louis, qui n'avait pas digéré les attaques *ad hominem* du journal.

Avec l'accord du commissaire, Frédéric décida de consacrer toute son énergie à la piste des asiles. S'il n'avait pas encore reçu la liste complète de tous les instituts du pays, il contacta tout de même par téléphone quelques hôpitaux majeurs dans lesquels il avait des relations privilégiées. Ça ne permettrait peut-être pas de sauver John Kendall, mais c'était toujours mieux que de rester les bras ballants.

*

– Qu'est-ce que c'est ? demanda Frédéric en se penchant sur le bureau de Louis.

– Oh, ça ? Des dessins que j'ai récupérés dans la chambre du gosse.

172

– Fais voir… C'est la sœur et la mère de John ?

– Oui. La femme sur la gauche doit être Lisa.

– À quoi tu le vois ?

– La tenue, bien sûr. Tu n'as pas remarqué que la mère s'habillait de façon austère ? Elle portait hier une robe plutôt sombre, comme sur le dessin. La fille a l'air de suivre la mode et de mettre des tenues sportives assez colorées.

– J'ignorais que tu étais devenu un spécialiste en mode féminine !

– Quand je m'ennuie, il m'arrive de jeter un œil aux magazines de ma femme. C'est étrange, mais il n'y a jamais d'homme sur ces dessins…

– Si le père est absent la moitié de l'année, ça n'est guère surprenant. La maison semble soumise à un régime plutôt matriarcal. (Frédéric fronça les sourcils.) Ce qui est drôle en revanche, c'est qu'il n'a pas dessiné les mains de sa mère.

– Et alors ? Un simple oubli…

– Non. Regarde, ça se retrouve sur les autres dessins.

– Je ne l'avais même pas remarqué.

Frédéric eut soudain une impression vague sur laquelle il n'arrivait pas à mettre de mots. Ces dessins… et la conversation qu'ils avaient eue avec la mère de John Kendall… Quelque chose lui échappait.

– Au fait, reprit Louis, Lisa allait bien quand tu l'as quittée hier ? Tu t'es drôlement attardé dans sa chambre !

– Hum… Oui, ce n'était qu'un simple étourdissement. Rien de grave.

– Un joli brin de fille, en tout cas !

– C'est vrai.

Dans l'encadrement de la porte apparut Caujolle, qui faisait une tête d'enterrement.

– Patron, *il* est là !

173

Dans la salle des inspecteurs, de dos devant la fenêtre, se tenait un homme que Louis ne connaissait que trop et qui se retourna en sentant sa présence.

– Commissaire Forestier !

Louis nota le costume sobre mais onéreux, la petite moustache de dandy, les cheveux gominés… Il avait changé du tout au tout depuis l'époque des brigades. Visiblement, les affaires prospéraient pour lui.

– Pauvert, répondit Louis sans parvenir à cacher son agacement.

Pris dans les tourments de la disparition du petit Kendall, il avait presque fini par oublier l'existence du détective privé. Un caillou de plus dans des chaussures qui lui faisaient déjà mal.

– Vous êtes bien installés, déclara le détective.

Étant donné la vétusté des locaux, sa remarque ne pouvait être qu'ironique, mais elle avait été prononcée avec le plus grand sérieux.

– Tu vois, la Renifle nous gâte. Tu n'aurais pas dû nous quitter.

– Comme si j'avais eu le choix… Mais toi tu as pris du galon, à ce que je vois. Commissaire de brigade !

– J'ai eu de la chance, répondit le policier, moins par fausse modestie que pour abréger les civilités.

*

« Mettre de côté les anciennes rancœurs et essayer de se débarrasser de ce mec le plus vite possible. »

– Un dossier très complet, fit Pauvert en feuilletant les pochettes qu'on avait mises à sa disposition dans le bureau. Je reconnais bien là ta rigueur et ton professionnalisme.

– Merci, ça me touche vraiment venant de toi, fit le policier d'un ton peu équivoque.

– Il paraît que vous avez fait venir un psychiatre de Sainte-Anne pour vous aider dans l'enquête.

Quelques minutes auparavant, Louis était resté relativement vague dans les présentations et avait fait passer Frédéric pour un inspecteur, même s'il n'en avait pas tout à fait l'allure.

– Tu comptes vraiment sur lui pour mettre la main sur cet homme ?

– Chacun ses méthodes, rétorqua Forestier.

– Bon, ne jouons pas les hypocrites plus longtemps : je sais que ma venue ne vous enchante guère.

– Tu as l'art des euphémismes ! Tu sais en effet pertinemment que s'il ne s'agissait pas des Kendall, et sans l'intervention de Paris, je ne t'aurais jamais donné accès aux dossiers.

– Allons, Louis ! Songe que nous avons tous le même but : retrouver cet enfant vivant.

L'effet de pathos était grossier. Forestier ne put résister à l'envie d'allumer une cigarette, juste pour se calmer.

– Nous sommes déjà six policiers à plein temps sur le coup. En trois ans d'existence, la brigade a résolu plus d'une centaine d'enquêtes. Honnêtement, je ne vois pas bien ce que tu pourrais apporter à celle-ci.

Pauvert ne sembla pas se formaliser du ton direct de son ancien collègue.

– Ça, c'est à la famille Kendall d'en juger. Et puis, ne me dis pas que tu es chaque jour confronté à des affaires d'homicides aussi sordides.

– Je le suis sans doute plus que toi. Je me suis laissé dire que tu étais plutôt spécialisé dans le vol de bijoux et les cas d'adultères.

Pauvert afficha un sourire amer.

– Je m'adapte à chaque situation… Comme je le disais, ta paperasse est complète, mais il y manque ce qui ne se trouve pas dans les dossiers : les ressentis, les pistes privilégiées, vos témoins phares… J'ai besoin de tout savoir.

– Une enquête se vit, Pauvert, elle peut difficilement se raconter. Tu as tout devant toi : les relevés dactylo-scopiques, les empreintes de pas, la liste des familiers de la villa Coralie… Je n'ai pas l'intention de te mettre des bâtons dans les roues, mais ne compte pas sur moi pour te mâcher le travail ou te relater chaque minute de mon enquête. Je vais demander à Delville qu'il se mette à ta disposition cet après-midi et qu'il réponde à tes questions. Mais tu n'auras rien de plus.

Louis s'attendait que Pauvert s'insurge, au moins par fierté, mais le détective promena son regard sur le mur du bureau et s'arrêta sur la photographie représen-tant tous les membres de la brigade réunis autour de Louis. Une équipe, unie comme les doigts de la main…

– Tu sais, dit-il lentement, les apparences étaient contre moi, j'en conviens. Mais je n'étais pas le seul responsable dans cette histoire.

Louis releva la tête, surpris par le changement de cap que prenait soudain la conversation.

– De quoi est-ce que tu parles ?

– Tu le sais très bien. On ne peut rien comprendre sans replacer les choses dans leur contexte. On venait à peine de sortir de la guerre : les troubles de 17 et les procès de trahison avaient laissé une impression de désordre. Il fallait restaurer l'ordre public et donner le sentiment que notre police redeviendrait aussi efficace qu'elle l'avait été avant guerre.

– Et ?

– Labussière, de la Sûreté, avait institué les contrôleurs généraux pour vérifier le bon fonctionnement des services…

– Quel rapport ?

– … et par la même occasion trouver le moyen de faire un peu de publicité aux brigades en obtenant des unes retentissantes dans les journaux.

– Qu'est-ce que tu essaies de me dire ?

– Ils ont dû remarquer que j'étais le moins fanatique des mobilards, qu'il y avait une possibilité de s'arranger avec moi. Ce que je veux te dire, c'est qu'on m'a poussé à lâcher à la presse des éléments des dossiers qu'on traitait à l'époque.

– Je ne te crois pas.

– Bordel ! Tu crois qu'ils auraient accepté que des informations filtrent pendant des mois sans faire une enquête approfondie parmi les flics de la brigade ? On était à peine une trentaine… Ils voulaient les gros titres des canards, comme à l'époque de Bonnot !

– Au point de mettre en péril une intervention de grande envergure qui devait permettre de coincer une bande de saigneurs qu'on recherchait depuis six mois ?

– Personne ne pensait qu'on irait au fiasco. C'est la Rue des Saussaies qui m'a donné le feu vert pour que je contacte des journalistes. Malheureusement, l'opération a été retardée, tu t'en souviens ? Jamais ces gratte-papier n'auraient dû se retrouver sur place avant nous.

Malgré le choc qu'il venait d'encaisser, Louis tenta de faire bonne figure et de ne rien laisser paraître de ses sentiments. Se pouvait-il que la direction des brigades eût sciemment communiqué des informations *via* Pauvert, au risque de mettre en danger les mobilards eux-mêmes ?

La vie de mobilard était rude : interrogatoires, perquisitions, filatures, recherches de renseignements s'enchaînaient à une cadence infernale. Mais les policiers avaient la satisfaction du travail bien fait et étaient fiers de leur intégrité. Ces hommes avaient admiré leurs supérieurs : Hennion, le créateur des brigades avec Clemenceau, Sébille, le directeur de la Sûreté de la grande époque, le commissaire Faivre et tous ceux qui leur avaient succédé… Comment imaginer que l'esprit des brigades se fût perverti à ce point ?

– Que veux-tu exactement, Pauvert ? Que je te donne mon absolution ? Que je te dise que tu n'as rien à te reprocher dans cette affaire ? Si c'est le cas, tu risques d'être déçu. Je n'ai pas de temps à perdre avec ces vieilles histoires. Laisse le passé où il est. Maintenant, si tu le veux bien, j'aimerais que l'on en revienne à la disparition du petit Kendall.

*

Ce soir-là, le dîner chez Louis s'écoula dans une atmosphère maussade. Le policier ressassait sa conversation déplaisante avec Pauvert et il ne pouvait s'enlever de l'esprit qu'il restait peut-être au gamin moins d'une journée à vivre. Frédéric essaya tant bien que mal de donner le change et d'alimenter la conversation avec Clara.

Le temps s'était couvert en fin de journée, le ciel avait pris des teintes fuligineuses et l'orage finit par éclater vers minuit. Le vent soufflait en rafales si violentes que les volets tremblaient sur leurs gonds et empêchaient toute la maison de trouver le sommeil.

Peu avant 6 heures, on frappa à la porte. Des coups assez puissants et répétés qui sortirent brutalement

Louis de son sommeil. Il ne s'était endormi que vers 3 heures, quand le temps s'était apaisé, et il tâtonna jusqu'à la porte d'entrée dans l'obscurité.

– Qu'est-ce qui se passe ? grommela-t-il.

– Patron, c'est Caujolle. Ouvrez, s'il vous plaît !

– Caujolle ?

Louis se hâta d'ouvrir le verrou. Cette nuit-là, l'inspecteur était de permanence à la brigade, puisqu'ils avaient institué un roulement pour sécuriser les lieux. Que faisait-il ici à cette heure ? Pourquoi n'avait-il pas utilisé le téléphone, comme l'exigeaient les cas d'urgence ?

– Désolé de ne pas avoir appelé, fit-il comme s'il venait de lire dans les pensées du commissaire. La ligne est en dérangement… à cause de l'orage. Impossible de vous joindre.

Caujolle était plutôt débraillé et son visage trahissait un profond désarroi.

– Il faut que vous veniez, patron. On a découvert le corps d'un enfant sur les rives du Paillon.

Le commissaire ferma les yeux. Le cauchemar continuait.

– Il portait une médaille autour du cou… une médaille de saint Jean-Baptiste.

DEUXIÈME PARTIE

1

Mai 1904

Vous arrivez au château avec près d'une heure de retard. La voiture que le docteur vous a envoyée à la gare s'est embourbée dans une ornière. Il a beaucoup plu la veille et les routes sont à moitié inondées. Les chevaux se sont affolés, l'essieu avant s'est brisé net. Le cocher a tergiversé un moment avant de déclarer qu'il ne pouvait rien faire, qu'on devait terminer la route à pied en laissant les bagages sur place.

Les souliers que ta mère t'a achetés la semaine dernière et qui te meurtrissent les pieds sont à présent tout crottés. « Attention où tu marches ! » n'a-t-elle cessé de te répéter tout au long du chemin. Heureusement, ton costume est encore plus ou moins présentable quand tu franchis l'imposant portail de la propriété. Au bout de l'allée, entre les arbres centenaires qui forment une voûte, tu aperçois une étrange tourelle au toit en ardoise, presque moyenâgeuse – plus tard, tu apprendras que la partie la plus ancienne du château date du xve siècle et qu'il n'a cessé d'être agrandi et rénové au fil du temps. Cette image, tu la conserveras longtemps en toi, comme un symbole, une promesse au seuil d'une nouvelle vie.

Il vous faut cinq bonnes minutes pour remonter l'allée. Le château émerge lentement. Sans t'en rendre compte, tu te mets à compter les fenêtres de la façade. Dix, vingt, vingt-cinq… Tu arrêtes de compter lorsque tu sens ta mère te tirer par le bras. Tu n'aimes pas ce geste, un signal indiquant qu'il faut se tenir au garde-à-vous. Tu comprends soudain en voyant l'homme sur le perron. C'est le docteur. Il n'est guère différent de ce que tu as pu imaginer. Il est grand, d'un gabarit impressionnant, même. Il porte des favoris bruns bien peignés qui le font ressembler à un ministre. Il te semble vieux, mais il ne doit guère avoir dépassé les 50 ans. Ta mère t'a expliqué que le docteur n'exerce presque plus et qu'il se consacre à la gestion de son domaine et de ses terres. Il vous accueille sans un sourire, mais avec une voix douce qui contraste avec son physique froid.

– Voilà donc l'équipage ! s'exclame-t-il en vous regardant monter les marches.

Le cocher vous a précédés dans l'allée et lui a déjà raconté votre mésaventure. Ta mère s'excuse du retard comme si c'était de votre faute. Elle aime bien s'excuser devant les personnes d'un rang supérieur à elle, c'est-à-dire presque tout le monde.

– Quel est ton prénom ? demande le docteur en te toisant.

– Albain, murmures-tu.

– Et ton âge ?

– 12 ans.

– Tu es grand pour 12 ans !

Tu sais bien que c'est faux. Tu n'es pas grand, tu es même chétif. Tu ne sais pas pourquoi certaines personnes se croient obligées de dire le contraire de ce qui saute aux yeux, comme si les mots pouvaient changer quelque chose à la réalité.

On vous fait entrer dans le château. Le docteur et ta mère doivent parler. On te propose d'aller faire un tour dans le parc, mais tu restes un moment dans le corridor. Tu entends des bribes de conversation venant du salon où ils se sont installés. Ta mère remercie le docteur d'avoir accepté de la prendre à son service. Elle répète d'ailleurs « merci » à chaque phrase. Évidemment, il sait pour vous, pour votre passé, votre vie d'avant. Une partie du moins. « Vous n'avez pas eu une vie facile », dit-il d'un ton paternaliste. Ta mère a obtenu ce poste grâce à la cousine Ernestine qui travaille chez un avocat de Bourges, une maison « bien comme il faut », comme elle aime à le répéter. Cette cousine, tu ne l'as jamais rencontrée, ta mère en a d'ailleurs toujours parlé en mal et tu ne sais pas bien pourquoi elle vous a aidés. Le docteur énumère les règles de la maison comme s'il énonçait son ordonnance, d'un ton sûr et posé.

Tu es sorti dans le parc et tu as fait le tour du château. Il est formé d'ailes perpendiculaires, l'une flanquée d'une large tour carrée et l'autre de la tourelle que tu as vue en arrivant. À l'arrière de la demeure se trouve un immense bassin qui a des allures de petit lac.

Soudain, tu aperçois un vieil homme perché sur une échelle, en train de tailler une haie. Tu t'approches.

– Tiens, z'avez fini par arriver… dit-il comme s'il te connaissait depuis toujours. Des malheurs ? Z'êtes pris dans la *gâne* ?

Il s'appelle César.

– Comme Jules, dit-il en un sourire édenté.

Il porte une salopette élimée. Il a le visage abîmé et la peau ridée. C'est le jardinier du domaine. Tu te demandes comment un seul homme peut s'occuper d'un parc aussi immense. Il parle vite. Il a un accent étrange et emploie des mots de patois que tu ne comprends pas.

– Finirai par m'tuer un jour avec cet *échaler*… R'garde-moi ces *rolons* !

À l'autre bout du parc, entre deux arbres, tu remarques une silhouette. C'est un adolescent, un peu plus âgé que toi, un chapeau de paille sur la tête. Tu n'arrives pas à distinguer son visage mais tu es sûr qu'il vous observe. César tourne la tête vers la lisière du bois.

– Encore là, celui-là, à nous espionner ! Votre arrivée est pas passée inaperçue.

Tu gardes d'abord le silence, hypnotisé par la silhouette.

– Qui c'est ? finis-tu par demander.

– Lui, c'est le fils du *metader*.

Tu fronces les sourcils.

– Le métayer, quoi ! dit-il, agacé. Je vais t'le faire décaniller, moi !

César descend de l'échelle et s'essuie le front d'un revers de manche.

– Te déconseille de traîner avec lui.

– Pourquoi ?

– Il est un peu *bizoret*. Un peu fou, quoi ! Pas bien méchant. Encore que…

*

Tu es de retour dans le château. Tu erres dans les couloirs aux murs couverts de trophées de chasse, jusqu'au moment où tu remarques une porte entrouverte au rez-de-chaussée. Ta mère te répète tout le temps que la curiosité est un vilain défaut mais, sans savoir pourquoi, tu ne résistes pas à l'envie d'entrer.

C'est une salle de belles dimensions : à elle seule, elle est presque aussi grande que votre ancien appartement. Des bibliothèques courent le long du mur. Sur la gauche, une porte fermée. La pièce est éclairée par de larges portes-fenêtres qui ouvrent sur la terrasse. Sur le mur opposé sont alignées plusieurs vitrines pour collectionneurs comme on peut en voir dans les musées. Tu t'approches. À l'intérieur, il y a des centaines de papillons fixés par des épingles. Des formes et des couleurs extraordinaires. Tu n'as jamais vu une collection pareille. Il a sans doute fallu des années pour rassembler autant d'insectes.

– Ils te plaisent ? dit soudain une voix.

Tu te retournes en sursautant. C'est le docteur. Absorbé par la contemplation des papillons, tu ne l'as pas entendu entrer. Tu restes muet. Tu sais que tu as mal agi. Tu vas créer des problèmes à ta mère dès le premier jour.

– Ne t'inquiète pas, tu as bien fait d'entrer. Tu es l'une des rares personnes ici qui s'intéressent à ma collection. Sais-tu comment on appelle le fait de collectionner les papillons ?

Tu fais un signe négatif de la tête.

– Non, bien sûr. C'est de la lépidoptérophilie. Quand on y réfléchit, un bien vilain mot pour désigner une si jolie chose.

Le docteur ouvre l'un des tiroirs placés sous les vitrines.

– Je vais te montrer quelque chose. Les papillons ne supportent pas la lumière vive, leurs couleurs s'estompent. Les plus rares doivent se conserver à l'abri des rayons du jour.

Le tiroir contient des dizaines de boîtes grises. Le docteur en saisit une et l'ouvre délicatement. À l'intérieur repose un papillon d'un bleu nuit intense aux ailes tachetées de pourpre.

– C'est un agrias, un spécimen unique ! J'ai mis des années à me le procurer.

Tu es tendu. Tu n'oses toujours pas bouger. Le docteur le sent.

– Ne t'inquiète pas, je ne dirai rien à ta mère. Tu pourras venir ici chaque fois que tu le voudras. Ce sera notre secret.

Il pose soudain une main pressante sur ton épaule.

– Notre petit secret, répète-t-il.

Et, sans savoir vraiment pourquoi, le contact de cet homme et le ton de sa voix te donnent la chair de poule.

2

1er avril 1922

Les calendes d'avril… Le tueur avait frappé à la date prévue. Et ce meurtre laissait à Louis un goût encore plus amer que les autres. Pas une seconde il ne songeait aux conséquences désastreuses que la mort du fils d'un millionnaire pourrait avoir sur la brigade. Non. Ce qui le rendait fou de rage, c'était que, malgré les progrès de leur enquête, ils n'avaient pu empêcher le meurtre de ce troisième gosse.

Louis, Frédéric et Caujolle mirent moins de vingt minutes à se rendre sur place. Le corps de l'enfant avait été retrouvé sur les rives du Paillon, près du pont Garibaldi, à un peu plus d'un kilomètre de la mer. Depuis longtemps déjà on avait commencé à recouvrir le fleuve, pour bâtir d'abord le square Masséna, ensuite le Casino municipal. Mais après la fin de la guerre les travaux de couverture s'étaient accélérés : le Pont-Vieux avait été démoli l'année précédente et il était probable que le pont Garibaldi ne tarderait pas à disparaître. La vue du Paillon serpentant dans la ville ne serait bientôt plus qu'un lointain souvenir.

Durant le trajet, Caujolle leur avait fait le récit détaillé de la découverte du corps, mais rien ne remplaçait une présence rapide sur les lieux. Surtout que, cette fois, il y avait un témoin…

Le commissaire gara sa Panhard près d'une double rangée d'ormeaux, le long du parapet qui dominait le fleuve. La mine austère, il ne s'étonna même pas que Leroux fût sur place avant eux alors qu'il n'était pas de service. L'inspecteur était veuf, sa femme était morte d'une tumeur quand il travaillait encore à Lyon. Après une dépression, il avait demandé sa mutation pour prendre un nouveau départ. Le travail était devenu son unique raison de vivre et il était le seul mobilard à venir systématiquement le dimanche, même lorsqu'il n'était pas de permanence.

Ils se saluèrent d'un hochement de tête.

– Désolé, Louis, mais on a été obligés de déplacer le corps. Il risquait d'être emporté, avec toute cette eau.

Le Paillon, dans lequel des lavandières avaient encore l'habitude de blanchir le linge avant de le faire sécher sur les galets, apparaissait souvent aux visiteurs de passage comme un simple filet d'eau. Mais après de fortes pluies il pouvait se transformer en une vague torrentielle et dévastatrice : jadis, lors des crues, un guetteur à cheval avertissait d'ailleurs les populations au cri de « *Païoun ven! Païoun ven!* ». Louis s'appuya sur le parapet. Depuis la veille, le fleuve avait en effet triplé de volume et venait encercler les trois arches du pont, recouvrant le large lit caillouteux d'ordinaire à découvert.

– Où est-il ?

– Sur les marches de l'escalier, répondit Marcel en désignant du doigt la rampe qui descendait vers la rive du fleuve. On a préféré le mettre à l'abri de l'eau… et des regards.

En contrebas, à mi-montée des marches, Louis aperçut un drap blanc qui recouvrait le corps de l'enfant comme un linceul. Il s'engagea dans l'escalier.

– Le légiste doit passer ?

– Vu l'heure et dans la mesure où on a touché au corps, j'ai pensé qu'il valait mieux qu'on se retrouve tous à la morgue. J'ai juste eu le temps de faire quelques clichés.

– Tu as bien fait. On ne pourra pas le laisser ici très longtemps.

Leroux souleva le drap. Contrairement aux deux autres victimes, dont le corps s'était décomposé, le gamin semblait presque endormi. Pas de chairs violacées ou boursouflées, juste un visage d'enfant aux traits de cire. C'est peut-être pour ça que Louis eut le plus grand mal à le fixer. Il s'était habitué à voir des cadavres amochés qu'il ne regardait plus que comme des victimes dans une enquête criminelle. Mais là… Il connaissait sa famille et il l'avait recherché durant deux jours, jusqu'à cette issue fatale.

Le cou de l'enfant était marqué d'une profonde entaille qui avait dû se contracter après la mort, les bords s'étant comme enroulés à l'intérieur de la plaie. Détail sinistre, elle était recouverte d'une chaînette au bout de laquelle pendait la médaille de saint Jean-Baptiste. L'Ogre – puisque Louis lui-même se surprenait à l'appeler mentalement ainsi – l'avait sans doute replacée après le meurtre : elle n'était pas tachée de sang et Mme Kendall était certaine que John ne la gardait jamais la nuit. Celui-ci portait le pyjama qu'on leur avait décrit, un bas uni et une petite veste à carreaux bleus et blancs qui était salie en plusieurs endroits.

– Tu as vu ? Il n'y a pas une seule goutte de sang, alors que le gamin est exsangue, remarqua Louis.

– C'est exactement ce que je me suis dit tout à l'heure. Non seulement il n'a pas été tué ici, mais on a dû lui laver méticuleusement le corps avant de lui remettre ses habits.

– Bon, j'en ai assez vu, vous pouvez le conduire à la morgue. Il va falloir avertir les Kendall pour qu'ils viennent l'identifier. Faites attention en transportant le corps, il y a certainement des indices sur les vêtements.

Le jour pointait du côté du port. Des lueurs grisâtres qui annonçaient une mauvaise journée.

– Où est l'homme qui a découvert le corps ? reprit Louis.

– En haut. Je lui ai demandé de rester jusqu'à ce que tu arrives.

*

Le témoin devait avoir une soixantaine d'années. Vêtu d'un large manteau râpé et d'une casquette déformée, il était appuyé un peu à l'écart contre le parapet. Un chien s'agitait autour de lui. Caujolle n'avait pas eu le temps de procéder à un réel interrogatoire et Leroux n'était sur place que depuis vingt minutes. Le policier se présenta rapidement.

– Il faut que vous me racontiez tout ce que vous avez vu.

– Bien sûr, m'sieur, marmonna l'homme dans sa barbe.

– Mais d'abord, quel est votre nom ?

– André Botto, mais tout le monde m'appelle Dédé.

– Et qu'est-ce que vous faites dans la vie, Dédé ?

– J'vends des fleurs sur le marché. Mon frère a quelques serres dans le nord de la ville. Une petite affaire de famille, quoi.

– Vous habitez près d'ici, je présume ?

– À deux pas, du côté d'la rue Barla.

– Que faisiez-vous dehors à cette heure ?

– On s'lève tôt dans l'commerce. J'sors tous les matins, à 5 heures tapantes, avec Lili… c'est ma chienne.

L'animal sembla comprendre qu'on parlait de lui et posa affectueusement ses pattes avant sur la jambe de Louis, qui le gratifia d'une caresse pour mettre son maître en confiance.

– Comme j'vous disais, j'viens ici tous les matins prom'ner la chienne et fumer ma pipe. J'ai l'habitude de m'arrêter près du pont. C'est à c'moment qu'j'ai vu quèque chose bouger sur la rive opposée. On n'y voyait goutte mais c'était un gars, ça j'en suis sûr. Y a personne dans les rues à c't'heure, alors, dans le Paillon, j'pouvais pas l'manquer.

– Que faisait-il ?

– Il était accroupi, en train de disposer quèque chose au bas des marches. Ça a pas duré longtemps. Une ou deux minutes au plus. Ensuite, j'l'ai vu r'monter par les escaliers de l'aut' côté du pont et partir du côté d'la rue Defly.

– Dites-moi à quoi il ressemblait.

– Oh, impossible à dire ! J'ai juste vu une silhouette. Une taille plutôt moyenne. Il portait un chapeau, c'est tout c'que j'ai pu noter.

– Et ensuite, vous êtes descendu ?

– Ben, j'ai compris qu'y avait quèque chose de louche. On voyait une forme immobile sur la rive. J'ai passé le pont et j'ai fait l'même chemin qu'ce type. C'est là qu'j'ai trouvé le môme.

L'homme s'interrompit et ôta sa casquette, comme en signe de respect.

– Ce que j'peux vous dire, c'est qu'j'avais jamais vu une chose pareille de toute ma vie !

*

La morgue se situait dans un sinistre bâtiment en pierres grises, à l'est de la ville. La salle d'examen sentait le formol à plein nez, et la vue des bocaux et des instruments d'autopsie suffisait à indisposer même le plus rompu des policiers. Louis se rappelait encore avec horreur qu'au début de sa carrière la morgue parisienne, quai de la Rapée, attirait des foules monstrueuses en exposant aux yeux du public des cadavres coupés en morceaux ou putréfiés, prétendument pour permettre l'identification de victimes de morts violentes. En réalité, les quidams étaient mus par une curiosité morbide et on voyait même des touristes étrangers venir se délecter du spectacle : avec la tour Eiffel et les Catacombes, la morgue faisait partie des monuments parisiens incontournables.

Louis avait dépêché Delville pour annoncer la nouvelle aux Kendall. Non qu'il voulût se soustraire à cette pénible tâche, mais il souhaitait s'entretenir avec le légiste avant leur arrivée.

L'homme, un quinquagénaire au visage et aux membres rachitiques, était réputé pour son sérieux, sa méticulosité et son absence totale d'humour – un handicap certain pour qui côtoyait des cadavres à longueur de journée. En ce début de matinée, pourtant, personne n'aurait eu le cœur à faire la moindre plaisanterie, même pour mettre la mort à distance.

– N'attendez pas de miracle de ma part, commissaire, fit le légiste en ajustant ses petites lunettes métalliques sur son long nez. Je sais que l'affaire est de la plus haute importance et je vous promets des résultats pour cet après-midi, mais, sans autopsie, je ne peux m'en tenir qu'à des remarques générales…

– Merci, je ne vous en demande pas plus.

– Bon, fit l'homme, étonné par le ton pour une fois conciliant du policier. *A priori*, mais je dis bien *a priori*, cet enfant n'a pas subi de violences sexuelles. La cause de la mort est patente : il a été égorgé avec force et violence, puisque le tueur a sectionné les muscles et les gros vaisseaux de la région cervicale. Je pencherais pour un couteau ou un rasoir, à cause de cette section très nette qui se termine en « queue de rat ». Vous voyez : les bords ne portent ni contusion ni déchirure. Comme souvent dans les homicides, la blessure se situe au-dessus de l'os hyoïde. Bref, la méthode employée semble la même que dans les deux autres affaires. De toute manière, étant donné la présence du tatouage sur l'omoplate gauche, il est évident qu'il s'agit du même homme.

La lettre gamma, tatouée à l'encre sur la peau blême de l'enfant. La troisième victime. Louis détacha son regard du cadavre étendu sur la table d'autopsie pour faire face au légiste.

– Il a perdu beaucoup de sang, non ?

– Ça, c'est certain. Au moins deux litres, à mon avis. Mais comme le corps a été nettoyé et qu'il n'y a pas de coulée de sang, il est difficile de dire si l'enfant était couché ou debout, ou même s'il était conscient, au moment de sa mort.

– Et, selon vous, à quand remonte-t-elle ?

L'homme fit une moue dubitative.

– Lorsqu'il y a eu une abondante hémorragie comme ici, le cadavre présente une rigidité précoce et la température du corps baisse plus rapidement. Donc, si je m'en tiens à la *rigor mortis* et que je prends en compte ces variantes, je dirais entre 4 et 8 heures. Impossible d'être plus précis.

C'était largement suffisant pour Louis. On pouvait donc supposer que le tueur avait bien attendu le 1er avril, le jour des calendes, pour perpétrer son meurtre.

– Vous avez vu les marques sur les poignets ?

– Comment ne pas les voir ? fit le légiste, piqué au vif. Regardez comme elles ont entaillé la peau !

– Cet enfant a dû être attaché durant plusieurs heures, voire plusieurs jours.

– C'est très probable.

Ce détail accentua un peu plus la déprime de Forestier. Même s'il n'avait pas été violé, ce pauvre gosse avait dû subir un martyre. Comme le petit Albertini. D'une certaine façon, en étant tué juste après son enlèvement, le premier enfant avait eu plus de chance.

– Quoi d'autre ?

– Eh bien, j'ai remarqué que les cheveux de la victime étaient très sales. Contrairement au corps, ils n'ont pas été lavés. J'ai d'ailleurs relevé avec un peigne des résidus, collés dans du sang coagulé.

– Quel genre de résidus ?

– Je ne peux pas le dire avec précision. On dirait un mélange de particules de charbon et de poudre. Il faudra les faire analyser.

– Pareil pour les vêtements, renchérit Louis. Ils sont souillés en plusieurs endroits.

Frédéric, qui était resté en retrait jusque-là, interrompit le duo penché au-dessus du cadavre du garçon.

– Tu crois que ces résidus permettront de savoir où cet enfant a été retenu ?

– Ce n'est pas à exclure. Je pourrais te citer une bonne dizaine d'affaires auxquelles j'ai participé où l'étude des poussières a permis de coincer un criminel.

Louis avait en mémoire ces faux-monnayeurs qu'on avait arrêtés après avoir retrouvé des particules d'antimoine et d'étain sur leurs vêtements, ou cet amant jaloux convaincu de meurtre après qu'on eut relevé des parcelles de poudre de riz et des ingrédients de produits de beauté sous ses ongles. Edmond Bayle, l'un des plus célèbres légistes à l'identité judiciaire, répétait qu'en brossant les vêtements d'un homme il pouvait déceler sa profession, et même dire d'où il venait.

– Qu'est-ce que tu en penses, Marcel ?

– Si tu veux une analyse vraiment précise, il faudra que j'expédie les échantillons au laboratoire de Locard. Tout seul dans mon grenier, je ne peux pas grand-chose…

*

Edmonde Kendall et sa fille arrivèrent à la morgue moins d'une heure plus tard. On avait autorisé le chauffeur à se garer dans une petite cour qui donnait directement sur le bâtiment. Louis et Frédéric les attendaient sous un porche. « Le pire côté du boulot », songea le policier en voyant le visage fermé de la mère et celui, dévasté, de la jeune Lisa.

– Mesdames, je suis désolé de devoir vous imposer une telle épreuve, mais nous sommes obligés d'en passer par là.

Ils firent le chemin jusqu'à la salle d'autopsie dans un silence presque total. Elles savaient déjà l'essentiel. Il serait toujours temps plus tard d'entrer dans ce qui ne serait plus pour elles que des détails.

– Croyez-vous vraiment qu'il soit nécessaire que votre fille assiste à l'identification ? demanda Louis en aparté à Mme Kendall.

Mais Lisa avait compris la manœuvre du policier.

– Je veux le voir, fit-elle d'un ton qui ne souffrait guère de refus. Tu m'entends, maman ?…

– Bien sûr, ma chérie. Nous irons toutes les deux, commissaire.

– Très bien.

Dans les cas d'identification de cadavre, Louis trouvait toujours regrettable qu'on ne pût trouver un endroit plus approprié que la salle d'autopsie, où flottait l'odeur de la mort. Dans certaines morgues, l'identification se faisait à travers une vitre, mais les locaux à Nice étaient plutôt rudimentaires. La seule consolation, c'était que la brutalité de l'épreuve et la proximité du mort permettaient souvent de faciliter le deuil.

– Ça ne durera que quelques instants. Allez-y.

On descendit le drap jusqu'au menton seulement pour dissimuler l'affreuse balafre qui courait le long du cou. Louis se força à regarder encore une fois le visage du garçon, comme pour se punir de n'avoir pu empêcher sa mort. Même après des années de métier, il éprouvait toujours un poisseux sentiment de culpabilité dans ce genre de situation.

Pendant quelques secondes, tout sembla s'être figé dans la pièce. Puis, comme il s'y attendait, un horrible cri déchira la salle d'examen, suivi de sanglots qui n'étaient plus retenus. Mais les pleurs se changèrent presque aussitôt en un rire incongru.

– Ce n'est pas John ! s'écria Lisa Kendall. Ce n'est pas John !

Les mots mirent quelques secondes à atteindre le cerveau de Louis et, même à ce moment-là, il ne les comprit pas vraiment.

3

– À quoi pensez-vous, patron ?

De ses doigts jaunis, Louis Forestier écrasa son mégot dans un cendrier sur un coin du bureau. Le retour à la brigade s'était fait dans un silence pesant. Le coup de théâtre de la morgue n'avait pas provoqué chez les policiers d'effusions de joie mais plutôt une honte mêlée d'abattement.

– Si tu veux vraiment connaître le fond de ma pensée, Caujolle, je crois que nous sommes une bande d'incapables. Je dis « nous », mais en fait je pense « je ». J'avais le portrait du petit Kendall depuis le début et je n'ai même pas été foutu de voir que ce n'était pas lui. Nous avons infligé une épreuve terrible et inutile à cette famille. Ce n'est pas un travail digne des mobilards.

Le constat était terrible et personne n'osa le contredire. Seul Frédéric tenta de nuancer son propos.

– J'ai examiné le cadavre comme toi et je n'y ai vu que du feu. Nous étions tellement conditionnés à voir le petit Kendall que nous n'avons pas douté une seconde… Et puis, n'oublie pas qu'il y avait la médaille de saint Jean-Baptiste.

– Cet homme a entrepris de jouer un jeu sadique avec nous, se lamenta le policier. Il est impensable qu'il ait remis la chaîne autour du cou de ce gosse par erreur. Sans parler du pyjama. Que cherche-t-il à nous dire ?

Frédéric avait élaboré une hypothèse dès qu'ils avaient quitté la morgue.

– Peut-être que ces victimes sont pour lui interchangeables : ce n'est pas leur identité personnelle qui compte.

Il fit une pause pour choisir les termes les plus adéquats.

– Ce qui rend ces tueurs inhumains à nos yeux, c'est leur absence totale d'empathie. Ils n'ont presque jamais la moindre sensibilité. Dans le cas qui nous occupe, l'assassin ne voit pas des enfants qui souffrent ou qui paniquent mais des victimes potentielles qui peuvent pour un temps annihiler ses propres angoisses. Ces enfants sont exécutés, sacrifiés à sa violence prédatrice. Ils n'ont d'autre avenir que celui de périr parce qu'il l'a décidé. La médaille n'est peut-être même pas une provocation. C'est un acte de déshumanisation de ses victimes.

– Soit, mais deux questions demeurent. D'abord, John Kendall est-il encore en vie ? Si oui, il est séquestré quelque part dans cette ville. En se fiant aux marques de liens que portait l'enfant de la morgue, on peut imaginer que depuis l'enlèvement d'Adrien Albertini l'Ogre a décidé de garder ses victimes en vie quelques jours avant de les exécuter.

– Alors pourquoi ne l'a-t-il pas fait avec le petit Corteggiani ? questionna Caujolle. Il prend de gros risques…

Frédéric prit le relais :

– On peut supposer qu'il a pris goût à les garder sous son contrôle. Ce genre d'individu n'obtient de satisfaction que dans le meurtre, mais sa préparation peut être pour lui tout aussi jouissive. Il sait que ces enfants sont à sa merci, il exerce sur eux un pouvoir quasi démiurgique.

– Donc, à moins que le tueur n'ait décidé de faire deux victimes le même jour et qu'on ne retrouve dans les heures qui viennent le cadavre du petit, on peut estimer qu'il reste à John moins de quatre jours à vivre, si l'on en croit le calendrier. La prochaine date religieuse, les nones d'avril, tombe le 5 du mois.

– Je ne crois pas qu'il soit mort, affirma le médecin d'un ton péremptoire. Notre homme doit posséder un endroit sûr où il peut séquestrer ces enfants sans risque d'être dérangé. Un endroit probablement isolé. Les psychopathes passent par des phases d'excitation intense, mais aussi par des phases de calme. Ce troisième meurtre est une double victoire pour lui : il a tué, mais il nous a aussi trompés en nous faisant croire à la mort du petit Kendall. Il va se délecter un temps de cet effet de surprise.

– La deuxième question est tout aussi importante, poursuivit Louis. Qui est le gosse qui repose à la morgue ? Aucune disparition d'enfant n'a été signalée et je ne pense pas que les municipaux aient pu commettre la même erreur que pour le petit Corteggiani en faisant de la rétention d'informations. Il faut donc s'atteler à retrouver la famille de cet enfant.

– Comment ?

– Hier, j'aurais sans doute dit par les journaux, en lançant un appel à témoins. Mais je dois avouer que l'épisode de *L'Éclaireur* m'a refroidi…

Le téléphone résonna sur le bureau de Caujolle. C'était la ligne principale de la brigade. Une seconde ligne, dans le bureau de Louis, était réservée aux appels privés ou émanant de leurs supérieurs.

La conversation dura moins d'une minute et personne d'abord n'y fit attention.

– Vous êtes sûr de vous ? Hum… Bon, très bien, redonnez-moi l'adresse.

Louis finit par se tourner vers son inspecteur.

– Qui était-ce ?

– La bonne fortune, patron. Pas besoin de passer par les journaux, je crois savoir qui est le gamin de la morgue.

*

Pour un simple touriste, la vieille ville n'offrait qu'un seul visage uniforme : un labyrinthe de venelles, quelques placettes, un monde vertical de façades ocre et rosées aux toits recouverts de tuiles canal. Pourtant, le centre historique était constitué d'une multitude de quartiers qui s'organisaient autour des différentes églises. Il suffisait parfois de parcourir quelques mètres pour changer d'univers social : la rue Droite, qui traversait la ville de part en part, regroupait les demeures des notables et de l'ancienne noblesse, dont le célèbre palais Lascaris, mais à deux pas de là on côtoyait encore une misère crasse dans les ruelles occupées jadis par les pêcheurs ou les ouvriers de la ville.

Une femme gironde et à l'âge indistinct se tenait comme un cerbère devant une maison de guingois d'où pendait une myriade de vêtements. C'était l'adresse qu'on leur avait indiquée.

– C'est vous qui avez appelé la police ? hasarda Louis.

– Je pense bien ! fit la femme en mettant ses deux mains sur les hanches. Ah ! Si on m'avait dit qu'une chose pareille arriverait dans ma maison !

– L'immeuble vous appartient ?

– Oh, non ! Seulement le rez-de-chaussée où j'habite et l'appartement que je lui louais.

– Où est-elle ?

– Tout là-haut !

Louis leva le regard vers la haute façade où la rouille des balcons avait coulé en traînées sales.

– Quand avez-vous découvert le corps ?

– Il y a moins d'une heure… Je ne savais pas trop quoi faire. On a décidé d'appeler le médecin.

– Bon, conduisez-nous à l'appartement.

La femme précéda Forestier, Leroux et Caujolle dans un couloir décrépit imprégné d'humidité. Il faisait beaucoup plus froid qu'à l'extérieur. Même au plein cœur de l'été, les maisons dans les ruelles étroites de la vieille ville conservaient une fraîcheur étonnante. Ils s'engagèrent dans un escalier exigu aux marches abruptes.

– Pourquoi êtes-vous montée ce matin ?

– L'odeur. Les voisins de palier m'ont prévenue. Vous verrez, ça se passe de commentaire.

– Rappelez-moi son nom.

– Yvonne Cordier.

– Ça faisait longtemps qu'elle habitait ici ?

– Oh, ça aurait fait trois ans en juin.

– Et qu'est-ce qu'elle faisait ?

La femme s'arrêta net dans l'escalier et leur barra le passage.

– Un peu de tout. Blanchisseuse, couturière… Elle vivotait.

Louis sentit dans sa voix hésitante le signe d'un mensonge par omission.

– Rien d'autre ?

– Oh, je me mêle pas de la vie des locataires ! Du moment qu'ils payent… Je crois tout de même qu'elle avait la descente rapide et on raconte qu'il lui arrivait de faire *ça* avec des hommes. Mais jamais ici, attention ! Je l'aurais pas accepté.

– Et son fils ?

– Un gentil garçon. Jean, qu'il s'appelle.

« Comme mon fils », pensa Louis.

Elle aurait sans doute dû mettre sa phrase au passé, car il ne faisait guère de doute que c'était lui qui reposait depuis le matin à la morgue. Malheureusement, le policier n'avait pas encore de photographie de l'enfant pour une identification.

– De toute façon, j'aurais fini par monter. On est le premier du mois. Le loyer… Faut bien vivre ! Et puis, ça faisait plusieurs jours que je les avais pas vus.

Avant même d'arriver au dernier étage l'étrange cortège fut enveloppé par une odeur délétère. Celle de la mort, indéfinissable. Il fallait juste l'avoir déjà respirée pour comprendre.

– Merci, fit Louis en se tournant vers la propriétaire. Nous préférerions que vous n'entriez pas dans l'appartement. Vous comprenez… au cas où nous trouverions des indices. L'inspecteur Caujolle va vous poser quelques questions en attendant.

Visiblement dégoûtée par la pestilence, la femme ne se le fit pas dire deux fois et déguerpit dans l'escalier. La première porte, sur la droite, était restée grande ouverte. Dans l'embrasure se tenait un homme en costume. C'était le médecin que la propriétaire avait fait appeler quand elle avait découvert le cadavre.

– Messieurs. J'ai préféré rester près du corps jusqu'à votre arrivée.

« Malgré l'odeur », sembla-t-il se retenir de dire.

– Vous avez bien fait, constata Louis.

Il jeta un regard circulaire dans l'appartement tout en essayant d'oublier les relents fétides qui envahissaient ses narines. Si le couloir et la cage d'escalier étaient dans un état pitoyable, aucun adjectif ne lui vint à l'esprit pour désigner la pièce qu'il avait sous les yeux. Les murs lézardés, d'une couleur mal identifiable, vaguement cendrée, étaient parsemés çà et là de larges macules de moisissure. La pièce ne possédait qu'une fenêtre, complètement décatie – l'un des carreaux, cassé, avait même été remplacé par une planche en bois. Le médecin, sans doute, l'avait ouverte, dans l'espoir d'aérer le lieu du crime. Le mobilier était des plus sommaires : une table avec deux chaises dépareillées, un buffet éraflé et un pétrin qui devait servir de rangement.

Forestier connaissait bien ces appartements vétustes de la vieille ville et il savait que certains propriétaires demandaient des loyers bien trop élevés pour ces trous à rats.

– Vous n'avez touché à rien ? demanda-t-il d'un ton plus sec qu'il ne l'aurait voulu.

– Non, bien sûr que non ! s'indigna le médecin. Le corps est à côté.

La chambre consistait en un réduit dans lequel se trouvaient un petit lit-bateau et un lit d'adulte au métal corrodé. Sur des draps tirés gisait le cadavre, allongé de travers. C'était une femme à la chevelure défaite et à la face congestionnée et violacée, portant une robe de piètre qualité. Deux morts dans la même journée : une fréquence inhabituelle pour la brigade de Nice. Mais tout, dans cette affaire, était inhabituel. Louis sentit la présence du médecin derrière lui.

– Bien sûr, je ne suis pas légiste, mais si vous voulez mon avis elle est morte depuis au moins deux jours. À l'odeur, je dirais même plutôt trois.

– Elle a été étranglée ?

– Ça m'en a tout l'air. Regardez les lèvres, les oreilles et le bout des doigts : cyanosés. Vous voyez aussi le piqueté hémorragique noirâtre sur le front ? Quant aux yeux, rupture des veinules. Tous les signes de la mort par asphyxie.

– Sans parler de ces traces visibles sur le cou, nota le policier en s'approchant tout près du cadavre.

La face antérieure du cou était marquée de multiples excoriations, des érosions très nettes du derme qui semblaient reproduire l'empreinte des ongles du meurtrier.

Les policiers entreprirent une fouille rapide de la pièce. Leroux s'attaqua à l'armoire, qui contenait des habits de femme rapiécés et quelques vêtements d'enfant. Il ne put s'empêcher de revoir le visage du garçon étendu sur les galets du fleuve et qu'il avait dû remonter pour éviter qu'il ne fût emporté par les eaux. Louis ouvrit les tiroirs de la commode. Il ne fut pas long à tomber sur une petite photographie placée sous verre dans un cadre d'imitation argent. Il poussa un soupir. C'était bien le portrait du gamin de la morgue.

*

Quatre visages d'enfants avaient été épinglés au mur. Un seul portrait avait été réalisé *post mortem* : celui de la deuxième victime, Adrien Albertini, dont les parents ne possédaient pas de photographie. Les trois autres fixaient les inspecteurs d'un regard un peu triste qui semblait dire : « Qu'avez-vous fait pour nous ? »

Forestier avait voulu que chaque membre de la brigade eût désormais ces visages sous les yeux, qu'ils fussent un point d'ancrage à leur enquête et qu'ils agissent comme un remords sur leur conscience. Louis en était sûr maintenant, l'une des clés de cette affaire résidait dans le lien qui pouvait unir ces quatre enfants. Si l'Ogre voulait les déshumaniser, lui allait leur redonner leur dignité d'êtres humains.

– Au premier abord, commença le commissaire, le dernier meurtre ne semble plus coller avec le mode opératoire de notre homme. Il ne s'en était jamais pris aux parents jusque-là ni n'avait mené deux enlèvements de front.

– Si je peux me permettre, je trouve ton raisonnement un peu schématique, objecta Frédéric. Le rituel semble toujours le même : l'égorgement, la présence de l'eau… Le tueur a pu simplement modifier le processus pour y arriver.

– C'est-à-dire ?

– Je ne pense pas que cette femme ait fait partie, à quelque moment que ce soit, de son rituel. Il a simplement pu se débarrasser d'elle parce qu'elle constituait un obstacle. Ce qui expliquerait qu'il ne l'ait pas égorgée comme les prostituées, mais étranglée.

Forestier approuva.

– Bien vu. Mais pourquoi ce changement soudain dans son *modus operandi* ?

– Parce qu'il a pris confiance en lui et qu'il n'hésitera plus désormais à éliminer ceux qui se trouvent sur son chemin. Il sait que nous sommes à ses trousses et cette escalade dans l'horreur est un moyen d'affirmer sa supériorité. Cela dit, je crois tout de même qu'on ne s'est pas assez intéressés aux parents jusqu'à présent.

– Tu penses à des points communs entre ces familles ?

– Oui. Les parents du petit Corteggiani avaient l'habitude de le battre. Le voisinage s'en était même indigné, ce qui laisse imaginer qu'il devait prendre de sacrées corrections. Quant à la mère d'Adrien Albertini, elle avait des clients occasionnels pour arrondir ses fins de mois…

– Tout comme Yvonne Cordier, qui était en plus portée sur la dive bouteille, conclut Forestier.

– On retrouve chaque fois des parents en grande difficulté et qui ne sont guère des parangons de vertu.

Leroux détacha son regard des quatre photographies et se tourna vers Frédéric.

– On a cru au début que le tueur cherchait des proies vulnérables, qu'il espérait même qu'on soupçonnerait d'abord les parents – ce qui a d'ailleurs été fait, je vous le rappelle, pour le premier meurtre. L'enlèvement de John Kendall, toutefois, ne rentre pas dans ce schéma : des rupins, un enfant surveillé comme le lait sur le feu… La mère n'est pas très sympathique en apparence, c'est sûr, mais on ne peut pas dire que John était un enfant malheureux !

Les autres inspecteurs acquiescèrent à la remarque de Leroux.

– Je vous l'accorde, dit Frédéric, l'enlèvement du petit John est atypique. Mais s'il y a une chose que j'ai apprise en quinze ans de travail dans les hôpitaux, c'est qu'il y a différentes manières d'être malheureux. Et qu'il y a aussi mille façons d'être vulnérable. Peut-être l'indigence des deux premières familles nous a-t-elle conduits sur une fausse piste. Notre homme, comme la plupart des criminels à mode répétitif, sait voir ce que les autres ne voient pas. Il peut se fondre dans la foule et a appris à développer un grand sens de l'observation. Il est attentif à d'infimes détails, à la manière qu'ont les autres de se comporter, de se déplacer.

– Où veux-tu en venir ? questionna Louis.

– Le tueur avait certainement repéré ces enfants de longue date. Trois d'entre eux étaient des proies faciles. Mais ils pouvaient aussi avoir des points communs qui nous échappent encore et qui expliqueraient pourquoi ce sont eux qui ont été choisis. Je pense aussi au fait que cette Yvonne Cordier se soit livrée à la prostitution, comme la mère du petit Albertini. Ça ne me semble plus relever du hasard.

– Tu crois qu'il faut relier son meurtre à ceux des bordels ?

– J'en suis presque sûr. Le jour de mon arrivée, quand tu m'as montré les photographies, j'ai supposé qu'il voulait punir ces femmes de leur débauche. Puis l'hypothèse du rituel inspiré de l'*Énéide* m'a fait changer d'avis : dans le délire de notre homme, les prostituées figuraient les taureaux qu'il fallait immoler pour pénétrer le royaume des Enfers. Ce n'est que le soir où je suis allé voir Cathy à la Maison des Roses que j'ai repensé à une dimension punitive. D'après elle, lorsqu'il est revenu dans la chambre, il lui a dit qu'il ne la toucherait pas, que les gens qui faisaient ça étaient « sales ». Le tueur a une vision de la sexualité profondément dégradée, du moins de la sexualité qui peut se monnayer. Je vous ai assez répété que sa folie meurtrière avait une origine traumatique, qu'elle était le fruit de son parcours. Chez la plupart des tueurs sanguinaires que la psychiatrie récente a pu étudier, on constate une insuffisance d'apport narcissique maternel, responsable de la faiblesse d'organisation de l'individu, une perte trop brutale et précoce d'échanges sensuels avec celle qui a donné le jour.

– Pour faire court, s'impatienta Louis, tu penses que sa mère était une pute ?

– C'est une hypothèse qui me semble plausible.

Louis fit une petite grimace. Il ne semblait pas convaincu.

– Et ça suffirait à expliquer tous ces meurtres ?

– Bien sûr que non ! Mais je crois que ça peut avoir son importance. Un sentiment exacerbé de culpabilité a pu se développer chez cet individu. En punissant ces femmes, il punirait sa mère pour ses défaillances. Le déficit d'amour parental dont il a peut-être souffert, un sentiment d'avoir été indésirable ont pu développer en lui un désir de tuer la mère. Ce désir demeure naturellement symbolique, et dans la mesure où il est perçu comme un tabou infranchissable le tueur a pu déplacer ce mouvement pulsionnel vers un autre sujet qu'il peut détruire totalement… Mais j'ai conscience que tout cela est très théorique.

– C'est intéressant. Mais la prostitution ne permet pas d'établir de lien entre les quatre gamins.

Forestier resta un instant le regard vissé aux visages des enfants, puis il fit soudain volte-face.

– Les photographies !

– Quoi ?

– Les photographies des meurtres. Nous savons que le tueur y a eu accès et qu'il ne les a pas remises dans l'ordre. Pourquoi ?

– Pour nous faire comprendre qu'il était venu visiter la brigade et nous signifier qu'il est plus fort que nous, récapitula Delville.

– Peut-être, mais pourquoi seulement celles qui concernaient les deux meurtres d'enfants ?

Delville poursuivit :

– Le docteur Berthellon nous a déjà expliqué qu'il voulait réduire ces gosses à de simples victimes, parce qu'elles étaient pour lui interchangeables.

– D'accord. Mais si nous partons du postulat qu'un lien unit tous ces meurtres, cela peut changer la donne.

Les inspecteurs eurent une impression de déjà-vu : Louis entra comme une tornade dans son bureau pour en ressortir son précieux dossier vert sous le bras.

– Quand j'ai montré le dossier à Pauvert, hier, j'ai eu l'impression que...

Il se mit à feuilleter frénétiquement les clichés des scènes de crime.

– Pourquoi réalisons-nous tous ces clichés ?

– Parce que nous devons fixer objectivement la disposition de la scène à l'aide de la photographie. C'est le seul témoin qui ne prête jamais à discussion, expliqua Leroux.

– Exactement. J'en étais sûr ! Il manque au moins deux tirages du meurtre du petit Corteggiani. Et les négatifs, c'est toi qui les as, Marcel ?

– Non. Tu sais bien que j'ai l'habitude de les laisser dans le rabat de la pochette.

– Eh bien ils n'y sont plus !

– Tu veux dire que l'Ogre les aurait pris ?

– Qui d'autre ? Et pourquoi avait-il intérêt à les faire disparaître ?

– Pour nous empêcher de voir ce qu'il y a dessus, dit Caujolle en une lapalissade.

– Tu ne crois pas si bien dire ! Parce qu'il y a un détail qui peut nous permettre d'établir ce fameux lien entre les victimes !

*

La Panhard s'arrêta face à une grille en fer forgé délimitant une haie de cyprès parfaitement entretenue. Forestier et Leroux se trouvaient devant la demeure de Cimiez où avait été retrouvé le premier cadavre d'enfant, qui avait baigné dix jours durant dans une citerne d'eau croupie. Le commissaire en était certain, les deux photographies qui avaient disparu ne représentaient pas le cadavre putréfié mais l'extérieur de la villa. Il avait observé les clichés des centaines de fois et les avait pour ainsi dire archivés dans son cerveau.

Ils actionnèrent à l'entrée un petit carillon qui émit un son plaintif. Louis reconnut immédiatement Julien, le jardinier qui avait eu la malchance de découvrir le corps. La vue des policiers sembla d'ailleurs raviver ce mauvais souvenir et ils eurent droit à un accueil des plus froids.

– C'est que Madame n'est pas à la maison à cette heure ! louvoya-t-il.

Louis se montra diplomate et lui jura qu'ils n'en auraient que pour quelques minutes, le temps de vérifier un détail. Le jardinier estima qu'il valait mieux expédier les formalités et se débarrasser d'eux avant le retour de sa patronne.

Les deux policiers se placèrent devant la citerne, à l'arrière de la maison.

– Je devais être à peu près ici quand j'ai fait les prises, indiqua Leroux.

– Bon. Et que voit-on de l'endroit où l'on est ?

– Une partie de la citerne. Il y avait aussi des outils de jardin qui traînaient par terre…

– Quoi d'autre ?

– Les mimosas, qui commençaient tout juste à faner, et un morceau de la façade.

Louis tenta de reconstruire mentalement les deux clichés manquants. Les prises de vue effectuées par la police dès l'arrivée sur une scène de crime reposaient sur la parfaite coïncidence entre l'œil et l'appareil. Il ne s'agissait jamais de créer l'image d'une scène mais de recréer la scène d'après son image. À l'exception des massifs de fleurs et des outils en désordre, les deux images – le lieu réel et le souvenir qu'il avait de la photographie métrique – finirent par se superposer parfaitement dans son esprit. Son regard glissa le long de l'allée jusqu'à la façade de la maison bourgeoise. Une façade d'une jolie teinte ocre et terreuse, qui avait été repeinte très récemment. Le rez-de-chaussée et le premier étage étaient séparés par une discrète frise aux motifs floraux, fréquente dans les demeures bourgeoises construites dans la seconde partie du XIXe siècle. Un ornement qu'il avait déjà vu quelque part.

– La frise ! s'exclama Leroux, qui venait de remarquer le même détail.

– Identique à celle de la maison des Kendall…

– Le ravalement de façade… l'entreprise de maçonnerie.

– L'Ogre connaissait ces endroits parce qu'il y avait travaillé !

*

Forestier arriva à la brigade en fulminant contre Delville et Laforgue, qui avaient eu pour mission d'interroger toutes les personnes ayant travaillé dans la propriété des Kendall les six derniers mois. Les deux inspecteurs n'auraient jamais imaginé se prendre un jour un tel savon de la part de leur patron et ils tentèrent de se justifier.

Ils s'étaient rendus la veille à l'entreprise de maçonnerie chargée de ravaler la façade de la villa Coralie. L'entrepreneur leur avait fourni la liste des employés qui avaient œuvré sur ce chantier. Il les connaissait bien, n'avait jamais eu à se plaindre d'eux et les pensait incapables de participer à un enlèvement. Pour couronner le tout, ils travaillaient tous sous ses ordres depuis au minimum un an.

— Vous les avez interrogés, au moins ? chercha à savoir Louis.

— On en a vu deux sur les quatre et ils ne portaient aucune marque sur le corps. Quant aux deux autres, ils ne correspondent pas du tout au signalement qu'on a de l'Ogre.

— Je m'en fous, grogna le commissaire, il faut tout revérifier. Ça ne peut pas être une coïncidence !

Une demi-heure plus tard, Louis et Delville pénétraient dans les locaux de l'entreprise Dalmasso, installée dans une maison de ville du quartier République. Le patron fut surpris de revoir l'inspecteur aussi vite, mais il était d'un naturel volubile et, sans que les policiers aient eu le temps de poser la moindre question, se mit à disserter sur la beauté architecturale de la villa des Kendall et le malheur qui touchait cette famille. Il enchaîna en vantant la réputation de son entreprise, créée par son propre père près de cinquante ans auparavant. Les policiers apprirent qu'il travaillait avec des architectes renommés qui restauraient des villas de la Riviera pour de riches propriétaires désireux d'acquérir une villégiature. Aussi était-il très attentif dans le recrutement de ses employés et ne supportait-il pas les retards ou les chantiers bâclés. Louis tenta d'abréger son monologue et demanda à voir les ouvriers.

– Vous avez de la chance, ils sont repassés prendre du matériel. Mais vous perdez votre temps, c'est moi qui vous le dis.

Les quatre hommes se tenaient les bras ballants devant les policiers. Louis grimaça. Comme Delville le lui avait expliqué, un des ouvriers frisait la quarantaine, tandis qu'un autre, ventripotent, ne devait pas dépasser le mètre soixante. Les deux derniers collaient au niveau de l'âge mais pas vraiment à celui de la description physique.

– Messieurs, nous sommes désolés de vous importuner. Comme vous ne pouvez l'ignorer, nous enquêtons sur la disparition du fils de la famille Kendall. Je tiens à préciser que nous sommes ici pour une simple vérification et que nous ne soupçonnons aucun d'entre vous. Même si ma requête peut vous sembler saugrenue, je vous demanderai de vous mettre torse nu devant nous. Ça ne prendra que quelques secondes.

Les quatre gaillards échangèrent un bref regard interrogateur mais ne firent aucune histoire pour se déshabiller. Louis et Delville s'approchèrent d'eux et commencèrent à examiner leur torse, leurs bras et leur dos. Aucune trace de brûlure ou de tache de naissance. Seul le plus jeune des ouvriers, qui pouvait vaguement correspondre au signalement, arborait une cicatrice le long de l'épaule, mais elle ne ressemblait pas à ce qu'avait décrit Cathy, du bordel des roses.

– Où vous êtes-vous fait ça ?

– Sur un chantier, il y a un an. Je suis tombé d'un échafaudage.

Louis se tourna vers le patron, qui acquiesça.

– Accident du travail, fit-il en soulevant les épaules.

– Très bien, merci, conclut Forestier avec déception. Vous pouvez vous rhabiller. Désolé pour le dérangement.

Dalmasso raccompagna les policiers dépités jusqu'à la porte du local. Louis insista une dernière fois :

– Vous êtes certain qu'aucun autre ouvrier ne s'est rendu dans la propriété des Kendall ces dernières semaines pour les travaux ?

– Non, aucun des miens, assura le patron avec force.

Le commissaire contracta ses sourcils.

– Comment ça, aucun des *vôtres* ?

– Eh bien, quand on intervient pour des travaux de ravalement, on travaille en général avec une entreprise de menuiserie qui s'occupe de restaurer ou de changer les fenêtres.

« Ce con ne pouvait pas le dire plus tôt ! » ragea Louis à part soi en se tournant vers Delville.

– Est-ce que tu l'avais sur ta liste ?

– Non, c'est la première fois que j'en entends parler !

– C'est normal, expliqua Dalmasso. Ils interviennent en sous-traitants. L'architecte nous a engagés pour restaurer les façades, mais je fais appel ensuite à eux pour les persiennes et les volets.

– Et ils sont intervenus sur ce chantier ? J'ai eu l'impression que les fenêtres de la villa étaient anciennes.

– Oh, ils ne les ont pas encore installées. Mais je sais que deux hommes sont venus prendre les mesures, il y a environ deux semaines.

*

Frédéric était pendu au téléphone, en train de poursuivre sa quête auprès des asiles psychiatriques, lorsque Louis et Delville revinrent à la brigade. Leroux, penché sur sa Heady, arrêta de taper le rapport concernant la découverte du corps d'Yvonne Cordier.

– Alors ?

– Rien en ce qui concerne l'entreprise de maçonnerie, mais on a une autre piste. L'employé d'un artisan menuisier qui a travaillé chez les Kendall. L'homme ne s'est pas manifesté depuis deux jours.

– Pas possible !

– On a un nom… et une adresse. Regarde.

Leroux prit le morceau de papier que lui tendait le commissaire.

– Mais c'est à deux rues de l'endroit où vivait le petit Corteggiani !

– Exact. Mais on ne doit pas perdre une minute. Visiblement, Pauvert est passé il y a deux heures chez ce menuisier en se faisant passer pour un flic. Et il a lui aussi cette adresse.

– Eh ! Tu m'entends ?

L'enfant ouvrit un œil. Un brouillard étrange l'entourait, d'où émergeaient quelques formes lumineuses et colorées. Des figures semblables à celles du kaléidoscope avec lequel il jouait parfois. Il avait cru entendre une voix. Avait-il rêvé ?

– Comment tu t'appelles ?

Non, il ne rêvait pas. Il y avait bien quelqu'un tout près de lui, derrière la cloison de bois. La voix était celle d'un enfant. Un garçon de son âge.

Ses paupières étaient lasses. Il essaya de relever la tête, mais celle-ci semblait collée au sol, lourde comme une ancre incrustée dans le sable. Il tenta d'articuler quelques mots mais ses lèvres demeuraient désespérément muettes. Tous ses membres en fait étaient ankylosés, comme paralysés. Que lui arrivait-il ? L'eau, bien sûr... Il avait bu le pichet. Elle devait être empoisonnée, tout comme la nourriture.

Sa vision, déjà peu claire, se troubla encore plus. Il se rendit compte qu'une larme embuait son œil. Depuis combien de temps était-il enfermé là ? Que lui voulait-on ? Qu'avait-il fait pour mériter cela ? Il était un enfant sage et obéissant. Sa mère lui disait toujours qu'il n'arrivait rien aux enfants obéissants.

–Tu ne peux pas parler ? Tu m'entends, au moins ?

Bien sûr qu'il l'entendait ! Qui était cet enfant ? Il n'était donc pas le seul à être retenu là ? Il essaya à nouveau de parler mais ne put rien sortir d'autre qu'un étrange marmottement. Sa paupière retomba, la fatigue recommençait à l'envelopper. Il voulait pourtant lutter contre le sommeil, persuadé que s'il se rendormait il ne se réveillerait peut-être plus jamais.

–Ne t'en fais pas, je vais t'aider, dit la voix. Je vais te libérer.

Ce furent les dernières paroles que l'enfant entendit avant de retomber dans les limbes.

4

– Marcel, tu resteras en sentinelle devant l'immeuble. Delville, tu iras te poster dans la cour intérieure. Caujolle, avec moi. Inutile de vous rappeler que vous ne devez tirer qu'en cas d'extrême nécessité, et pour blesser seulement. Je veux cet homme vivant. Et surtout…

– … pas de fiasco ! conclurent les trois policiers en chœur, reprenant ainsi l'expression favorite de Faivre, le premier patron de la brigade parisienne, que Forestier avait faite sienne.

Ce dernier sortit son Browning 7,65 mm, le pistolet automatique en vigueur dans les brigades, et le chargea.

– Tu es prêt, Caujolle ?

– Comme je ne l'ai jamais été.

Le suspect s'appelait Justin Guillot, mais rien ne permettait de certifier qu'il s'agît de son vrai nom. Il était entré dans l'entreprise de menuiserie en octobre de l'année précédente, sans avoir pu justifier d'expérience professionnelle récente. Mais d'après le menuisier auquel les policiers avaient rendu visite il était extrêmement habile de ses mains et maniait la varlope comme aucun autre ouvrier. Après une semaine à l'essai, il l'avait engagé. L'homme était dur à l'ouvrage, sérieux, discret et taciturne. On ne lui connaissait pas de famille et le patron n'avait pu leur fournir aucun autre renseignement exploitable. « Du moment que mes gars travaillent bien… » leur avait-il confié comme pour se justifier. Justin Guillot s'était rendu à deux reprises à la demeure des Kendall, pour prendre des mesures et faire des essais avec les fenêtres et les persiennes qui avaient été commandées.

L'homme répondait parfaitement au signalement que la brigade avait en sa possession : 30 ans – du moins était-ce l'âge qu'il avait donné –, les cheveux bruns, portant parfois la moustache, bien de sa personne. Le genre d'individu qui devait avoir pas mal de succès auprès de la gent féminine. Oui, on avait remarqué sur son bras et son épaule, un jour où il était en débardeur, une large tache qui ressemblait à une brûlure ancienne et cicatrisée. Un ouvrier lui avait fait une remarque anodine et Justin s'était énervé, se contentant de bredouiller qu'il s'agissait d'une marque de naissance.

Guillot n'était pas venu travailler depuis deux jours, sans donner la moindre explication. Le patron s'apprêtait d'ailleurs à envoyer quelqu'un à son domicile pour voir s'il ne lui était rien arrivé. « Vous comprenez, il n'a jamais été absent sans avoir prévenu auparavant. »

*

L'adresse obtenue avait conduit les policiers dans le quartier populaire de Riquier, qui s'était développé sur la rive gauche du Paillon lorsque les pressions foncières avaient chassé les artisans et les travailleurs modestes du centre-ville.

L'appartement du suspect se situait dans un immeuble banal, tout près de la caserne de Saint-Jean-d'Angély qui accueillait les chasseurs alpins. Louis savait l'intervention délicate et on avait répété plusieurs fois le plan prévu. Si l'homme était chez lui, il fallait le capturer vivant. Car si l'enfant n'était pas séquestré là, lui seul serait capable de leur indiquer sa tanière. S'il ne s'y trouvait pas, on devait fouiller rapidement l'appartement pour essayer de collecter des preuves en vue de son arrestation, puis se mettre en planque. Quant à Pauvert, il fallait espérer qu'il n'était pas déjà passé et qu'il n'avait pas fait fuir l'assassin. Louis n'arrivait toujours pas à croire que le détective ait pu leur damer le pion et remonter cette piste aussi vite.

Dans la cage d'escalier étroite et sombre flottait une odeur de moisi. Les policiers gravirent les marches deux à deux, alors que la tension montait en eux. L'homme habitait au sixième étage. Les coups donnés par Louis dans la porte demeurèrent sans réponse. Il y plaqua son oreille pour tenter de déceler une présence à l'intérieur de l'appartement, puis adressa à Caujolle un signe négatif de la tête.

– Vas-y, murmura-t-il.

Caujolle, expert dans le crochetage des portes, constata qu'il s'agissait là d'un modèle courant de serrure à garnitures. Il sortit son passe-partout et il ne lui fallut que quelques secondes pour relever le pêne. Les prescriptions légales imposées aux agents étaient assez strictes. Même munis d'un mandat d'amener, ils ne pouvaient par exemple interpeller un individu avant le lever du jour. Jules Belin, un ancien collègue de Louis, était ainsi resté en planque toute la nuit devant le domicile de Landru avant de pouvoir l'appréhender. En revanche, les mobilards étaient autorisés à s'introduire par tous les moyens dans un lieu privé s'ils avaient la conviction qu'une vie était en danger. Ce qui était le cas ici.

Lorsqu'il actionna la poignée, la porte grinça. Arme au poing, Louis passa le premier. Quoiqu'il ne fût pas l'agent de la brigade le plus doué au tir ni le mieux entraîné, il détestait exposer ses hommes et se débrouillait pour être toujours en première ligne.

Il tomba sur un long couloir aux murs nus et à la peinture écaillée. Malgré l'obscurité, il repéra deux portes opposées au fond. Sur sa gauche, une autre porte entrouverte débouchait sur ce qui semblait être la pièce principale de l'appartement. Louis passa la tête pour évaluer la situation. Pas âme qui vive en vue. La pièce était simplement meublée et même si l'ensemble était relativement vétuste, à l'image de l'immeuble, le policier fut frappé par son extrême propreté et sa banalité. On avait du mal à croire que quelqu'un vivait ici, *a fortiori* un meurtrier d'enfants. Une faible lumière filtrait à travers les volets entrebâillés de deux hautes fenêtres qui donnaient côté rue.

Au moment où Louis faisait signe à son inspecteur d'entrer, il remarqua au sol des taches brunâtres. Il en tapota une et porta les doigts à ses narines. L'odeur ne trompait pas : du sang qui n'avait pas encore séché. Les traces formaient un long sillage, comme si on avait traîné un corps dans l'appartement. Louis ouvrit la voie à Caujolle en lui indiquant qu'il s'occupait de la porte de droite.

Sur le seuil, Forestier tendit le bras, prêt à faire feu, puis fit irruption dans la pièce. Il ne vit rien d'autre qu'un corps plié en deux et adossé contre le mur. Le visage était entièrement affaissé sur le torse. Pauvert…

– Merde ! ragea Louis entre ses dents, en s'approchant de lui.

L'œil droit du détective n'était plus qu'une plaie béante d'où avait ruisselé un flot de sang qui avait barbouillé toute une partie du visage. À première vue, Louis écarta la possibilité d'une blessure par balle. On avait dû le charcuter à l'arme blanche. Une grande tache sanglante auréolait aussi sa chemise et son veston. La déchirure dans le tissu lui fit à nouveau penser à une blessure au couteau. C'était un vrai carnage. Il y avait du sang partout autour du corps.

Le policier s'agenouilla. S'il n'avait jamais porté le détective dans son cœur, il ressentit une réelle compassion, mêlée d'un sentiment d'immense gâchis.

– Il n'y a personne, patron ! cria Caujolle depuis l'autre pièce. Mais j'ai trouvé des trucs étranges punaisés sur…

– Ramène-toi ici ! Moi, j'ai trouvé Pauvert.

Caujolle ne put retenir un mouvement de recul lorsqu'il entra dans la pièce.

– Mon Dieu ! s'exclama-t-il en portant la main devant sa bouche.

Par précaution et habitude, Louis prit le poignet de la victime entre ses doigts pour s'assurer qu'il n'y avait plus de pouls. Il s'immobilisa, le visage glacé en une expression d'horreur.

– Qu'est-ce qui se passe ?

– Il n'est pas mort, je sens quelque chose.

– Vous plaisantez ?

– Il n'est pas mort, je te dis ! Cours chercher du secours.

Caujolle n'en croyait pas ses oreilles. Comment cet homme à ce point défiguré pouvait-il être encore vivant ?

– Magne-toi !

Mais l'inspecteur restait complètement interdit devant ce corps qui ne voulait pas mourir. Louis se redressa, conscient du choc qu'encaissait son subordonné. Caujolle était une recrue plutôt récente dans les brigades et son expérience en matière d'homicides restait limitée.

– C'est pas grave. Reste ici, j'y vais.

Forestier sortit de la chambre en trombe, mais sur le seuil de l'appartement il remarqua de légères traces vermeilles. Quelqu'un avait marché dans les flaques laissées par le corps de Pauvert. Or ni Caujolle ni lui n'étaient encore ressortis.

Il se pencha par-dessus la rambarde de l'escalier et entendit nettement une personne dévaler les marches, sans doute deux étages plus bas. Impossible... Et pourtant !

– Delville ! hurla-t-il d'une voix de stentor. Il est là ! Dans l'escalier !

Il descendit les marches quatre à quatre, comme un dératé, manquant à chaque pas de se rompre le cou. L'Ogre devait être encore présent dans l'appartement pendant qu'ils l'inspectaient. Et dire qu'ils étaient passés à côté !

– Il est fait, patron ! hurla Delville en dessous. Il arrive vers moi !

Louis atteignit le quatrième étage alors que Delville arrivait au deuxième. Deux policiers armés contre un seul homme. Cette fois, il ne leur échapperait pas. Ils déboulèrent au troisième étage en même temps et se retrouvèrent nez à nez. L'Ogre s'était volatilisé.

– La fenêtre ! cria Louis.

Prise en tenaille, leur proie avait ouvert une fenêtre située entre les deux étages. Une seconde, Forestier craignit qu'il n'eût sauté et choisi de se suicider plutôt que d'être arrêté. Mais l'hypothèse fut vite balayée lorsqu'il se pencha par l'embrasure.

– Je le vois !

La silhouette d'un homme venait d'atteindre avec agilité un muret perpendiculaire à l'immeuble. Louis pointa son arme. À cette distance, il pouvait l'atteindre, bien sûr, mais il risquait de le tuer s'il le faisait chuter dans le vide. Pour arriver là, il avait d'abord dû rejoindre un balcon de l'étage inférieur.

– J'y vais, patron, dit Delville. Sans vouloir vous vexer, je crois que je suis plus souple que vous.

« Une manière polie de ne pas parler de mon acrophobie », pensa Louis.

L'inspecteur enjamba la fenêtre et, sans hésiter une seconde, se jeta dans le vide, les deux mains en avant. La réception fut rude, mais il s'accrocha sans trop d'encombre aux barreaux rouillés du balcon et se hissa dessus.

– Ne m'attends pas, fonce !

Le commissaire essaya de ne pas regarder en contre-bas. Le moindre coup d'œil et il savait qu'il se tétaniserait. Il passa à son tour ses jambes au-dehors, prit appui sur le rebord et, en réfléchissant le moins possible à ce qu'il était en train de faire, sauta. La distance était modeste, mais en atteignant le balcon il ressentit une onde de choc dans tout le corps. Il n'y avait pas que les barreaux qui étaient rouillés ! Il grimpa en s'écorchant les mains au passage.

Delville courait le long du muret, à l'extrémité duquel partait une échelle qui montait jusqu'au toit d'un immeuble situé en face. Malheureusement, l'homme avait déjà presque atteint les derniers échelons.

À vue d'œil, le balcon était séparé du muret par une distance de deux mètres. En dessous, deux étages de vide. La mort assurée s'il se loupait. Son physique massif et son manque d'agilité constituaient un vrai handicap, mais Louis se motiva en se disant qu'il ne pouvait pas laisser Delville seul face au tueur. Il respira profondément et se signa intérieurement. Il n'avait jamais été vraiment croyant, mais dans des cas comme celui-là on se prenait à éprouver des élans mystiques.

Il s'élança. Il comprit immédiatement qu'il avait vu trop court et ne pourrait pas atterrir sur ses deux pieds. Au dernier moment il tendit les bras et parvint à s'accrocher désespérément au rebord du mur, qui n'offrait quasiment pas de prise. Son corps pendait désormais dans le vide. Il tenta de ne pas se débattre inutilement. Ses pieds cherchèrent un appui et finirent par trouver une brèche. Il parvint à se hisser mais son pied ripa, et il retomba lourdement dans le vide, ne se retenant plus que miraculeusement. Au loin, il vit Delville qui avait atteint le milieu de l'échelle. L'Ogre était désormais hors de vue. L'inspecteur se retourna et comprit que son chef était en difficulté.

– Patron ! cria Delville.

Ses mains glissaient. Il était à bout de force, incapable de tenir plus de quelques secondes. Il n'était même pas sûr que Delville pourrait arriver à temps, même s'il rebroussait chemin.

Soudain, il remarqua une gouttière de zinc qui courait le long du muret, sur le côté extérieur. Sa dernière chance… Il balança sa jambe droite jusqu'à atteindre la bride de descente, qui offrait un appui rassurant.

– C'est bon, fonce ! s'égosilla-t-il.

Louis s'en voulut d'avoir retardé Delville avec ses acrobaties. L'inspecteur, lui, était reparti de plus belle. Mais il n'avait pas vu l'ombre qui s'était dissimulée sur le toit, en haut de l'échelle, et l'attendait de pied ferme. Louis eut à peine le temps de mettre en garde son collègue que l'Ogre lui assénait un violent coup avec ce qui ressemblait à une barre en métal. Il avait visé la tête, mais Delville avait esquivé le coup *in extremis* et n'avait été touché qu'à l'épaule.

Ce fut malgré tout suffisant pour le faire chuter dans le vide. Le cri que Louis voulut émettre ne sortit pas de sa bouche. Le corps tomba d'une hauteur de quatre ou cinq mètres et alla s'écraser dans un énorme fracas sur une bande de tôle ondulée que les années avaient rongée par endroits. Oubliant sa peur du vide, Forestier longea le muret en quelques secondes et arriva à sa hauteur.

– Delville !

L'inspecteur était vivant. Il releva la tête presque aussitôt.

– Putain ! Qu'est-ce que ça fait mal !

La tôle, relativement flexible, avait amorti sa chute. Il essaya de bouger à nouveau, mais la douleur lui fit lâcher un cri retentissant.

– Je crois que je me suis pété la jambe, patron. Mais ça ira. Allez-y, ne le laissez pas s'enfuir…

– Sûr ? s'enquit Louis.

– Sûr ! Il ne faut pas qu'il nous échappe !

À contrecœur, Louis l'abandonna et grimpa l'échelle en tenant fermement son Browning.

– Il n'est plus en haut ! lui cria Delville, qui observait sa progression.

Forestier parvint au dernier barreau. La vue des toits qui s'étalaient devant lui raviva son vertige. Il s'accrocha un instant à la ligne d'horizon de la mer pour retrouver son équilibre. Il avait perdu l'homme de vue. Le toit de l'immeuble sur lequel il se trouvait était relativement pentu. Quelques cheminées ou fenêtres mansardées permettaient çà et là de prendre appui, mais pour le reste il ne pouvait progresser qu'en marchant sur les tuiles faîtières. Ses premiers pas furent hésitants, mais il n'avait plus le choix.

Il parcourut une dizaine de mètres avant de s'arrêter contre une sortie de cheminée et vit devant lui une silhouette se mouvoir entre deux conduits en maçonnerie. Il avait pris moins de retard qu'il n'avait cru. À moins que l'Ogre n'eût fait exprès de ralentir son allure pour lui régler son compte, comme à Delville. Visiblement, il n'avait pas d'arme à feu. Un atout non négligeable pour le policier. Louis serra son pistolet dans sa main et repartit. Les tuiles émettaient sous ses pieds un crissement peu rassurant.

Il arriva bientôt au bout de l'immeuble, auquel succédait une série de maisons de ville contiguës, aux toits à l'italienne. Prenant moins de précautions, il se laissa glisser le long de l'arêtier et sauta sur le versant unique de la première maison. Il accéléra même son allure, enchaînant une longue suite de toits de hauteur inégale. Il aperçut sur sa droite la forme en U de la manufacture de tabac. Le temps de détourner le regard dans cette direction, l'homme avait à nouveau disparu.

Le toit suivant présentait une dénivellation plus importante : une hauteur d'environ trois mètres qui pouvait se révéler fatale s'il se réceptionnait mal et dévalait la toiture. Il remarqua qu'en contrebas des tuiles avaient été déplacées, laissant apparaître les chevrons de bois. Il eut juste le temps d'apercevoir la silhouette de l'Ogre qui se mettait à couvert derrière une cheminée. Il avait dû se faire mal en sautant, car il boitait.

Battements de cœur accélérés… Louis aurait pu attendre que l'homme se montre, mais à cette distance il n'était pas sûr de pouvoir le viser à la jambe pour le neutraliser. Il se jeta donc dans le vide. Il ne fut guère plus habile que son adversaire et atterrit maladroitement sur les tuiles, qui se dérobèrent sous ses pieds. Sa tête heurta l'une d'elles et il sentit son arme lui échapper des mains. Il fut étourdi l'espace d'un instant.

Quand il releva la tête, il distingua sur sa gauche une ombre qui approchait. Il chercha du regard son Browning et le repéra environ un mètre plus bas. Il tenta de ramper, mais son corps meurtri ne répondait plus vraiment aux ordres de son cerveau.

Dans un ultime effort, il parvint à donner une impulsion à ses jambes. Ses doigts serrèrent la crosse de l'arme mais, au même moment, un pied puissant lui écrasa la main. Il poussa un cri de douleur.

L'Ogre le dominait. Il saisit le pistolet et le jeta hors de portée. Louis leva les yeux et put détailler un instant le tueur. Il avait un visage régulier, sans signes distinctifs, un de ces visages dont on ne peut rien tirer dans les « portraits parlés ». Il repensa à la remarque de Frédéric : « un homme comme un autre, un voisin que tu croises tous les jours ». Il possédait néanmoins un regard perçant qui contrastait avec la finesse presque féminine des sourcils qui le surmontaient. « Tu vois, j'ai gagné », disaient ses yeux. Sa bouche, quant à elle, n'émit pas la moindre parole.

Louis ferma les yeux. Il était à sa merci. Avant qu'un objet métallique ne s'abatte violemment sur son crâne, la dernière chose qu'il vit fut le visage de Clara et celui de son fils Jean.

5

Aujourd'hui, tu as dépassé la lisière du bois pour t'enfoncer un peu plus profondément entre les chênes et les frênes. Les branches des arbres filtrent la lumière comme un crible. Il fait beau mais le sous-bois est traversé par une fraîcheur qui te donne par moments des frissons. Tu arraches une branche élastique de frêne pour t'en faire un fouet. Tu choisis de quitter le sentier principal pour explorer la forêt. Te servant de ta branche comme d'une serpe, tu fauches les hautes herbes qui te font obstacle.

Tu es arrivé au château il y a moins d'une semaine et tu as pourtant l'impression d'y avoir passé des mois. Ce n'est pas que tu t'y sentes vraiment chez toi, mais tu es gagné depuis ton arrivée par une sorte d'indifférence reposante dans laquelle tu te complais.

Sans t'en apercevoir, tu as rejoint le sentier. Un petit écureuil le traverse et s'arrête à mi-chemin. Il a senti ta présence et te fixe de ses yeux noisette, ne sachant pas s'il doit se méfier de toi. Il finit par déguerpir en escaladant un arbre.

Fin de la promenade. Soudain, sans comprendre pourquoi, tu te retrouves projeté au sol. Ta chute est à peine amortie par les feuilles. Dans ta bouche, un goût mêlé de sang et de terre âcre. Puis tu sens un corps puissant t'immobiliser. Le genou de ton assaillant te meurtrit les reins. Sans que tu aies eu le temps d'esquisser le moindre mouvement, tu te retrouves les deux mains bloquées dans le dos. Une douleur irradie ta colonne vertébrale.

– C'est toi le fils de la bonne ?

La voix est jeune et pourtant rocailleuse, marquée d'un fort accent de la région. Tu ne sais pas quoi répondre. D'un mouvement sec, l'inconnu te retourne et s'assied à califourchon sur toi, t'empêchant toujours de bouger.

– T'as peur ? demande-t-il avec une satisfaction perceptible.

Même si tu ne l'as vu qu'une fois et de loin, tu reconnais aussitôt le fils du métayer, contre lequel le jardinier t'a mis en garde. Le garçon a un visage carré couronné par des cheveux en bataille. Ses yeux, légèrement enfoncés, brillent d'une lueur inquiétante. Il t'expédie une gifle qui ne te fait pas vraiment mal mais qui te fait monter le rouge au front.

– Tu serais pas une tapette ? Même pas capable de te défendre, hein !

Il lève à nouveau un bras menaçant. Tu fermes les yeux, mais son geste reste en suspens. Il relâche la pression qu'il exerce sur toi et se relève, te laissant pantelant au sol. Il époussette ses habits rapidement, comme si c'était lui qu'on avait roulé par terre.

– Trouillard, va ! crache-t-il comme un venin.

Tu restes un moment décontenancé, puis tu te lèves à ton tour, penaud, sans comprendre ce qui vient de se dérouler.

– Tu m'as suivi dans le bois ? demandes-tu.

Le garçon allume tranquillement une cigarette et exhale une volute de fumée.

– Pourquoi je t'aurais suivi ? Tu te prends pour le centre du monde ? Si tu t'imagines que cette forêt est à toi…

L'adolescent fait quelques pas sur le sentier pour récupérer son sac qu'il a laissé en bordure, parmi les herbes. Celui-ci semble lourd, déformé par un objet volumineux.

– Qu'est-ce que tu as là-dedans ? oses-tu demander.

Le garçon te fixe d'un regard mauvais, mais il semble en réalité content d'avoir excité ta curiosité. Il ne tarde pas à ouvrir sa besace pour en faire émerger le canon d'un fusil.

– C'est un Mosin-Nagant, explique-t-il savamment, un fusil militaire russe. Mon père l'a payé une fortune. T'as déjà tiré ?

Tu esquisses un signe négatif de la tête.

– Non, bien sûr ! Et encore moins avec une arme comme celle-là.

Il replace le fusil dans son sac.

– Allez, viens. Reste pas là comme un con !

Malgré l'affront que tu viens de subir, tu te sens attiré par ce garçon. Tu retrouves même une certaine assurance et tu dis :

– Au fait, je m'appelle Albain !

Il hausse les épaules en soufflant sa fumée.

– Je le sais, qu'est-ce que tu crois ? Moi, c'est Justin… Justin Guillot.

*

Une clairière à l'herbe rase que réchauffe douce-ment le soleil. Un endroit coupé du reste du monde, cerné par les arbres et l'enchevêtrement des ronces.

Justin est resté silencieux pendant votre marche. Lorsque vous débouchez dans la clairière, il se dirige droit vers un cabanon abandonné qui tombe presque en ruine, à moitié caché dans une trouée, sur votre gauche.

– Attends-moi là.

Il disparaît dans la remise au bois vermoulu. Tu regardes le ciel au-dessus de ta tête, parfaitement uniforme. Au bout de quelques secondes, Justin réapparaît, tenant dans ses bras un gros lapin de choux qu'il a sorti de la cabane comme le ferait un prestidigitateur de son gibus. L'animal, au pelage sombre, est recroquevillé sur lui-même, les oreilles tendues. Tu fixes Justin avec effarement.

– D'où est-ce qu'il sort ?

Sourire au coin des lèvres et regard torve.

– Du clapier de la ferme des Gervais. Je l'ai « emprunté »… Il a passé la nuit dans le cabanon.

– Qu'est-ce que tu veux en faire ?

– Tu vas voir. Prends-le !

L'animal se réfugie contre ta poitrine. Ses poils sont soyeux au toucher et tu lui caresses la tête pour le rassurer.

Justin sort son fusil militaire de la besace. Il le charge avec des munitions couleur laiton, en forme de cigares. Tu le regardes, paralysé, en évitant de songer à ce qu'il compte faire.

– Lâche-le ! ordonne-t-il.

Tu obéis, posant le lapin au sol avec une délicatesse exagérée. Désormais libre, il gambade sur quelques mètres, se dégourdissant les pattes, avant de s'arrêter. Il se dresse, aux aguets, tourne la tête comme un gyroscope, puis part vers le centre de la clairière. Il est à présent à une quinzaine de mètres de vous deux. Tu gardes le silence. Justin t'observe du coin de l'œil, guettant une réaction de ta part. Puis il s'agenouille, dans la position d'un soldat expérimenté, et place son doigt dans le pontet du fusil. Il l'arme en direction de l'animal.

Le premier coup tiré résonne dans la clairière. Justin a raté la cible. Tu te demandes s'il ne l'a pas fait exprès. Tu doutes qu'il ait réellement l'intention de tuer cette pauvre bête. Le lapin, terrifié, s'est aplati. Comme lui, tu restes pétrifié. Puis il décampe à toute allure vers le fond de la clairière.

Justin prend son temps. Il laisse le lapin s'éloigner encore un peu et vise de nouveau. Le second coup déchire le silence. L'animal est projeté en l'air dans une gerbe de sang.

– Touché ! fait Justin avec une jouissance palpable dans la voix.

Tu traverses la clairière en courant jusqu'au cadavre de l'animal. Le coup l'a déchiqueté, pulvérisé en des dizaines de morceaux éparpillés sur plusieurs mètres. L'herbe est souillée des restes de l'animal. Seules la tête et les pattes avant, barbouillées de sang, sont encore reconnaissables.

Justin s'est approché. Il est derrière toi. Tu te retournes et le dévisages avec désarroi.

– C'était qu'un lapin, quoi ! marmonne-t-il comme un gosse insolent.

*

Un autre jour. Dans les bois.

– Ils se retrouvent là deux fois par semaine, toujours à la même heure, dit Justin en baissant la voix.

Tu ne sais pas de qui il parle mais tu ne trouves pas opportun de poser de questions. Tu es le silencieux de l'équipe. Justin et toi passez beaucoup de temps ensemble. Tu n'as parlé de lui à personne. Après ce que t'a dit le jardinier, tu crains que ta mère ne t'empêche de le voir. Évidemment, c'est lui le meneur et tu le suis dans toutes ses expéditions. Aveuglément.

– Pas un mot ! t'ordonne-t-il en posant un doigt sur ses lèvres.

Vous rampez à terre en montant le talus. Vous prenez garde de demeurer tête baissée pour ne pas vous faire remarquer. Ils sont déjà là. Un homme et une fille d'une vingtaine d'années, assis au pied d'un arbre en contrebas. Vous vous trouvez à une trentaine de pas d'eux mais vous les distinguez parfaitement. Le gars a des allures de paysan robuste. La fille est très mignonne. Elle porte une robe à carreaux à moitié défaite qui laisse découvrir une poitrine généreuse et bien faite. Ses nattes d'écolière tranchent avec la scène qui se déroule sous vos yeux. Le couple s'embrasse goulûment et l'homme lui pétrit les seins à pleines mains, faisant saillir ses tétons rosés.

Tu sens ton sexe se durcir. Justin, lui, regarde la scène un sourire malicieux aux lèvres.

Puis la fille défait le pantalon de velours de son compagnon. Elle sort son sexe en érection et commence à le caresser d'une main experte. Tu aimerais être à la place du type.

– C'est comme ça à chaque fois, murmure Justin. Je suis toujours aux premières loges, ils m'ont jamais vu. *Garde pas les ouéilles, la mignoune !*

Ton sexe te fait mal, prisonnier qu'il est dans ton pantalon. Le garçon râle de plaisir en enjoignant à sa compagne de ne pas s'arrêter.

Soudain, sans savoir pourquoi, tu es pris d'un fou rire incontrôlable. Justin se tourne vers toi, affolé. Tu étouffes le rire avec ta main mais il est trop tard. Le couple s'est tourné brutalement dans votre direction.

– Putain ! Bande de salopiauds ! s'écrie l'homme en rajustant son pantalon.

Justin se dresse et dévale le talus comme un gibier forcé.

– On se tire ! hurle-t-il sans se retourner.

Tu te lèves aussitôt et lui emboîtes le pas en poussant un cri d'Indien. Tu n'as jamais été aussi heureux.

*

Vous avez couru à perdre haleine à travers la forêt. Lorsque vous vous arrêtez, le souffle court, c'est pour exploser en un grand éclat de rire.

– Elle sait y faire avec les queues ! s'amuse Justin.

– Tu crois qu'on va avoir des problèmes ?

– À qui tu veux qu'ils aillent raconter ça ?

Vous marchez côte à côte. On étouffe. Seul le dôme des arbres au-dessus de vos têtes vous protège un peu. Justin propose d'aller se baigner.

Il y a, à environ un kilomètre du château, derrière un vieux colombier au toit crevé, une mare verdâtre qui se dessèche lors des grandes chaleurs et que Justin nomme pompeusement le « lac ». Tu n'es pas très enthousiaste à l'idée de te tremper dans cette eau crasseuse et stagnante dissimulée en partie par les hautes herbes sauvages, mais tu ne veux pas décevoir Justin.

Vous vous déshabillez sous les rayons cuisants du soleil. Tu gardes ton caleçon. Justin, lui, n'a pas de pudeur et se met entièrement à poil. Il a le corps épais et la peau tannée par la vie au grand air.

La lumière t'éblouit et te brûle le cuir chevelu. Tu places une main protectrice sur tes yeux darnes. Au-dessus du sein droit de Justin, tu remarques une large tache brunâtre qui s'étale le long de son épaule comme un naevus. Une étrange boursouflure qui a craquelé l'épiderme et se détache de sa peau uniforme comme un relief sur une carte.

– C'est ça qui te fascine ? demande-t-il en levant son épaule.

Tu détournes le regard en hochant la tête.

– Qu'est-ce que c'est ?

– Je suis né avec. Une maladie de peau, mais ça fait pas mal… Bon, on y va ?

Tu acquiesces mais tes yeux restent rivés sur son épaule. Ça ne ressemble pas à une tache de naissance. Tu es sûr que Justin t'a menti. Tu le regardes lente-ment s'immerger dans l'eau trouble jusqu'à ce que son corps ait entièrement disparu.

6

Un ciel bleu tendu comme une toile. Le sifflement aigu d'un goéland. Un prénom répété en boucle, puis le visage de Leroux faisant écran devant le ciel.

– Louis, Louis…

Son premier réflexe fut de porter la main à sa tête, qu'irradiait une terrible douleur, comme il n'en avait plus ressentie depuis qu'il avait été touché par le shrapnel dans la Marne. Il tenta de se redresser, mais un vertige le saisit et il dut se rallonger aussitôt.

– Doucement, fit Leroux en le soutenant.

Malgré les coups lancinants qui martelaient sa boîte crânienne, les souvenirs lui revinrent lentement : l'appartement, le corps de Pauvert, la chute de Delville, la poursuite sur les toits… et le regard de l'Ogre qu'il avait fixé, impuissant. Le vertige se dissipa peu à peu et il parvint à se relever. Il se trouvait toujours sur le versant du toit où il avait chuté.

– Tu te sens mieux ? demanda Leroux, soulagé de le voir reprendre ses esprits.

– Il s'est échappé…

– Je sais. Mais l'important, c'est que tu sois en vie. Bon sang, j'ai eu une de ces pétoches ! Je suppose que c'est lui qui t'a fait ça.

Louis acquiesça d'un petit mouvement de la tête qui lui fit un mal de chien.

– Tu as eu une sacrée veine qu'il t'ait loupé !

– Il ne m'a pas loupé. Rien n'aurait été plus simple pour lui que de me mettre une balle dans la tête ou de me balancer dans le vide. Au fait, où est mon arme ?

D'un regard circulaire, Leroux chercha le Browning sur les tuiles.

– J'ai bien peur qu'il ne l'ait emportée. Bon, parle le moins possible. Caujolle est parti appeler des renforts et du secours. On va te conduire à l'hôpital.

– Je n'ai aucune envie d'aller…

Leroux ne lui permit pas d'en dire plus.

– Comme tu n'es pas capable de décider quoi que ce soit, c'est moi qui prends la relève et qui donne les ordres. D'accord ?

Louis opina de la tête à contrecœur.

– Comment va Delville ?

– Oh, c'est un dur à cuire ! Mais avec sa jambe il n'est pas près de refaire des galipettes sur les toits.

– Et Pauvert ?

– D'après Caujolle, il est foutu, même s'il était encore en vie quand il l'a quitté.

Leroux estima que dans son état il serait impossible pour son ami de repartir par le même chemin. Sur la toiture contiguë il avisa une fenêtre ouverte, facilement accessible, d'où émergea bientôt la tête d'une femme qui en fut quitte pour la frayeur de sa vie en voyant surgir ces deux inconnus. D'un geste paniqué, elle referma les battants avant que Leroux ait pu prononcer le moindre mot. Même lorsqu'il eut exhibé sa carte, il eut le plus grand mal à la persuader qu'ils n'étaient pas des monte-en-l'air et qu'ils voulaient juste passer par chez elle.

Durant le trajet de retour, Leroux expliqua qu'après avoir attendu un long moment devant l'immeuble, et ne voyant pas Delville se montrer à la porte d'entrée comme convenu, il s'était décidé à monter. C'était alors qu'il avait croisé Caujolle qui redescendait chercher du secours. Arrivé au troisième étage, devant la fenêtre ouverte, il avait entendu son collègue appeler à l'aide. Une fois passé les épreuves du balcon et du muret, l'inspecteur lui avait tout raconté de leur poursuite. Ensuite, il avait bien mis dix minutes à retrouver Louis inconscient sur les toits.

Devant l'immeuble de l'Ogre les attendait une ambulance automobile qui emmena Louis et Delville à l'hôpital le plus proche. Pauvert n'avait pas survécu. Il avait rendu son dernier souffle tandis qu'il était évacué par les infirmiers brancardiers. Ces derniers se demandaient même comment il avait réussi à tenir aussi longtemps, étant donné la gravité de ses blessures.

Après avoir bataillé pour trouver un téléphone, Leroux et Caujolle appelèrent Laforgue pour qu'il les rejoigne au plus vite. Ils se retrouvèrent ensuite chez Justin Guillot, puisque tel était le nom de l'homme qu'ils pourchassaient depuis trois mois.

— Regarde, indiqua Leroux à son coéquipier, qui la ramenait moins depuis son attitude peu glorieuse dans l'appartement. Je crois savoir où notre homme s'est caché pendant que vous fouilliez sa piaule.

Près de l'entrée, derrière un rideau, se trouvaient quelques marches qui conduisaient à un cagibi obscur rempli de toiles d'araignées. L'Ogre avait eu largement la place de s'y cacher.

— Comment a-t-on pu louper ça ? murmura Caujolle avec regret.

Ils inspectèrent les tiroirs et les rangements des quelques meubles que contenait le salon.

– Rien, pas un papier ou un indice exploitables.

– Je crois que notre oiseau s'apprêtait à quitter le nid, nota Leroux.

– Ce qui expliquerait qu'il ne soit pas allé à son boulot ces deux derniers jours.

– Il devait être venu récupérer des affaires quand Pauvert s'est pointé.

– Pauvre type ! Il s'est vraiment trouvé au mauvais endroit au mauvais moment.

Leroux ouvrit la porte du poêle à bois dans l'encoignure de la pièce et en inspecta l'intérieur.

– Qu'est-ce que tu cherches ?

– Des indices.

– Là-dedans ?

– Oui. Il a brûlé des papiers récemment !

Caujolle haussa la tête par-dessus l'épaule de son collègue et vit distinctement des feuillets carbonisés.

– Je crois que tes preuves ont cramé, fit-il, dépité.

Leroux sortit un porte-mine en laiton de sa poche et les effleura de la pointe.

– Pas forcément. Si le papier n'est pas tombé en cendres, et ce n'est pas le cas ici, il porte encore la trace de l'encre.

– Ah bon ! On ne voit rien.

– Évidemment qu'on ne voit rien ! Tu n'as jamais écrit des messages dissimulés avec du jus de citron quand tu étais gosse ? C'est un peu le même système ici. Il suffira d'étaler la feuille noircie sur une lame de verre recouverte de liquide gommeux puis de la photographier : la plaque fixera les caractères que l'œil ne peut déchiffrer.

– Tu me fais marcher !

– Oh, ce n'est pas de la magie, simplement de la chimie ! Ça fonctionne extrêmement bien. Toute la difficulté est de veiller à ce que les feuilles ne se désagrègent pas quand on les transporte. On les récupérera plus tard. On va d'abord s'occuper de ce que tu as trouvé dans la chambre tout à l'heure.

*

– Qu'est-ce que c'est que ce truc ?

La chambre de l'Ogre était la réplique exacte de la pièce où l'on avait trouvé Pauvert agonisant. Elle ne comportait qu'un lit en fer et une table de chevet bancale, mais l'un des murs était entièrement couvert de dizaines de dessins et de schémas insolites.

– On dirait des cartes.

On distinguait des formes circulaires divisées en zones de tailles variables, des fleuves tortueux, des mers, des routes sinueuses qui s'entrelaçaient, des monts et des gouffres, le tout parsemé de légendes et de chiffres.

– C'est écrit en italien. Regarde là : « *Averno* », « *Stige* », « *Cocito* »… C'est un plan des Enfers.

– Bordel ! Toujours sa foutue obsession ! Mais à quoi peuvent correspondre tous ces chiffres sur les plans ?

– Aucune idée. Mais tu sais ce que dirait le patron ?

– « Pièces à conviction, on embarque tout ! »

Leroux pivota sur lui-même pour examiner la chambre.

– Bon ! Il va falloir que je passe ces pièces au crible pour les empreintes.

Caujolle lui jeta un regard médusé.

– À quoi bon ? On est sûrs maintenant qu'il s'agit de l'Ogre… enfin, de ce Justin Guillot.

– Ce ne sont pas ses empreintes que je vais rechercher, mais celles des gosses assassinés et de John Kendall, pour savoir s'ils ont été séquestrés ici.

*

– Pourquoi ne m'a-t-il pas tué ?

La question, qui taraudait Louis depuis son agression, resta en suspens dans la chambre d'hôpital. Frédéric, qui était resté à la brigade avec Laforgue et Biasini lors de l'intervention, était accouru au chevet de son ami à l'hôpital Saint-Roch. Les médecins avaient diagnostiqué un léger traumatisme crânien. Louis n'était probablement pas resté inconscient plus de quelques minutes. Rien de bien grave donc, même si le policier devait s'attendre à des migraines et des sensations de vertige dans les jours suivants.

– Pour prouver sa puissance. Il t'épargne pour montrer qu'il a le pouvoir de vie et de mort sur autrui.

– Mais j'étais un obstacle pour lui. Tu as dit toi-même qu'il s'était débarrassé de la mère du troisième enfant parce qu'elle le gênait.

– Les situations sont complètement différentes. Tu ne faisais pas partie de son aire sacrificielle. Il n'avait pas prévu de te tuer, ce qui est arrivé était une pure erreur de parcours à ses yeux. Le meurtre de cette femme avait un sens, car il lui permettait d'enlever le gamin.

Frédéric se posta devant la fenêtre de la chambre qui donnait sur la rue Defly, au bout de laquelle on distinguait les quais du Paillon. Une voiture tirée par des chevaux encombrait le passage et valait à son cocher de se faire copieusement insulter.

– Mais il y a peut-être une autre raison…

– Laquelle ?

– En se débarrassant de toi, il aurait éliminé la personne la plus à même de l'arrêter.

– Encore ton idée tordue ! Tu crois toujours qu'une partie de lui-même désire qu'on mette fin à cette série de meurtres ?

– Une partie inconsciente, sans doute. Mais ses crimes n'ont de sens pour lui que s'ils sont dévoilés au grand jour. Surestimation de soi… Il ne peut éprouver de satisfaction que si on le pourchasse.

– Je ne sais pas. Tu n'as pas vu le regard qu'il m'a lancé… J'ai eu l'impression qu'il voulait me faire passer un message, renchérit Louis, que la douleur regagnait. Tu te rends compte que Pauvert a réussi à le trouver avant nous ?

– Il a eu de la chance.

– De la chance… Façon de parler, vu la manière dont il a fini.

– C'est vrai, mon expression était maladroite.

– Bilan : un homme est mort, l'Ogre nous a échappé et nous n'avons toujours aucune idée de l'endroit où se trouve le petit Kendall. Je crois que c'est la journée la plus merdeuse de ma vie.

Frédéric s'éloigna de la fenêtre pour revenir au chevet du policier.

– Ils vont te laisser sortir aujourd'hui ?

– De toute façon, je ne resterai pas une heure de plus dans cet hôpital. Et surtout, pas un mot de tout ça à Clara.

– Tu plaisantes ? Tu ne vas quand même pas… ?

Louis le stoppa net.

– Je lui expliquerai que j'ai fait une chute. Un demi-mensonge, pour ainsi dire… Je ne veux pas l'inquiéter avec ça. Tu sais, être la femme d'un mobilard n'a vraiment rien d'une sinécure !

Paris, 36, quai des Orfèvres

L'inspecteur Boissonnard terminait un service de dix-huit heures et s'apprêtait à quitter la Tour pointue quand il reçut un coup de fil pour une recherche urgente à effectuer au service de l'identité judiciaire. Il avait passé une bonne partie de la nuit en planque du côté de Saint-Germain dans l'espoir de coincer une bande d'escogriffes qui œuvrait dans le coin, mais il avait fait chou blanc. Il avait dû ensuite subir les foudres de son commissaire divisionnaire pour une peccadille, se coltiner des tonnes de paperasses et taper ses rapports en retard sur une machine à écrire revêche dont le ruban encreur ne cessait de dérailler, si bien qu'il était crevé. Mais il n'eut pas le temps de se plaindre, car la demande émanait de la brigade de Nice, que dirigeait son vieil ami Forestier. Celui-là ! Un vrai bourreau de travail, et le cœur sur la main avec ça ! Ils en avaient passé, de bons moments, ensemble. S'il pouvait lui rendre service…

Pour la première fois de sa vie, c'est donc sans déplaisir que Boissonnard se rendit dans les combles du quai des Orfèvres, dans ce dédale de greniers, de couloirs et de travées où étaient stockés les sommiers judiciaires.

L'inspecteur traversa le laboratoire de chimie et l'atelier de photographie, emprunta deux échelles et une passerelle avant de déboucher devant les armoires et les cabriolets où étaient classées, par ordre alphabétique, les fiches des criminels.

Guillot Justin. Il s'arrêta devant les centaines de tiroirs consacrés à la lettre G. En raison des homonymies et des erreurs de classement, les recherches dans les fiches parisiennes pouvaient se révéler un calvaire et Boissonnard craignit un moment d'en avoir pour des heures à les compulser dans ces greniers poussiéreux et surchauffés. Mais il eut de la chance.

Au-dessus des relevés décadactylaires s'étalaient les photographies de face et de profil de Guillot. Un jeune homme massif aux yeux caves et au menton légèrement fuyant. Boissonnard parcourut rapidement la fiche.

GUILLOT
Justin Charles
Né le 13 juillet 1891 à Guéret (Creuse)

Nuit du 9 au 10 janvier 1912 : A provoqué une rixe dans un bar de Saint-Michel, blessant grièvement deux hommes au couteau.

Condamné le 13 février 1912 à quatre mois de prison ferme.

C'était tout. Boissonnard fut déçu. La brigade de Nice ayant présenté l'affaire comme pressante, il se serait attendu à un casier plus chargé. Le pedigree de ce Guillot faisait pâle figure à côté de celui des autres criminels dont ces tiroirs contenaient les exploits.

Comme on le lui avait demandé, il devait à présent faire comparer les empreintes de l'individu avec des clichés dactyloscopiques que le laboratoire avait reçus trois mois plus tôt dans le cadre d'une enquête sur la mort à Nice de deux prostituées.

L'inspecteur se dirigea vers la section des empreintes, songeant déjà au bon petit fricot qu'il avait l'intention de déguster sitôt sa mission accomplie.

*

Il était un peu plus de 18 heures lorsque, accompagnée de son fils, Clara Forestier descendit du tramway. Durant le trajet, la perche du trolley avait sauté et ils avaient dû attendre un bon moment avant de repartir. Clara avait récupéré Jean chez une nourrice qui habitait du côté de Saint-Sylvestre. Comme Louis l'y avait fortement incitée, elle le faisait garder deux après-midi par semaine pour s'octroyer un peu de temps libre.

Clara ne le montrait jamais mais elle vivait dans la peur constante qu'il arrivât malheur à son époux. Car elle connaissait les dangers de sa profession, même s'il essayait de les minimiser devant elle. En trois ans de vie commune, elle avait entendu parler de deux inspecteurs parisiens morts lors du démantèlement d'un gang de détrousseurs de voitures de poste, d'un commissaire tué par les ravisseurs d'un riche industriel lyonnais, sans compter les dizaines de blessés que faisaient les interventions à risque des brigades.

Mais par son tour exceptionnel l'affaire des meurtres d'enfants l'avait plongée dans une angoisse nouvelle. Elle voyait bien que depuis quelques semaines son mari était devenu plus sombre, plus taciturne aussi, comme s'il avait fait de cette enquête un défi personnel. Elle n'ignorait pas non plus les multiples pressions qu'il devait subir de la part des différentes autorités dont il dépendait : les procureurs généraux, les préfets et le ministère de l'Intérieur. Trois fois plus de chances, donc, de se faire remonter les bretelles si les résultats n'étaient pas au rendez-vous !

La jeune femme essaya de chasser ses sinistres pensées et reporta son attention sur son fils. Ces derniers temps, Jean commençait à déchiffrer les lettres de l'alphabet et il avait eu le temps de repérer les voyelles E et A que comportait son nom sur le panneau publicitaire « RHUM LUCETA » qui s'affichait sur le toit du wagon. Ils ne mirent que quelques minutes pour regagner leur maison à pied. Sur le perron, Clara fouilla dans son sac pour chercher ses clés pendant que Jean batifolait dans le jardin. Ce n'est qu'en relevant la tête pour ouvrir la serrure qu'elle le vit.

Un morceau de papier blanc cloué sur la porte. Un message dont elle ne saisit pas la portée, même après qu'elle l'eut relu à plusieurs reprises :

Pas de cadeau la prochaine fois.
Prenez bien soin de votre femme et de votre fils.

– Vous partirez demain matin, il y a un train pour Marseille à 9 heures. Hors de question d'attendre plus longtemps !

Clara, Frédéric et Louis étaient réunis dans le petit salon. Sur la table basse trônait le mot laissé par l'Ogre à côté d'une bouteille de vin d'orange. Louis, qui ne buvait presque jamais, s'était déjà resservi un verre. Il se sentait à vif, une colère inédite sourdait en lui. Comment ce détraqué avait-il osé ? S'attaquer à sa propre famille, venir jusque chez lui pour laisser cette menace dégueulasse ! C'était la première fois qu'une enquête avait de telles répercussions sur sa vie privée, et il ne le supportait pas.

Après la découverte du mot, la jeune femme avait appelé la brigade pour prévenir son mari. Louis était aussitôt accouru, accompagné de Caujolle et de Frédéric. Les trois hommes avaient examiné attentivement la maison et il semblait peu probable que l'Ogre eût pénétré à l'intérieur. Caujolle avait proposé de monter la garde la nuit suivante, mais Louis avait refusé, jugeant que c'était à lui de le faire.

– Tu resteras chez ta sœur le temps qu'il faudra.

– Je n'ai pas envie de te laisser seul ici, avec ce fou dans la nature, s'exclama Clara, les yeux brillants de larmes.

Louis était resté inflexible face à ses précédentes protestations, et elle insistait tout en sachant qu'elle ne pourrait pas le faire changer d'avis.

– Écoute, ma chérie, je sais ce que je fais. Je suis dans la police depuis plus de quinze ans et je te promets que nous ne prendrons aucun risque inutile.

Clara lui lança un regard courroucé, avant de poser la question qu'il redoutait.

– Dis-moi ce qui s'est passé exactement aujourd'hui. Et je ne veux plus de mensonges !

Louis observa un silence embarrassé.

– Nous avons failli le coincer, dit-il enfin. Nous étions vraiment à deux doigts de l'avoir. Mais nous avons manqué de chance.

– Pourquoi a-t-il écrit : « Pas de cadeau la prochaine fois » ? Tu as été en contact avec cet homme, n'est-ce pas ?

La version de la chute accidentelle ne l'avait visiblement pas convaincue.

– Brièvement. Mais rassure-toi, il fanfaronne : Frédéric pourrait t'expliquer que ce malade a un sacré problème d'ego. Je n'ai jamais été en réel danger.

Clara secoua doucement la tête.

– Pourquoi alors faut-il que je parte ? Et pourquoi Caujolle parlait-il de Pauvert à voix basse tout à l'heure ?

– Pauvert est mort.

– Mon Dieu !

Louis posa une main rassurante sur le bras de sa femme.

– Clara ! C'était un détective médiocre qui n'était pas entraîné pour ce type d'interventions. Il était seul et n'aurait jamais dû essayer de faire le travail à notre place.

Ce jugement sans concession ne reflétait pas sa pensée. Malgré tous ses défauts, Pauvert avait été assez perspicace pour retrouver le tueur avant eux, et ses explications concernant son éviction des brigades avaient laissé un goût de fiel dans la bouche du commissaire. L'échec de l'après-midi n'en était que plus cuisant.

*

La nuit parut interminable au policier. Il avait barricadé toutes les issues de la maison, puis s'était posté dans le salon avec une arme de rechange prise dans le stock de la brigade et un fusil de chasse qu'il avait sorti des combles. Si l'Ogre se pointait, il n'y aurait ni arrestation ni procès. Il s'en faisait la promesse. Clara avait préparé une réserve de café puis était montée se coucher, vaincue par l'insistance de son mari. Lui et Frédéric se relayèrent toute la nuit pour monter la garde. Malgré leur certitude que l'homme ne tenterait rien, aucun des deux ne put fermer l'œil cette nuit-là.

*

– Inutile de se voiler la face : nous avons pris hier une sacrée déculottée !

Le début *ex abrupto* n'était pas des plus motivants.

– Comme vous vous en doutez, j'ai eu l'occasion de cogiter cette nuit et je crois que nous devons essayer de retourner la situation à notre avantage. Certes, notre homme nous a échappé et nous avons un lourd tribut à payer…

Louis glissa un regard vers Delville, qui était installé à son bureau, la jambe dans le plâtre. Il l'avait exhorté à rester chez lui, mais l'inspecteur avait refusé d'abandonner l'équipe dans un moment aussi critique.

– … mais nous avons aussi collecté un certain nombre d'informations qui devraient nous faire avancer. D'abord, comme nous l'a confirmé le service des archives, Justin Guillot existe bel et bien. Je dois vous avouer que je n'y croyais pas trop, mais il a déjà été arrêté, même si c'était pour des broutilles.

Louis relut le motif de la condamnation de Guillot avant de reprendre.

– Une simple bagarre dans un bar : tout cela est plutôt maigre. Nous aurons bientôt sa photographie pour confirmer que c'est bien l'homme qui nous a filé entre les doigts. Ce qui m'ennuie surtout, c'est qu'après avoir purgé sa peine, il a disparu dans la nature. J'ai contacté le service des armées pour qu'il recherche sa trace. Cet homme n'est pas un fantôme et il a bien dû être enrôlé à un moment ou à un autre. Cela dit, même si nous reconstituons son passé, il est bien évident que ça ne nous conduira pas à sa tanière – s'il en a une, comme nous le supposons.

Forestier se tourna vers Biasini et Laforgue.

– Et le proprio de son appartement, vous l'avez retrouvé ?

– Oui, mais on n'a pas pu en tirer grand-chose. Il possède la moitié de l'immeuble et il lui arrive de louer ses appartements au mois. Guillot lui a fait bonne impression et il a obtenu sans problème deux loyers d'avance. Il lui a même montré des papiers d'identité, mais de là à dire qu'ils étaient authentiques…

– Évidemment ! commenta Louis. Pour ce qui est des empreintes, ça se complique. Ils ont merdé à Paris et ils viennent seulement de m'avouer qu'ils ont égaré les clichés qu'on leur a fait parvenir après le meurtre des prostituées ! Ils vont naturellement essayer de remettre la main dessus, mais il vaudrait mieux, Marcel, que tu leur renvoies un jeu. Puisqu'on en est au chapitre des empreintes, parle-nous un peu de celles que tu as relevées dans l'appartement de Riquier.

L'inspecteur, assis sur un coin du bureau, lissa sa moustache.

– Étonnamment, j'en ai trouvé très peu, comme si l'Ogre s'était ingénié à les effacer.

– Ce n'est pas extraordinaire de vouloir supprimer des indices, constata Delville.

– Non, mais il avait laissé des empreintes parfaitement identifiables sur les verres à champagne dans les deux bordels. Alors quel intérêt aurait-il eu à les effacer dans son propre appartement ?

– Ça n'est pas faux.

Frédéric se gratta le menton.

– Les empreintes n'ont peut-être rien à voir là-dedans. On peut aussi vouloir nettoyer un lieu d'un point de vue symbolique.

– Tes symboles commençaient à nous manquer, le charria Louis. Qu'est-ce que tu veux dire exactement ?

– Eh bien, vouloir tourner une page, disparaître sans laisser de traces de soi. Il se pourrait que notre homme soit entré dans une nouvelle phase. Voilà deux jours qu'il ne s'était pas rendu à son travail. Or on sait qu'un emploi stable permet de détourner les soupçons, surtout si l'on se montre assidu et sérieux. On peut donc imaginer sans peine qu'il n'avait pas l'intention d'y retourner. Par ailleurs, s'il est venu ici pour voler les photographies, c'est qu'il devait se douter que nous finirions par établir des liens entre les meurtres et remonter sa trace. Je crois qu'il avait prévu de disparaître bien avant que vous ne débarquiez à son appartement.

– Une nouvelle phase, tu dis ?

– Une fuite en avant dont il ne reviendra pas. Le passage à l'acte lui fournit une solution illusoire de comblement narcissique. Plus il tue, plus il éprouve le besoin de tuer : c'est une spirale infernale. Ses dernières inhibitions sont en train de sauter. Le fait que certainement il se soit replié dans la tanière où est séquestré John Kendall nous montre qu'il vient de couper tous les ponts qui le reliaient encore à la société : plus d'adresse, plus de travail… Je crois qu'il pourrait se remettre à tuer plus tôt que prévu.

– Il nous reste trois jours avant les nones…

Frédéric secoua la tête.

– Je ne pensais même pas au petit Kendall. Il pourrait se mettre à accélérer le rythme de ses enlèvements. Sa première expérience meurtrière – qui à mon avis remonte bien au-delà de l'assassinat des prostituées – lui a ouvert la voie de la récidive. Il doit chercher à revivre sans cesse l'excitation ressentie lors du premier crime. Mais plus le temps passe, moins l'acte comble ses attentes – un peu comme une drogue qui finit par avoir moins d'effets lorsqu'on en devient dépendant. C'est pourquoi je pense que la compulsion prendra le pas sur l'aspect rituel de ses meurtres.

– Tu veux dire qu'il pourrait ne plus respecter ce foutu calendrier ?

– C'est possible.

Le sinistre augure de Frédéric jeta un froid.

– Bien. Et pour en revenir aux empreintes, Marcel ?

– Je n'en ai pas trouvé qui appartiennent aux gamins tués ni au petit Kendall. Il ne les a probablement jamais retenus dans cet appartement, ou alors de façon très brève. Comme je vous l'ai dit hier, j'ai fait par contre une découverte plus intéressante dans le poêle à bois : des feuilles carbonisées, non réduites en cendres, que j'ai essayé de faire « parler ». Malheureusement, les résultats que j'ai obtenus ne sont pas à la hauteur de ce que j'attendais.

Leroux prit sur son bureau trois photographies qu'il venait de développer.

– La seule feuille lisible est la lettre anonyme qui avait disparu de ton dossier, René. On est sûrs au moins que c'est bien l'Ogre qui a imité l'écriture et envoyé un faux. Pour les deux autres feuilles en revanche, rien de concluant. Les contrastes ne sont pas assez marqués et je n'arrive pas à faire ressortir l'encre.

– C'est loupé, donc ?

– Pas forcément. J'ai bien l'intention de passer quelques coups de fil à des collègues de laboratoires scientifiques pour voir si on ne peut pas faire mieux. Le problème, c'est que nous n'aurons plus droit qu'à un essai. La gomme que j'ai utilisée a déjà sérieusement altéré les feuilles.

– Fais tout ton possible. S'il a voulu détruire ces papiers, c'est qu'ils peuvent peut-être nous en apprendre pas mal sur lui.

Forestier accrocha au mur, à côté des portraits des quatre enfants, un immense plan de la ville de Nice. Il avait balisé différents emplacements avec des crayons de couleur.

– Un peu de géographie à présent. En rouge, j'ai indiqué les lieux des enlèvements : Riquier, la vieille ville, la villa des Kendall. La croix noire situe l'appartement de notre homme, les croix bleues les endroits qu'il a pu fréquenter dans le cadre de son travail. Que remarque-t-on ?

Leroux fit un cercle imaginaire de la main.

– Qu'à l'exception de la maison des Kendall, légèrement à l'écart, tout s'est joué dans un périmètre restreint.

– Ce qui nous confirme que les victimes n'ont pas été choisies par hasard et que le tueur évolue dans un cercle qu'il connaît comme sa poche, ajouta Frédéric. En revanche, je suis presque sûr que sa tanière se situe en dehors de ce périmètre. Elle doit constituer un lieu de retraite relativement isolé.

Les policiers avaient les yeux rivés sur le plan lorsque Raphaël Mathesson fit une entrée fracassante dans les locaux de la brigade.

– Mon Dieu ! s'exclama-t-il en observant la salle des inspecteurs. Je vois que rien n'a changé ici. Je sais bien que la permanence a parfois du bon, mais là…

– Tu n'auras qu'à nous envoyer ton décorateur la prochaine fois, proposa Louis sèchement.

– Je n'y manquerai pas.

Raphaël prit son temps pour saluer les policiers, qui, après lui avoir manifesté une certaine méfiance, avaient fini par apprécier le côté fantasque du personnage.

– Merci d'être venu si vite.

– Oh ! Pas de quoi ! Je file à l'entraînement tout à l'heure. Le meeting a lieu dans trois jours, je devrais commencer à m'alarmer. Alors, que voulais-tu me montrer ?

Forestier lui tendit l'ensemble des feuilles récupérées par Leroux et Delville.

– On a trouvé ça dans l'appartement du tueur, punaisé aux murs. Je voulais avoir ton avis.

Raphaël jeta un coup d'œil rapide aux plans.

– Très intéressant. *Circa la figura, sito e grandezza dell'Inferno di Dante* de Galileo Galilei. J'en ai un exemplaire chez moi. Une très belle édition in-quarto que j'avais achetée chez un libraire à Rome, à deux pas de la piazza del Popolo…

– D'accord, épargne-nous les détails bibliophiliques. Qu'est-ce que c'est, exactement ?

Raphaël porta à ses lèvres un mince fume-cigarette.

– Eh bien, tout le monde connaît Galilée pour ses travaux d'astronome et de physicien.

– Il n'a pas créé une lunette d'observation ? hasarda Louis.

– Tu m'épates… Quelqu'un aurait du feu ? Je ne sais pas où j'ai fourré mon briquet !

Louis prit un paquet d'allumettes sur le bureau et le lança à l'aviateur.

– Mais ce que peu de gens savent, c'est qu'à l'âge de 24 ans Galilée a donné à Florence, devant un parterre d'universitaires, des leçons sur l'architecture et la taille des Enfers tels qu'ils ont été décrits par Virgile puis par Dante. Tombées dans l'oubli, ces leçons n'ont été redécouvertes qu'au XIXe siècle… par un certain Ottavio Gigli, je crois, le même qui a établi la meilleure édition des nouvelles de Sacchetti…

– Bon, bon, tempéra Louis. Reviens-en aux cartes, s'il te plaît.

– Si tu ne me coupais pas la parole à tout bout de champ ! Grâce à de savants calculs, Galilée a donc analysé avec le plus grand sérieux la taille du royaume d'Hadès. Il a même démontré que Dante et Énée étaient descendus au centre de la Terre dans le sens inverse des aiguilles d'une montre. Tous les chiffres que vous voyez sont les mesures précises qu'il a établies. Ce que nous avons sous les yeux n'est rien d'autre que le plan des Enfers tels qu'on se les imaginait au XVIe siècle.

– Je veux bien que ce type soit dérangé, mais au point de croire vraiment en l'existence des Enfers ?

– Pas nécessairement, remarqua Frédéric. Rappelle-toi qu'il a ses propres repères, sa propre logique. Nous avons en psychiatrie un concept que l'on nomme « ancrage *in realia* ».

– Tu peux traduire, s'il te plaît ?

– Il m'est par exemple arrivé de suivre des patients qui se croyaient victimes de persécutions. L'un d'entre eux s'imaginait être surveillé par une organisation gouvernementale secrète. Il changeait fréquemment de logement et s'envoyait des lettres de menaces. Vous me croirez si vous voulez, mais il était persuadé que ces lettres émanaient réellement d'autres personnes.

– Quel rapport avec ces plans ?

– Eh bien, pour conforter son délire, mon patient était prêt à créer de toutes pièces les preuves objectives de sa psychose. Peu importait que les éléments sur lesquels il s'appuyait fussent vrais ou faux, seule comptait la nécessité impérieuse de soumettre le monde qui l'entourait à son délire.

Il s'interrompit, son regard plongeant dans les lignes flexueuses de la carte qui semblaient à elles seules refléter l'esprit torturé du tueur.

– Notre homme n'a que faire des mesures indiquées sur ces plans. Elles n'ont aucune importance en tant que telles pour lui. Leur apparente rationalité scientifique suffit à le persuader que ce qu'il fait est juste. Et je crains que, plus il s'enfonce dans son délire, plus il soit poussé à poursuivre ce qu'il a entrepris.

Sur le point de quitter la brigade, Raphaël proposa à Frédéric de l'accompagner à l'aérodrome. Le médecin avoua qu'il n'était jamais monté dans un avion et Louis parvint à le persuader de ne pas rater cette occasion. Raphaël, lui, se réjouit de pouvoir partager sa passion avec quelqu'un.

– Gabriele D'Annunzio a dit : « D'en haut, les choses prennent une étrangeté de rêve. » Vous allez comprendre pourquoi, Frédéric.

*

En début d'après-midi, on arrêta dans le square Albert-Ier un homme aux allures de vagabond qui avait abordé et effrayé un enfant jouant près d'un jet d'eau. Des badauds, alertés par la mère, avaient eu le temps de prévenir des policiers municipaux qui circulaient par hasard à proximité. L'individu avait une démarche inquiétante et tenait des propos délirants. Lors de la fouille, on avait trouvé dans la poche de son manteau un couteau maculé de sang. Il n'en fallut pas plus pour que la rumeur se répande : on venait d'interpeller le tueur d'enfants qui avait fait l'actualité dans les journaux !

Les policiers de la brigade accoururent au poste de police où l'individu était retenu. Ils furent fraîchement accueillis par les municipaux, qui les soupçonnaient de vouloir s'attribuer la gloire de l'arrestation. Louis constata que le suspect était complètement aviné – ce qui pouvait expliquer son comportement saugrenu – et qu'il ne correspondait en rien à l'homme qu'il avait vu sur les toits. Mais ses explications ne suffirent pas à le faire relâcher. Forestier obtint seulement qu'on lui confiât le couteau pour que Leroux puisse l'analyser.

Dans son laboratoire de fortune, ce dernier préleva avec de l'ouate des échantillons sur la lame. Il prépara ensuite un sérum isolé à partir du sang de lapin auquel il ajouta un peu de son propre sang.

– C'est la méthode de Bordet, expliqua-t-il à Louis. Si je verse ma mixture sur une solution de sang humain dissous dans de l'eau salée, la réaction sera instantanée. Si c'est du sang animal, il ne se passera rien.

Leroux procéda méticuleusement au test.

– Négatif. À mon avis, il n'est même pas sûr qu'il s'agisse de sang. Ça peut tout aussi bien être des taches de vin ou de boue. On ne voit pas la différence à l'œil nu.

– Quelle perte de temps ! s'énerva Forestier. Il ne manquerait plus que ce pauvre hère fasse la une des journaux demain !

Peu après, par le biais de la concierge de l'immeuble, il eut au téléphone Clara, qui était bien arrivée à Marseille. Elle ne put se retenir de sangloter et Louis dut lui promettre, sans doute avec un excès de confiance, que cette séparation ne serait que l'affaire de quelques jours.

*

Lorsque l'appareil de Raphaël s'arracha du sol, Frédéric sentit son cœur battre la chamade. Une impression qui n'avait pas grand-chose à voir avec la peur mais s'approchait plutôt d'une franche euphorie. Ce qui le frappa le plus fut le bruit assourdissant qui l'entoura dès qu'ils eurent quitté la terre ferme, tout autant que le souffle de l'air qui fouettait son visage.

Comme le lui avait expliqué Raphaël durant le trajet jusqu'à l'aérodrome de la Californie, le Caudron G3 avait connu un énorme succès durant les deux premières années de la guerre, avant que sa vulnérabilité et sa faible vitesse pour les combats ne le fassent retirer du front. Après la fin des hostilités, le biplan mono-moteur avait été largement utilisé dans les écoles de pilotage et par des pilotes civils qui avaient accompli à son bord des exploits restés dans les mémoires. C'était avec cet appareil qu'Adrienne Bolland avait traversé les Andes en 1921. À Nice, la même année, Jean Ors avait été lâché en parachute du Caudron de Maïcon et était venu se poser, non sans encombre, sur le toit du casino.

L'avion avait désormais pris son essor. Voler... le rêve le plus vieux de l'humanité, aussi ancien que l'entreprise folle d'Icare. Le Caudron quitta le littoral de Carras. Sur la gauche, les collines étaient couvertes de serres et de parterres chatoyants, preuve que Nice était bien devenue la capitale des fleurs coupées. Même à cette altitude modeste, la ville offrait un autre visage. L'appareil longea la Promenade des Anglais. Les façades des hôtels et des résidences de luxe se succédèrent comme des miniatures sous les yeux de Frédéric ; il découvrait pour la première fois les luxueuses cours et les jardins intérieurs que les frontons dissimulaient à terre aux regards des passants.

Très vite ils arrivèrent au niveau de la Jetée-Promenade. Le casino, construit sur pilotis et surmonté de sa coupole étrange, s'avançait dans la mer. Frédéric repéra facilement l'embouchure du Paillon, puis l'Hôtel des Anglais, avec ses coursives-promenoirs en fer donnant sur le rivage, ainsi que l'hôtel Ruhl et ses deux rotondes à l'angle du jardin Albert-Ier. Dans ce périmètre limité était condensé ce qui faisait la fortune de Nice depuis plusieurs décennies : ses palaces, ses restaurants, ses casinos, ses magasins de luxe.

Un peu plus haut, de part et d'autre du Paillon, le contraste était saisissant entre la ville nouvelle, rectiligne et uniforme, et la cité ancienne, méandreuse et chamarrée. En survolant le pont Garibaldi et ses quais complantés, il eut une pensée pour le petit Jean Cordier dont on avait retrouvé le corps la veille. Même dans les airs, il avait du mal à détacher son esprit de l'affaire.

Le Caudron fit un brusque virage vers la mer. Raphaël lui avait dit que par beau temps on pouvait voir jusqu'à la Corse. C'était une plaine bleue, infinie, émaillée de crêtes d'écume, qui s'étendait devant ses yeux… la mer comme il ne l'avait jamais vue. À présent qu'il s'était habitué au manque de confort de la nacelle et au vacarme du moteur, le temps s'écoula plus vite durant le trajet de retour.

Le biplan amorça sa descente. Le médecin eut l'impression que la piste d'atterrissage était encore trop éloignée et que l'aviateur ne parviendrait pas à atteindre l'aérodrome. Mais ce n'était qu'une illusion d'optique. Les roues de l'appareil accrochèrent le sol et Frédéric sentit une violente secousse lui traverser le corps. Quand l'avion se fut stabilisé, Raphaël ôta son casque et se tourna vers son passager.

– Alors ?

– Vous aviez raison…

Le millionnaire lui adressa un regard interrogateur.

– « Une étrangeté de rêve… »

*

Raphaël ramena Frédéric à la brigade dans sa superbe Type 30, le premier 8 cylindres de Bugatti. Ils remontèrent la Promenade à une vitesse tout à fait déraisonnable, si bien que tous les regards se retournèrent sur leur passage.

À l'effervescence qui régnait dans les bureaux, le médecin comprit immédiatement qu'une chose grave venait de se produire.

– Ah, tu tombes bien ! fit Louis assis devant le téléphone, probablement dans l'attente d'un appel. Tu ne me croiras jamais… On a retrouvé John Kendall.

Frédéric fut déconcerté par la mine radieuse du policier, qui tranchait avec l'annonce qu'il venait de lui faire. Louis dissipa aussitôt le malentendu.

– On l'a retrouvé… vivant !

8

Les premières leçons ont eu lieu dans la grande salle du château. Un jour, au détour d'une conversation, ta mère a appris au docteur que tu aimais les livres. Il a eu l'air étonné – sans doute ne s'attendait-il pas à ce que le fils d'une domestique s'intéresse à ce genre de choses.

Le docteur t'a prêté quelques ouvrages : une édition de la *Chanson de Roland* ornée de planches en couleurs, un exemplaire relié en cuir vert du *Comte de Monte-Cristo*… Puis il t'a autorisé à venir dans sa bibliothèque pour en choisir d'autres. Ta mère était réticente, par peur que tu n'abîmes les livres dont certains valaient plus que sa paye mensuelle. Mais le docteur a insisté et ta mère a craint de se montrer inconvenante.

Un jour, ton choix se porte sur un volumineux exemplaire de l'*Odyssée*. C'est le titre, obscur, qui te plaît. Le docteur t'explique que cette œuvre a été créée il y a près de trois mille ans, que les premières versions n'ont pas été mises par écrit mais qu'elles étaient chantées par des poètes qui apprenaient par cœur des milliers de vers. Tu as déjà vu des reproductions de troubadours du Moyen Âge et tu t'imagines des saltimbanques en chausses et capuchon parcourant les routes.

– As-tu appris le grec et le latin ?

Tu penses d'abord qu'il se moque de toi. Tu n'as bien sûr étudié ni l'un ni l'autre. Tu sais seulement que le latin était parlé par Jules César et tu penses aussitôt au jardinier du domaine. Le docteur t'apprend qu'« *Odysseus* » était le nom grec d'Ulysse et que le terme « Iliade » désigne la ville de Troie, qu'on appelait alors « *Ilion* ».

– Aimerais-tu apprendre ces langues ?

Tu marmonnes une vague réponse, suffisante pour qu'il propose à ta mère de te donner quelques leçons. Depuis son arrivée, elle a compris qu'il n'a pas pu avoir d'enfant et elle s'imagine qu'il voit en toi un fils qu'il n'aura jamais.

En deux après-midi, assis au bout d'une large table en chêne qui remplit presque la largeur de la pièce, tu as appris l'alphabet grec et tu es capable de déchiffrer des mots : *anthropos*, l'« homme », *hippos*, le « cheval », *païs*, l'« enfant »… Tu es doué, très doué même. Les caractères étranges deviennent très vite familiers pour toi. Ce ne sont pas des lettres que tu vois, mais des objets auxquels tu les associes : Ψ est un trident, Φ un bouclier, Ω une porte. Tu as toujours eu une excellente mémoire et apprendre ne te demande aucun effort.

Ta mère est mécontente. À quoi ces leçons sur des langues mortes pourraient bien te servir ? Mais elle n'en montre rien et remercie le docteur avec soumission pour le temps qu'il te consacre. Il répond que cela lui fait plaisir, qu'il est heureux de partager son savoir. Que tu iras loin.

*

Vous vous voyez plusieurs fois par semaine. Justin et toi explorez la forêt, vous tirez au fusil dans la clairière – il n'ose plus prendre le Mosin-Nagant de son père et se contente d'un simple fusil de chasse –, vous vous baignez dans la mare derrière le pigeonnier. Vous avez aussi pris l'habitude de vous retrouver dans l'une des granges en torchis de la métairie.

Ce jour-là, tu l'as attendu pendant une heure, assis au milieu de la paille, griffonnant quelques dessins ou feuilletant un livre du docteur. Quand il arrive enfin, Justin a un énorme coquard violacé autour de l'œil. On voit qu'il a pleuré.

– Qu'est-ce que tu t'es fait ? demandes-tu, inquiet, en lâchant ton roman et tes feuilles.

Justin tente de faire bonne figure et hausse les épaules comme un enfant boudeur.

– *Rin dau tout.*

Tu as remarqué qu'il n'employait le patois que par dérision ou lorsqu'il ne voulait pas parler.

– Tu rigoles ! Dis-moi ce qui s'est passé.

Justin s'assoit sur une botte de paille mais refuse d'en dire plus. Tu dois le questionner pendant cinq minutes pour lui faire lâcher le morceau.

– C'est le père. Ce salaud m'a encore dérouillé. Il m'a mis une de ces *donzades* !

Tu es abasourdi. Jamais tu n'aurais imaginé qu'un gaillard comme lui puisse être battu.

– Tu veux dire… que c'est pas la première fois ?

Il agite la tête et prend un ton rageur.

– Qu'est-ce que tu imagines ? La marque… sur mon corps, tu croyais pas vraiment que c'était une tache de naissance !

– Comment il t'a fait ça ?

Il balaie une mèche qui retombe sur son visage.

– Au vitriol.

Il s'arrête et te regarde pour la première fois dans les yeux.

– C'était y a deux ans. Il était saoul comme un cochon ce jour-là. Le dîner était prêt et j'ai eu le malheur d'aller le voir dans son atelier parce qu'il rentrait pas à la maison.

Son débit devient rapide, comme s'il éprouvait à présent le besoin de se confier.

– Il m'a gueulé dessus sans raison en disant que j'étais qu'un bâtard. Il peut raconter n'importe quoi quand il a un coup dans le nez. Il a pris le premier récipient qu'il a trouvé et me l'a balancé dessus. J'en ai bavé pendant des mois, je te dis pas ! Ma peau avait fondu avec les vêtements. Même aujourd'hui, ça continue à me brûler…

Tu es totalement effondré. Tu préférerais être ailleurs, ne pas avoir à l'écouter.

– On ne l'a pas arrêté pour ça ?

Au coin de ses lèvres se dessine un sourire narquois qui souligne ta crédulité.

– Si tu crois qu'on a appelé les cognes ! Même la mère a dit que je l'avais *pet'iète* bien cherché. J'ai dû dire que c'était un accident, que je m'étais fait ça sans le faire exprès. Qu'est-ce qu'on deviendrait, la mère et moi, si ce con n'était plus là ? D'un autre côté, il était complètement beurré. C'est pas que je veuille lui trouver des excuses, mais…

Justin se lève. Il n'est pas d'humeur à s'apitoyer sur son sort.

– Bon, si on y allait ? J'ai pas beaucoup de temps. Faut que je nettoie le *tâil* tout à l'heure.

Tu le regardes s'éloigner vers la porte de la grange. En toi, la colère succède à présent à l'accablement. Comment de telles ordures peuvent-elles continuer à vivre en toute impunité ? Justin est ton seul ami, la personne qui compte le plus pour toi en dehors de ta mère. Tu n'acceptes pas qu'on puisse lui faire du mal. Tes yeux se troublent, tu as envie de hurler. Un bouillonnement intérieur. Un magma de colère qui ne demande qu'à exploser.

Mais tu te contentes d'essuyer les larmes naissantes d'un revers de manche en rejoignant ton ami.

9

Aussi loin qu'il s'en souvînt, Louis Forestier avait toujours voulu devenir policier. Lorsqu'il était enfant, alors qu'il sillonnait la campagne à vélo, il ne manquait jamais de regarder les gendarmes à cheval conduire à la maison d'arrêt les délinquants des environs attachés à leur monture. Il ne s'agissait là que de menu fretin, mais lui s'imaginait déjà mettre sous les verrous les assassins dont les gazettes chroniquaient les méfaits avec une fascination dérangeante.

Louis avait grandi à une époque où les bandes qui terrorisaient les populations rurales prospéraient. Dans les fermes isolées, les rapines et les agressions se multipliaient à un rythme inquiétant. Les cibles étaient souvent des vieillards qu'on retrouvait assommés, mutilés, étranglés, parfois même carbonisés. Il devait avoir 10 ans lorsqu'on avait découvert les propriétaires d'une ferme voisine de celle de ses parents ligotés dans une remise, couverts d'ecchymoses et les pieds brûlés pour ne pas avoir voulu révéler la cachette de leur magot. Cette pratique s'était vite répandue et dans les journaux était apparu le terrible terme de « chauffeurs » pour les désigner. Les gouvernements qui se succédaient étaient fréquemment interpellés sur des questions de sécurité. Les débats à la Chambre ne manquaient pas. On se désolait de ces actes barbares ; on stigmatisait la faiblesse des juges – un président de tribunal n'avait-il pas reproché à une pauvre victime qui venait d'échapper par miracle à la mort de s'être débattue, excitant ainsi ses agresseurs ? ; on vitupérait un système de répression archaïque ; on s'indignait enfin qu'il fallût parfois attendre une semaine pour que le parquet se déplace après un meurtre. Mais ces indignations demeuraient stériles et n'entraînaient aucune réaction concrète. Il avait fallu attendre que Clemenceau, alors ministre de l'Intérieur, monte à la tribune pour annoncer son intention de créer une police judiciaire dont la seule tâche devrait être la recherche et la capture des malfaiteurs pour que les choses changent. «Je ne ferai pas disparaître les crimes et les délits de la surface du globe, avait déclaré le Tigre. Mais comptez sur moi pour mettre toute l'énergie et l'argent dont nous disposons pour démasquer les coupables et les châtier sévèrement. »

Lorsque Clemenceau prononça son discours historique à la tribune de la Chambre, Louis désespérait encore dans son obscur commissariat de quartier. Ses parents auraient voulu le voir embrasser une carrière militaire et il commençait à regretter de ne pas avoir suivi leurs conseils. Puis il y avait eu son intégration dans la 1re brigade, la discipline et la rigueur imposées par Faivre, les journées de travail harassantes mais excitantes, le sentiment d'accomplir enfin le métier dont il avait rêvé. Les satisfactions avaient été nombreuses au cours de sa carrière et, plus de dix ans après ce qu'il considérait comme l'âge d'or des brigades, c'était avec nostalgie et un petit pincement au cœur qu'il repensait aux grandes affaires qui avaient fait leur renommée : celle des chauffeurs de la Drôme, du vol de la Joconde, de la bande à Bonnot… abondamment relatées dans la presse. Pourtant, aucune d'elles n'avait réussi à lui procurer le contentement et la plénitude qu'il éprouva, ce 2 avril 1922, en apprenant que le jeune John Kendall avait réussi à échapper aux griffes de l'Ogre, cet assassin qu'il traquait depuis plus de trois mois.

*

Des passants avaient retrouvé l'enfant errant dans une ruelle du quartier Saint-Roch, à hauteur de la passerelle qui reliait les quartiers des Abattoirs et Pasteur, hébété, fébrile, ne sachant pas à l'évidence où il se trouvait et incapable de seulement donner son nom. Plus tard, on supposerait que les vêtements qu'il portait étaient ceux du petit Jean Cordier, dont la mère avait été découverte étranglée dans son appartement miteux de la vieille ville. On avait contacté le poste de police le plus proche. John Kendall avait été conduit à l'hôpital. Son signalement ayant été diffusé dans toute la ville, la brigade mobile avait été avertie moins d'une heure après.

L'enfant ne put répondre à aucune des questions qu'on lui posa. Les médecins qui l'auscultèrent conclurent rapidement que le simple état de choc ne pouvait expliquer son état léthargique et qu'il avait probablement été drogué. Des analyses de sang devaient le confirmer. À l'aide des photographies que lui avait confiées Mᵐᵉ Kendall, Louis put établir avec certitude l'identité du garçon. Il ne tenait pas à une nouvelle méprise. En revanche, à cause de son état, il était hors de question qu'il essaie de l'interroger pour le moment. En sa qualité de médecin, Frédéric eut lui aussi l'autorisation de voir l'enfant, mais il confirma au policier qu'on ne pourrait rien obtenir de lui avant le lendemain.

Forestier pesta et fit les cent pas dans le couloir de l'hôpital. Pour la première fois une victime de l'Ogre avait pu s'échapper, et il ne pouvait même pas lui parler pour mener à bien son travail d'enquêteur. Dans la mesure où John Kendall avait été retrouvé dans le quartier Saint-Roch, à deux pas de Riquier, où l'Ogre avait vécu, à deux pas aussi du pont Garibaldi où on avait découvert la veille le dernier cadavre, on pouvait supposer que la tanière du tueur se situait dans ce périmètre restreint. Comment, dans son état, l'enfant aurait-il pu en effet parcourir des kilomètres, sans même que des badauds le remarquent ? Ce qui remettait quelque peu en question la théorie de Frédéric selon laquelle le lieu de retraite de l'Ogre était éloigné de la zone dans laquelle il avait opéré jusque-là. Si John avait été en mesure de communiquer, Louis aurait pu lancer des recherches ciblées dans les environs. Mais, sans informations plus précises, il ne put que demander aux municipaux d'effectuer quelques rondes dans le quartier.

– Justin Guillot vient de commettre sa première erreur, remarqua Caujolle. Si ce gosse a pu lui échapper, c'est qu'il relâche son attention.

Louis était du même avis. Ce pouvait être au moins un motif de satisfaction.

– Peut-être que notre petite rencontre d'hier l'a tourneboulé plus qu'on ne le pensait. Les choses ne se déroulent plus comme prévu, il doute et panique.

« Ou quelque chose nous échappe encore », pensa Frédéric. Cette évasion soudaine, trop belle pour être vraie, ne le satisfaisait pas. Elle ne cadrait pas avec la maîtrise et le sang-froid qu'ils avaient pu constater chez le tueur depuis le début. Quelque chose clochait. À nouveau une intuition vague, qu'il ne pouvait pas encore formuler avec des mots.

Louis avait immédiatement téléphoné aux Kendall pour leur apprendre la nouvelle. Edmonde Kendall et sa fille Lisa arrivèrent en un temps record à l'hôpital. Pour la première fois, la mère affichait un visage dénué de toute froideur. Quant à Lisa, elle était à nouveau en pleurs, mais c'étaient cette fois des larmes de joie qui coulaient sur ses joues.

— Merci, commissaire, déclara Mme Kendall en serrant énergiquement la main de Louis, qui supposa que ce genre de compliments devait être exceptionnel dans sa bouche.

— Mon ange ! s'écria Lisa en avançant au chevet de son petit frère.

Les deux femmes eurent la possibilité de rester un moment avec lui – on imaginait mal d'ailleurs qu'on pût refuser ce droit à une femme telle qu'Edmonde Kendall !

En les voyant toutes deux réunies autour de l'enfant, Frédéric ne put s'empêcher de songer à sa propre famille. La ressemblance sautait aux yeux : des univers entièrement féminins et maternels où le père était absent ou caché. Il se revoyait au milieu de sa mère, sa tante et sa grand-mère, dans la pension familiale près de l'avenue Carnot. Une période de sa vie où le bonheur, bien réel pourtant, n'avait jamais parfaitement pu s'épanouir, étouffé qu'il était par les secrets qui entouraient l'identité de son père. S'il était doué pour pénétrer l'âme et l'esprit des autres, Frédéric ne l'était guère en matière d'introspection, mais il savait du moins que les mensonges qu'on lui avait contés durant des années avaient laissé une blessure en lui, aggravée par un ressentiment latent envers sa mère, qui ne l'avait pas empêché de vivre, bien sûr, mais qu'il avait longtemps sous-estimé, voire nié.

Il n'avait revu son père naturel qu'une seule fois après la guerre. Un jour de l'été 1920, sa mère était venue à l'hôpital Sainte-Anne. Accaparé par son travail, il ne lui rendait plus que de rares visites. Il lui arrivait de passer le dimanche pour déjeuner à la « pension » – il continuait de l'appeler ainsi quoiqu'elle eût été transformée depuis longtemps déjà en appartements –, mais les rapports qu'ils entretenaient s'étaient distendus avec le temps.

Ce jour-là, il avait pu constater combien sa mère avait vieilli. Elle qui était d'un naturel coquet paraissait avachie dans le fauteuil de son bureau. Elle s'était mise à parler d'une voix fatiguée et mal assurée. Son père était mourant. Une bronchite chronique, celle des gros fumeurs, avaient diagnostiqué les médecins, qui provoquait de terribles crises d'asthme et de toux. On pensait qu'il ne passerait pas la semaine. Frédéric avait le devoir de lui rendre visite pour faire ses adieux.

Le devoir ? Mais qu'avait été cet homme pour lui ? Il ne l'avait pas éduqué, pas aimé, pas choyé... À peine l'avait-il vu grandir lors des déjeuners dominicaux où il se faisait passer pour cet oncle arpentant le monde pour ses affaires.

Frédéric avait tergiversé pendant trois jours. Finalement, une fin d'après-midi, il s'était étonné lui-même de sonner à la porte d'un appartement où il n'avait jamais mis les pieds, tout près du Jardin des Plantes. Il se rappelait avoir balbutié quelques mots à la femme qui lui avait ouvert. Sans doute avait-elle été prévenue de sa possible visite. C'était sa femme légitime, la mère des demi-frères et de la demi-sœur qu'on lui avait toujours cachés. Elle s'était montrée plutôt affable envers lui et l'avait conduit dans une chambre à alcôve, aux murs couverts de tentures sombres, dans laquelle on décelait une odeur morbide qu'il ne connaissait que trop.

Son père était allongé dans le lit, somnolant, le teint blafard, noyé sous les couvertures. Frédéric s'était assis sur une chaise à son chevet. Le malade avait entrouvert les yeux et un sourire était apparu sur ses lèvres. « Frédéric », avait-il murmuré avant que son corps tout entier ne soit agité par une toux psalmodique interminable.

Frédéric avait contemplé l'homme étendu à ses côtés. Il aurait aimé éprouver de la compassion, mais il ne ressentait rien. Son cœur était sec comme un coup de trique. Pas d'émotion, pas la moindre pitié.

Son père haletait, privé de souffle. Leurs regards s'étaient croisés et il avait semblé à Frédéric que le mourant lisait dans son cœur à livre ouvert. Une sorte d'affolement était passé dans ses yeux avant qu'une quinte ne le prenne à nouveau.

Frédéric regrettait d'être venu. Il n'avait pas prononcé un mot et était sorti de la chambre sans se retourner.

Son père était mort dans la soirée.

– Avez-vous arrêté… cet homme ? demanda Mme Kendall lorsqu'elle fut ressortie de la chambre de son fils.

– Pas encore, mais je peux vous assurer que nous ferons tout pour le retrouver, fit Louis d'un ton grave.

Le regard d'Edmonde Kendall s'assombrit et son visage retrouva sa dureté coutumière.

– Le jour où cet individu sera guillotiné, commissaire, je peux vous assurer que je serai aux premières loges.

*

– Voilà une heure que j'essaie de vous joindre. Je voulais vous féliciter dès que j'ai appris la nouvelle !

La première phrase avait été prononcée sur le ton du reproche, la seconde avec une sorte d'enthousiasme inhabituel chez Bouvier. Forestier se contenta d'un laconique « Merci, patron ». En réalité, il ne voyait pas trop quels honneurs il pouvait tirer de cette affaire. La brigade n'avait pas mis la main sur le tueur et elle n'avait pas plus délivré le petit Kendall. C'était plutôt la chance qu'il fallait invoquer. Mais Louis savait que pour ses supérieurs seuls les résultats comptaient. Les méandres d'une enquête n'intéressaient personne. Ce qu'on voulait, c'étaient des chiffres positifs dans les statistiques ministérielles.

– Émile Durand m'a demandé de vous transmettre aussi ses félicitations. Nous savions que nous pouvions compter sur vous !

Louis goûtait peu ce genre de congratulations qu'il savait hypocrites. Si John Kendall avait été retrouvé mort, il aurait sans doute été sur la sellette. Depuis sa disparition, Dieu sait quelles conversations avaient dû avoir lieu à son sujet dans les salons feutrés du ministère de l'Intérieur.

– Le directeur de la Sûreté m'honore, dit-il d'un ton équivoque. Malheureusement, ça ne ramènera pas Pauvert.

– Allons, ne parlons plus de ça ! Ce qui est arrivé à ce détective est une tragédie, mais nous ne sommes responsables de rien. Ce sera une preuve de plus donnée aux citoyens qu'ils doivent avoir une confiance absolue en leur police et ne pas tenter de régler des affaires criminelles par eux-mêmes.

Bouvier n'était pas devenu directeur des brigades mobiles par hasard. Il avait plus le tempérament d'un politicien que celui d'un flic, et, comme tous les politiciens, il était capable de retourner n'importe quelle situation en sa faveur. Pauvert n'avait été qu'un pion. En haut lieu, on avait tout fait pour lui faciliter la tâche dans le but de complaire aux Kendall. Mort, il n'était plus qu'un incident de parcours.

– Je ne vais évidemment pas vous dicter votre conduite, mais il serait sans doute judicieux que vous mettiez temporairement de côté votre rancœur envers nos amis journalistes. Répondez à leurs questions, accordez-leur des entretiens et mettez en avant le travail des brigades. Insistez sur le fait que nous venons de remporter une grande victoire et que l'arrestation de ce monstre n'est plus l'affaire que de quelques jours. Les grands nationaux seront friands de cette issue heureuse.

Louis n'en croyait pas ses oreilles. Voilà maintenant que Bouvier fabulait sur le déroulement de son enquête en promettant une arrestation plus qu'incertaine.

– Je crains que ce délai ne soit très optimiste. Nous avons certes des informations sur cet homme, mais rien d'assez précis pour…

– Tss tss, le coupa Bouvier sans y mettre les formes. Ne sous-estimez pas votre travail. De toute manière, dans deux jours, les journaux seront passés à autre chose. Vous les connaissez ! Il faut tirer les marrons du feu tant qu'ils sont chauds. Je vous le dis, moi : nous l'aurons, notre nouveau Landru !

Leur nouveau Landru ! Il s'agissait donc de cela. Louis repensa à sa conversation avec Pauvert : « Ils voulaient les gros titres des canards, comme à l'époque de Bonnot ! » Le policier suivait toujours de façon assidue les chroniques judiciaires. Si le procès de Landru avait été retentissant et son exécution abondamment commentée, il y avait en revanche chaque année des dizaines de criminels qui obtenaient leur grâce. En octobre 1921, un dénommé Jules Denain avait défoncé le crâne de sa femme avant de lui couper les jambes. Gracié en janvier 1922. Le même mois, à Saint-Brieuc, un maréchal-ferrant avait étranglé à mains nues un cultivateur, handicapé physique. Gracié. À Auxerre, un braconnier avait tué un garde-chasse pour se venger de l'avoir dénoncé. À Agen, un couple de cultivateurs avait tué des fermiers de plus de 70 ans pour leur voler 4 300 francs avant de mettre le feu à leur ferme. Tous graciés. Mais l'Ogre, lui, avait assassiné deux prostituées et trois enfants, puis en avait enlevé un quatrième. Cela valait bien les femmes que Landru avait découpées et brûlées dans sa cuisinière de Gambais. Pour lui, c'était la veuve assurée ! À moins, bien sûr, qu'une expertise médicale ne le déclare irresponsable.

*

Pour l'enfant, la nuit fut agitée et peuplée de cauchemars. Au matin cependant, les effets de la drogue semblaient s'être dissipés. En revanche, il demeurait toujours aussi mutique. Frédéric demanda à Louis la permission de l'interroger. À la suite d'une épreuve particulièrement difficile, expliqua-t-il, il n'était pas rare qu'un individu perde temporairement l'usage de la parole ou qu'il se montre peu enclin à évoquer ce qu'il avait vécu. Il se pouvait même que l'enfant fût partiellement atteint d'amnésie, si le souvenir de son enlèvement avait été refoulé. Mieux valait donc qu'il soit interrogé par un médecin qui avait l'habitude de parler avec des patients traumatisés. Et seul, si possible, pour éviter qu'il ne se sente impressionné par trop d'étrangers. Louis et la mère de John donnèrent volontiers leur accord.

Frédéric passa près d'une heure dans la chambre du gosse, moins effrayé qu'il ne l'avait craint. Comme chaque fois qu'il interrogeait un patient, le médecin tenta d'abord de gagner sa confiance en lui parlant de sa mère et de sa sœur. Puis, insensiblement, par le biais de questions de plus en plus précises, il fit émerger ses souvenirs, en prenant soin de prendre quelques notes pour pouvoir les restituer fidèlement à Louis.

Le policier l'attendait sur le parvis de l'hôpital, une cigarette entre les lèvres.

– Alors ?

– Il a des souvenirs. Certes vagues, mais il en a.

Frédéric marqua une pause. Il aurait aimé avoir d'autres nouvelles que celle qu'il s'apprêtait à lui annoncer.

– J'en ai appris assez en tout cas pour penser qu'il y avait un autre enfant séquestré avec lui, reprit-il. Et que cet enfant n'est pas celui dont on a retrouvé le corps hier !

10

De l'enlèvement lui-même, John Kendall n'avait que peu de souvenirs. Il s'était réveillé en sursaut au milieu de la nuit et avait senti qu'on lui appliquait un mouchoir sur la bouche... sans doute chloroformé, ce qui confirmait les suppositions de Marcel Leroux.

L'enfant se rappelait avoir repris connaissance dans un endroit exigu et clos. Une remise ou un coin dans une ferme, mais il n'était sûr de rien. Il était retenu prisonnier entre deux murs de pierre et deux cloisons faites de planches massives. Il y avait une porte, qui était toujours restée fermée. Une paillasse gisait dans un angle, à côté d'un seau. Il s'était mis à hurler de toutes ses forces, tapant comme un fou contre le bois, suppliant pour qu'on le libère.

Au bout de quelques minutes, il avait senti une présence derrière la cloison. Il avait collé son œil contre un interstice entre deux planches mal ajustées. C'était un homme, dont il n'avait pas pu voir le visage mais qui avait commencé à lui parler. Sa voix était calme, dénuée de toute émotion. De l'ordre et de la discipline, voilà ce qu'il voulait ! S'il continuait de crier ainsi et ne lui obéissait pas, il serait obligé de faire du mal à sa mère et à sa sœur. Il serait responsable de leurs souffrances et de leur mort. Ce n'était pas ce qu'il voulait, n'est-ce pas ? John avait cessé de hurler et promis de faire tout ce qu'on lui demanderait. « Bien, bien », avait répété l'homme.

Dans l'une des cloisons était aménagé une sorte de guichet, comme on en trouve dans les prisons pour faire passer la nourriture. Le premier jour, l'homme lui avait déposé de l'eau et une bouillie infâme qu'il avait pourtant dévorée voracement. Juste après, il s'était senti éreinté : ses jambes étaient lourdes et un terrible mal de ventre le tenaillait. Il s'était effondré sur sa paillasse.

Il lui semblait qu'il avait dormi très longtemps. Un sommeil profond comme la mort. Quand il s'était réveillé, avec un affreux mal de crâne, il avait naturellement pensé qu'on avait mis quelque chose dans sa nourriture.

– Encore une drogue pour l'assommer et le rendre docile, supposa Louis.

– Peut-être du Gardenal ou du Veronal, expliqua Frédéric.

L'enfant n'avait pas voulu manger sa nouvelle bouillie. Quand il s'était cru tout à fait seul, il avait essayé d'écarter deux planches en utilisant la cuillère de sa gamelle. Il s'était escrimé pendant une heure sans réussir à élargir l'interstice existant de plus d'un centimètre. Il avait fondu en larmes, persuadé qu'il ne sortirait jamais de cette prison. S'il n'avait plus touché à la nourriture, il avait en revanche bu l'eau que son ravisseur lui avait donnée. Erreur de sa part, car elle aussi devait être empoisonnée. Il avait été pris de vertiges et s'était senti encore plus malade que la fois précédente, s'effondrant à même le sol sans avoir eu le temps de s'allonger sur sa couche.

Des minutes, des heures ou des jours… Une voix l'avait réveillé, derrière les planches. Une voix fluette, d'enfant. Il était encore trop abruti par la drogue pour réussir à se lever. Il avait vaguement ouvert les yeux. Tout était flou autour de lui, comme dans un rêve. «Ça va? Comment tu t'appelles?» avait demandé la voix. Cet enfant était-il un autre prisonnier? Une autre victime du fou? Il avait essayé de répondre mais sa bouche était pâteuse et il n'avait pu émettre qu'un marmonnement. «Ne t'en fais pas, je vais t'aider. Je vais te libérer.»

Puis il avait replongé dans l'obscurité.

Ensuite, il ne se souvenait plus de rien. Il se revoyait errant dans une rue, une lumière aveuglante l'empêchant de garder les yeux ouverts, entouré par des gens qui lui posaient des questions qu'il ne comprenait pas.

*

Le récit parcellaire du petit Kendall soulevait beaucoup de questions. Devait-on croire que l'Ogre séquestrait en ce moment même un autre enfant dans sa tanière ou John avait-il tout inventé, sous l'effet des drogues? Jean Cordier avait été retrouvé mort le 1er avril au matin et l'on supposait qu'il avait été assassiné entre minuit et 4 heures. John avait été retrouvé le 2 avril en fin de journée. Si la conversation avec le mystérieux enfant était la dernière chose dont il se souvînt, il paraissait peu probable que ce gosse puisse être le petit Cordier. Ou alors il fallait supposer que Kendall était resté plus de quarante heures inconscient.

Par ailleurs, comment le gamin avait-il pu s'échapper de l'antre de l'Ogre? Il était évident qu'il n'avait pu agir seul, ce qui rendait crédible l'existence de cette autre victime qui aurait pu – Dieu sait comment ? – le libérer. Mais où aurait-il ensuite trouvé la force d'errer dans la rue jusqu'à être remarqué par des passants ?

À propos de la cachette de l'Ogre, son récit donnait des informations superficielles mais tout de même exploitables. Il ne s'agissait pas *a priori* d'un appartement ou d'une cave ; plutôt une ferme, avait-il dit. Le quartier Saint-Roch, où il avait été retrouvé, était un ensemble hétérogène de pavillons, de lotissements, de fermes, d'ateliers et de terrains vagues. Une zone populaire mais relativement peu peuplée, où subsistaient encore quelques terres maraîchères. Sans doute l'endroit idéal pour se trouver une tanière discrète et en même temps peu éloignée du centre-ville. Il était de toute façon difficilement imaginable que l'enfant eût parcouru des kilomètres après sa libération.

*

C'était dimanche. Louis avait laissé la journée à son équipe. Sans éléments plus précis, il ne servait à rien de rester sur le pont à se tourner les pouces. Delville aurait dû être de permanence, mais après sa chute Louis l'avait forcé à se reposer chez lui. Comme d'habitude, Leroux s'était proposé pour le remplacer : il était contrarié par les feuillets carbonisés qu'il avait retrouvés dans l'appartement de Justin Guillot et dont il n'était pas encore venu à bout ; il avait contacté quelques laboratoires et souhaitait essayer d'autres méthodes de révélation d'encre.

Quand Louis et Frédéric arrivèrent à la brigade, après avoir interrogé John Kendall, ils le trouvèrent dans un état d'agitation presque enfantin.

– Ah ! Ces maudites feuilles m'auront donné du fil à retordre, mais j'ai fini par y arriver ! fit-il en exhibant des tirages photographiques.

Louis n'eut pas le cœur de l'interrompre dans ses explications pour lui parler du récit de l'enfant.

– Qu'est-ce que tu as trouvé ?

– J'ai essayé une autre méthode : un mélange de potassium et de magnésium, une technique proche de celle qu'on utilise pour fabriquer les révélateurs photographiques. Une des deux feuilles était trop calcinée pour qu'on puisse en tirer quelque chose, elle n'a malheureusement pas supporté l'opération. Mais l'autre…

Leroux tendit le tirage avec un grand sourire.

– Qu'est-ce que c'est que ça ? dit Forestier.

Le texte avait été dactylographié, mais sur l'image ne subsistaient que quelques mots épars, souvent mutilés.

...te dressé par Mᵉ Léon Gr...
...taire à... rges... ...921
de la... ession de... omène Marie Je...
...meurant...
...pouse... décéd...

– Bien sûr, j'aurais aimé vous proposer quelque chose de plus consistant.

– Laisse-moi déjà essayer de débrouiller cet imbroglio.

– Je suppose qu'il s'agit d'un acte notarié. Ou plutôt de ce qu'il en reste.

Leroux pointa le doigt sur la photographie et reprit :

– Regardez ! Sur la première ligne, on distingue nettement l'abréviation « Mᵉ » pour « Maître ». J'ai supposé que le début était « acte dressé ». Par déduction, on peut retrouver les mots « notaire » et peut-être

« succession ». Pour les deux dernières lignes lisibles, je pencherais pour « demeurant » puis « épouse » et « décédé » ou « décédée ».

Forestier semblait fasciné par le document.

– Intéressant. Très intéressant, même... Si Guillot a brûlé cet acte avant de mettre les voiles, c'est qu'il avait évidemment une signification pour lui. Tu as dit, Frédéric, qu'il voulait faire table rase de son ancienne vie et détruire tout ce qui l'y rattachait. On peut imaginer qu'il s'agit d'un acte rédigé à la mort d'un proche : un père ou une mère...

Frédéric survola le document.

– Voyez la date – car je suppose qu'il s'agit d'une date : « ...921 » pour « 1921 ». La mort d'un proche, donc, qui remonte à un an tout au plus. Vous voyez où je veux en venir ?

Forestier fit immédiatement le rapprochement avec les hypothèses émises quelques jours plus tôt par son ami.

– « Il est fort probable qu'un événement personnel récent ait déclenché cette série de meurtres. » C'est à peu près ce que tu nous as dit le lendemain de ton arrivée, non ?

– Exactement. Ce que nous avons là est bien plus qu'un morceau de papier. On tient peut-être notre élément déclencheur ! Je parierais pour la mort de la mère.

– À cause du mot « épouse » ?

– C'est un indice, évidemment... Son traumatisme a de fortes chances d'être lié aux premières relations de l'enfant avec sa mère. On peut imaginer un manque de construction de sa psyché. Ce que confirment les meurtres des prostituées et d'Yvette Cordier, qui révèlent la persistance d'une image avilie et corrompue de la femme.

Leroux posa son agrandissement sur le bureau.

– Que va-t-on faire maintenant ?

– Il me semble que nous n'avons pas beaucoup de choix. Il nous faut retrouver ce notaire et mettre la main sur cette succession.

*

Dimanche oblige, Louis eut le plus grand mal à joindre une personne compétente à la police judiciaire parisienne. Il exposa sa requête, dut préciser qu'il s'agissait d'une enquête criminelle de premier plan, que le patron des brigades et le directeur de la Sûreté suivaient personnellement. Oui, une recherche dans les listes notariales à propos d'un certain « Léon Gr… » dont l'étude se situait dans une ville finissant par « …rges ». Par précaution, il appela aussi la Rue des Saussaies et réitéra sa demande.

Louis décida de rester à la permanence avec Leroux. Même s'il se faisait peu d'illusions, il espérait quand même obtenir des résultats de Paris. Et puis, dans la mesure où Clara et son fils n'étaient plus là, il n'avait pas envie de déprimer chez lui.

Faisant contre mauvaise fortune bon cœur, il consacra une partie de son temps à répondre aux questions des journalistes, qui avaient à l'évidence été avertis par Paris de la réapparition de John Kendall. Il s'entretint longuement avec *Le Petit Niçois*, qui désirait, il en était sûr, prendre une revanche sur son rival, et eut au téléphone plusieurs quotidiens nationaux. Probablement sur la foi des révélations faites par *L'Éclaireur*, ils firent tous le rapprochement avec les meurtres qui avaient ensanglanté la Riviera les trois derniers mois.

Leroux était toujours en attente de l'analyse des résidus qu'on avait prélevés sur le corps de Jean Cordier, la dernière victime. Il savait qu'il y avait vingt-quatre heure sur vingt-quatre une bonne âme de permanence dans le laboratoire lyonnais de Locard – ses assistants étaient tous des passionnés qui ne comptaient pas leur temps – et il passa un coup de fil pour s'assurer que ces analyses faisaient partie des priorités. On lui promit un compte rendu pour le courant de la semaine.

Frédéric, quant à lui, se sentait frustré. Son séjour tirait sur sa fin, mais il s'était tellement investi dans l'affaire qu'il aurait aimé le prolonger. Il décida néanmoins de rentrer pour préparer ses bagages et parfaire l'intervention qu'il devait donner au Congrès de psychiatrie de Toulouse.

*

Le ciel était parfaitement dégagé, le fond de l'air très agréable. Le médecin décida de s'installer sous la tonnelle de treillage vert, devant la maison. Il travailla une heure durant à la relecture de sa contribution, « Classification des maladies mentales dans l'enseignement contemporain ». En introduction, il avait choisi de citer une phrase de Charles Féré : « Ceux qui discutent sur la classification des folies ressemblent aux ouvriers de la Tour de Babel : plus ils parlent, moins ils s'entendent. » Il ne put faire autrement que de penser au tueur à l'aune de son propre article. Même si on parvenait à arrêter cet homme, serait-on capable de dire comment était né le monstre en lui ? Trouverait-on des anomalies physiques, stigmates de dégénérescence ? Possédait-il des prédispositions au crime d'origine pathologique ? Ou, comme Frédéric le pensait depuis le début, étaient-ce son histoire personnelle et d'éventuelles expériences agonistiques qui avaient transformé un enfant semblable aux autres en cet ogre sanguinaire ? Approcher un tel homme le fascinait et le terrifiait en même temps : l'étudier signifiait à coup sûr plonger dans les arcanes les plus archaïques des motivations de l'acte humain. Pouvait-on vraiment, comme tous les psychiatres en rêvaient, accéder à l'univers caché de ces êtres tout en surface, incapables de nouer la moindre relation avec l'extérieur et qui ne voyaient dans le monde qui les entourait qu'hostilité et souffrance ? Pourrait-on décrypter l'Ogre mieux que lui-même ne l'avait fait avec Albert, qu'on avait cru guéri et qui l'avait pourtant sauvagement agressé ?

Frédéric remonta dans sa chambre pour prendre l'exemplaire de l'*Énéide* qu'il avait acheté à son arrivée à Nice. De retour dans le jardin, il relut les passages du chant VI dont Raphaël lui avait fait la lecture.

« Tout d'abord, il entend des voix et de puissants vagissements : ce sont les âmes des enfants qui pleurent, de ces petits êtres qu'un jour sombre arracha du sein maternel pour les plonger dans la nuit précoce du tombeau. »

Pierre, Adrien, Jean… Trois enfants arrachés à leur mère. Et John qui, comme Orphée ou Ulysse, était remonté du royaume des morts.

« Ces enfants qui ne connurent pas la douceur de vivre mais furent libérés des tourments futurs d'une existence cruelle. »

Frédéric s'arrêta net. Il relut frénétiquement la dernière phrase. Quelque chose venait de se débloquer dans son esprit. Les vagues intuitions qu'il avait eues venaient de se transformer en une idée claire, qu'il ne pouvait pas encore passer au crible de la raison mais qui répondait à quantité de questions qu'il se posait sur les motivations obscures du meurtrier et le lien qui unissait les victimes. Les souvenirs se rapportant à sa propre enfance et à son père qui l'avaient assailli un peu plus tôt venaient eux aussi de prendre sens. Mme Kendall... sa fille... John.

Il tenait peut-être quelque chose.

Mais d'abord, il lui fallait contacter Raphaël avant de retourner à l'hôpital.

11

Cet après-midi, on a sorti les couverts en argent et les casseroles en cuivre pour les astiquer. La grande table de la salle à manger est surchargée et le docteur a proposé de dispenser sa leçon dans son bureau. Tu n'es jamais entré dans cette pièce. De taille plutôt modeste, elle est contiguë à la salle des papillons. Il y a une cheminée ornée d'une pendule, une bergère de soie et un large bureau en acajou. Les persiennes sont juste entrebâillées et la pièce est sombre. Sur un pan de mur, deux têtes de sanglier au groin saillant semblent te fixer de leurs billes noires. Tu te sens mal à l'aise, oppressé.

Tu as pris place dans un fauteuil et le docteur est resté debout, appuyé contre le chambranle de la cheminée. Tu travailles depuis un quart d'heure sur un texte latin qu'il te fait lire pour la première fois.

– Non, reprends, dit-il d'une voix autoritaire.

Tu poses ton doigt sur la première ligne. Le latin est pour toi plus difficile que le grec. Au premier abord, cette langue semble transparente, mais chaque mot pose un problème d'interprétation.

– « *Spelunca alta fuit…* », « Il y avait une haute caverne… »

Le docteur secoue la tête en signe de désapprobation.

– «*Altus*» a deux sens : «haut» mais aussi «profond».

– «Il y avait une profonde caverne…», «*vastoque immanis hiatu…*». Je ne sais pas ce que signifie «*immanis*».

– «Immense».

– «… immense, avec une vaste ouverture…»

– Bien. Continue.

– «La prêtresse y fait amener… deux jeunes taureaux…»

Le docteur sourit.

– Excellent.

Il s'approche et se place derrière toi.

– La suite est plus difficile.

Il te pose une main sur l'épaule. Tu tressailles. Tu n'aimes pas qu'on te touche. Tu sens sa stature puissante derrière toi et son parfum de lavande un peu écœurant qui s'immisce dans tes narines. Sa main remonte le long de ta nuque, qu'il caresse comme on le ferait pour amadouer un animal. Tu te raidis et sans doute s'en rend-il compte.

– Regarde, dit-il d'un ton cauteleux. «… *nigrantis terga…*», «… au dos noir», «… *frontique invergit vina…*», «… et verse sur leur front des libations de vin…».

Le docteur connaît le texte sur le bout des doigts, mais tu ne l'écoutes plus vraiment. Il relâche la pression sur ta nuque, approche un fauteuil et s'assoit à tes côtés.

– C'est bien, Albain. Je vais te demander d'apprendre ce passage par cœur. Retenir les textes est essentiel. Cicéron disait que la mémoire est la qualité principale de l'orateur.

Il te tapote la cuisse avec la main mais ne la retire pas. Tu te tends un peu plus.

– Tu es très doué. Ta maman va être fière de toi. Elle fait du bon travail ici.

Pourquoi te parle-t-il de ta mère ? Que cherche-t-il ?

– Tu es bien ici, n'est-ce pas ?

Sa main remonte lentement le long de ta cuisse. Tu fermes les yeux. Tu voudrais être ailleurs. Loin de ce bureau. Non, tu ne supportes vraiment pas qu'on te touche.

Tu revois le débarras, plongé dans l'obscurité, le sol humide, les murs moisis. Puant la pisse. Et ton père refermant la porte. Les larmes dégoulinant sur tes joues, ta lèvre tremblante. Non, non…

Tu t'es levé d'un geste brusque, faisant tomber le fauteuil et renversant au passage l'encrier sur le bureau. L'encre noire s'est répandue sur le livre de latin et en imbibe profondément les pages.

– Regarde ce que tu as fait ! tempête le docteur en reculant contre le dossier de son fauteuil. Tu n'as pas honte ?

Tu détournes la tête et, les yeux embués de larmes, tu te précipites en dehors du bureau, laissant le docteur hurler derrière toi.

12

De la journée, Lisa Kendall n'avait pas quitté le chevet de son frère. Sa mère, épuisée, avait dû rentrer à la villa avec Annie : Lisa confia à Frédéric qu'elle était une insomniaque chronique et qu'elle n'avait pas dormi deux heures depuis la disparition de John. Frédéric aurait pu en dire autant d'elle tant son teint était blême et ses traits tirés, ce qui malgré tout n'enlevait rien à sa beauté. Il fut en tout cas soulagé de la trouver seule pour lui parler en tête à tête, sans que la gouvernante ne leur serve de chaperon.

– Vous savez, John a demandé à vous voir tout à l'heure. Il vous apprécie beaucoup.

– Ah !

– Il a repensé à ce que vous lui avez dit et il croit se souvenir de quelque chose. Enfin, un détail un peu vague…

– Sur le lieu où il a été séquestré ?

Ce dernier mot provoqua une grimace chez la jeune femme, comme si elle n'acceptait pas encore l'épreuve qu'avait dû subir son jeune frère.

– Si l'on veut. Il se souvient d'un bruit. Une sorte de bourdonnement qu'il a entendu à plusieurs reprises.

– Un bourdonnement ?

– Oui, quelque chose comme un ronflement, d'abord discret mais qui est devenu ensuite très puissant et qui semblait envelopper toute sa… cellule. Mais il vous dirait cela mieux que moi.

– J'irai le voir tout à l'heure. Si vous le permettez, bien sûr, mademoiselle.

La jeune femme fit un signe discret de la tête.

– Appelez-moi Lisa, je vous prie. Avez-vous des nouvelles concernant cet homme ? C'est pour cette raison que vous êtes venu ?

– Le commissaire Forestier a peut-être une piste mais cela risque de prendre du temps. Ne vous tourmentez pas avec cet individu, il ne peut plus rien contre votre famille.

– Peut-être, dit-elle en soupirant. Mais, voyez-vous, je pense aux autres enfants. Je sais que nous avons eu une chance incroyable. Tous les jours après la disparition de John je n'ai cessé de prier pour qu'on le retrouve vivant, et à présent je me sens un peu coupable…

– Pourquoi cela ?

– S'il devait y avoir une nouvelle victime, ce serait terriblement injuste. Ce tueur pourrait vouloir se venger sur d'autres personnes, non ?

– Ce n'est pas impossible. Nul ne peut dire ce qui se passe en ce moment dans sa tête.

Frédéric ne savait trop comment aborder l'objet de sa visite.

– Voyez-vous, Lisa, je suis médecin, et si le commissaire Forestier a voulu que je l'assiste dans cette enquête, c'est parce qu'il pense que mon expérience dans le domaine des maladies mentales et du comportement des aliénés peut l'aider à comprendre cet homme et à retrouver sa trace.

Les yeux de Lisa traduisaient l'incompréhension. Visiblement, elle ne saisissait pas le but de sa remarque.

– Ce que je veux dire, c'est que j'ai eu une intuition qui pourrait être utile aux policiers. Mais pour la confirmer j'aurais besoin de votre aide.

– Mon aide ? Je ne vois pas comment je pourrais vous aider. Je ne connais rien à…

– J'aimerais vous rassurer, la coupa-t-il avec toute la douceur dont il était capable. Je suis tenu par le secret professionnel et tout ce que vous pourrez me dire restera entre nous. Sans doute serai-je obligé d'en parler au commissaire Forestier, mais je peux vous certifier que personne d'autre ne sera jamais au courant de notre conversation.

– Je crains de ne toujours pas comprendre !

– Vous savez, quand j'étais enfant, on m'a caché l'identité réelle de mon père.

Étant d'un naturel réservé, à l'exception de quelques proches, Frédéric ne s'était jamais confié sur son passé à personne. Il essaya en quelques phrases de résumer la situation particulière de sa famille. La jeune femme l'écouta attentivement et son visage parut troublé.

– Pourquoi me dites-vous cela ?

– Accepteriez-vous de répondre à une question, une seule ? Elle vous semblera sans doute impertinente et déplacée, mais la réponse que vous me donnerez pourrait se révéler essentielle pour confirmer ma théorie.

Lisa Kendall posa sur lui son regard diaphane et hocha énergiquement la tête.

– Si cela peut aider à retrouver ce monstre, j'y répondrai bien volontiers.

*

Louis rentra peu avant 8 heures du soir. Il n'avait pas encore obtenu de nouvelles de Paris mais il avait profité de ce répit pour s'occuper avec Leroux de toute la paperasse administrative qui s'était entassée à la brigade. Il trouva Frédéric sur le canapé du salon, plongé dans ses livres.

– Tu as fini ton article ?

– À peu près. Mais j'ai surtout réglé une affaire bien plus importante.

– C'est-à-dire ?

– Je suis retourné à l'hôpital tout à l'heure.

Louis haussa les sourcils.

– À l'hôpital ? Pour réinterroger le gosse ?

– Il croit se souvenir de quelque chose de nouveau. Un détail, mais je t'en parlerai plus tard.

– Bon, arrête de tourner autour du pot !

– En fait, je voulais parler à Lisa Kendall.

– Lisa ? fit à nouveau le policier en écho. Hé ! Je vois qu'elle ne t'a pas laissé indifférent…

Frédéric eut l'air confus.

– De quoi est-ce que tu parles ? Allez, installe-toi, ce que j'ai à te dire est sérieux et risque d'être long.

Intrigué, Forestier se carra dans son fauteuil aussi fatigué que lui et alluma une cigarette.

– Je t'écoute.

– Eh bien voilà : depuis le début, je trouvais que quelque chose clochait dans la réapparition miraculeuse de John Kendall. Cette histoire d'enfant séquestré qui lui aurait parlé et l'aurait libéré des griffes du tueur… ça ne tient pas la route.

Louis cracha un nuage de fumée.

– Tu penses qu'il a tout inventé ou que ce gosse n'existe que dans un délire provoqué par la drogue ?

– Non. Je pense simplement que le gamin en question est mort il y a des années.

Louis leva la main comme s'il demandait une pause.

– Attends, je ne suis pas sûr de te suivre. Comment ça, il est mort il y a des années ? Tu ne vas pas me dire que John a parlé à un fantôme ?

Frédéric se leva et vint prendre appui contre la cheminée.

– Pas à un fantôme, mais au tueur en personne.

Louis le fixa, éberlué.

– Je crois que c'est Justin Guillot qui a parlé à John en déguisant sa voix et que c'est lui qui l'a relâché. Justin Guillot, ou plutôt l'enfant qu'il a été il y a bien longtemps.

– Et tu as sorti cette idée de ton chapeau, comme ça ? Pourquoi aurait-il fait une chose aussi inepte ? Après tout le mal qu'il s'était donné pour enlever ce gamin.

– Tu as convenu toi-même qu'il s'était mis à douter.

Louis leva les yeux au plafond.

– Je voulais simplement dire qu'il se sentait traqué, qu'il savait que nos filets se refermaient sur lui !

– Je me fais mal comprendre. Je t'ai déjà expliqué qu'il y avait une absence totale d'empathie chez les criminels psychopathes et que c'était leur insensibilité qui, pour nous, les faisait sortir du champ humain. Mais il peut arriver qu'il y ait un échange, même bref et superficiel, entre le bourreau et sa victime. Je me souviens d'un de nos patients à Sainte-Anne, un homme déjà arrêté plusieurs fois pour des attentats à la pudeur. Un jour, il a repéré une petite fille blonde dans la rue et a réussi à l'amadouer et à la faire monter chez lui. Je ne te surprendrai pas en te disant qu'il avait l'intention de la violer, mais lorsqu'il s'est mis à la déshabiller il s'est aperçu que ses organes génitaux n'étaient pas ceux d'une femme et il en a été complètement décontenancé.

– Quel âge avait-elle ?

– Moins de 10 ans.

– Quelle horreur ! Comment pouvait-il s'imaginer que c'était une femme ?

– Plus tard, quand je l'ai interrogé, il m'a expliqué qu'il n'avait vu que ses cheveux blonds, que tout le reste semblait hors de son champ de perception. La petite fille a eu la présence d'esprit incroyable de lui parler de ses parents qui devaient s'inquiéter de ne pas la voir rentrer. Elle a profité de son trouble et réussi à ouvrir une brèche chez cet homme, ce qui l'a sauvée. Il l'a libérée avant d'être arrêté grâce au témoignage de l'enfant.

Pris par le récit de Frédéric, Louis laissait sa cigarette se consumer entre ses doigts.

– Bon, que veux-tu démontrer ? Qu'à un moment donné de son parcours meurtrier notre homme a perdu de vue son but et s'est laissé attendrir ?

– Attendrir, certainement pas. Mais je reviendrai sur ce point tout à l'heure. Si Guillot a libéré sa victime, on comprend comment John Kendall a pu réapparaître en pleine rue, comme sorti de nulle part.

Louis fit une moue dubitative.

– Soit. Partons du principe que cet enfant n'existe pas et que Guillot a libéré Kendall. Que vient faire sa sœur Lisa dans cette histoire ?

– J'y arrive. Prépare-toi à plonger au cœur des motivations du tueur. Tu te souviens des dessins que tu as récupérés dans la chambre de John ?

– Les dessins qui représentaient un enfant entouré par deux femmes… Bien sûr !

300

– Tu m'as même donné une leçon de mode à cette occasion. Or rappelle-toi : la mère était systématiquement représentée sans mains. Ce détail m'a intrigué sur le coup, mais je n'arrivais pas à l'interpréter. N'importe quel psychiatre sait que les dessins d'enfants peuvent traduire leurs phobies, leur malaise ou leurs préoccupations profondes. Si la mère était chaque fois mutilée, cela ne pouvait être innocent. Qui plus est, l'organe manquant était toujours le même : la *main*, qui permet de caresser, de partager, éventuellement de corriger. Un symbole de tendresse et d'autorité.

– Et alors ?

– Jusqu'à ce matin je n'avais qu'une impression très confuse sur cette question. Ce n'est que lorsque j'ai vu John à côté de Lisa que l'idée a commencé à se préciser. Bien sûr, nous avions une photo de l'enfant depuis le début, mais ça ne m'avait pas sauté aux yeux.

– Qu'entends-tu par *ça* ?

– Je me suis souvenu de la première fois où tu as interrogé Mme Kendall. Elle nous a expliqué que John et sa sœur n'avaient pas le même père.

– En effet.

– Le père de Lisa est mort il y a quinze ans d'un cancer foudroyant. John, lui, est le fils de Richard Kendall. Sa femme t'a dit que Lisa était le portrait craché de son père. Et c'est vrai qu'elle ne ressemble pas du tout à sa mère.

– Si tu le dis !

– Ce matin, j'ai été frappé par la ressemblance physique entre Lisa et son frère : même bouche frondeuse, même nez légèrement arqué… Mme Kendall nous a confié qu'elle avait rencontré Richard Kendall lors d'un Salon d'automne qui exposait des cubistes. J'ai appelé Raphaël pour qu'il éclaire ma lanterne : il m'a assuré que les cubistes avaient été exposés au Salon de 1911, et qu'ils avaient d'ailleurs subi les foudres de la critique. Il a consulté quelques livres et a trouvé que le Salon s'était tenu en octobre. Or John Kendall est né le 7 avril 1912, comme cela était indiqué sur la fiche que tu as établie. Ce qui voudrait dire que John est né avec trois mois d'avance... chose quasi impossible d'un point de vue médical. Donc, si Lisa ressemble à son père et que John ressemble à Lisa...

– Attends ! Tu veux dire que...

– John n'est pas le fils de Mme Kendall. C'est le fils de Lisa.

Louis demeura bouche bée.

– Incroyable ! Et Lisa Kendall t'a confirmé qu'elle était la mère ?

– Elle l'a fait.

– J'ai bien vu qu'elle t'avait à la bonne, mais de là à t'avouer une chose pareille !

– J'ai su y mettre les formes. Elle est tombée enceinte en juillet 1911, après une relation avec un jeune dandy qui a tourné court. Elle n'avait même pas 16 ans. Inutile de te dire qu'elle avait gardé cette liaison secrète et que la mère n'était au courant de rien. D'après elle, le jeune homme s'était imaginé que sa famille était pleine aux as, et quand il a appris que le faste dans lequel ils vivaient n'était que de façade il n'a pas demandé son reste. Lisa a fini par tout avouer à sa mère au moment où celle-ci s'apprêtait à épouser Richard Kendall. Le millionnaire était fou amoureux d'elle à l'époque et, d'après ce que j'ai cru comprendre, il ne pouvait pas avoir d'enfant, ce qui était le grand regret de sa vie. Finalement, Edmonde Kendall a trouvé une solution qui satisfaisait tout le monde : elle a expédié sa fille à la campagne et a simulé une grossesse, Richard Kendall devenant ainsi le père légitime de l'enfant. La seule à qui on n'a pas demandé son avis est la pauvre Lisa. Tu imagines un peu la jeunesse qu'elle a vécue, tiraillée entre sa mère et John, obligée de vivre dans un mensonge permanent…

– Mon Dieu ! Mais il faut être malade pour faire une chose pareille !

Un petit sourire triste apparut sur les lèvres de Frédéric.

– Tu sais, pendant des années j'ai ignoré que l'oncle qui nous rendait visite le dimanche était en réalité mon père. Ma situation n'était guère différente de celle de John.

– Excuse-moi, j'avais oublié.

Louis écrasa sa cigarette et s'enfonça dans son fauteuil.

– Je ne sais pas quoi dire, reprit-il. Tu es assurément un fin limier et tu aurais fait un très bon enquêteur : tu as mis au jour un secret de famille. Mais je ne vois pas bien ce que ça change à notre affaire !

Frédéric revint s'asseoir en face du policier.

– Ça change beaucoup de choses au contraire. Ça éclaire la logique du tueur. Il existe un lien entre toutes ces victimes, un lien que nous avions largement pressenti mais que le cas Kendall empêchait de cerner complètement.

Le médecin croisa les mains en arche sur ses genoux.

– Je récapitule. Le petit Corteggiani était battu, la mère d'Adrien Albertini se prostitue, celle de Jean Cordier était alcoolique et faisait sans doute aussi le tapin, John Kendall vivait dans le mensonge puisqu'on lui faisait croire que sa mère était sa sœur. Le rang social n'a jamais été un facteur déterminant pour le tueur, ou, s'il l'a été, c'est parce qu'au début enlever des enfants pauvres lui semblait avec raison plus facile. Je te l'ai dit l'autre jour, il y a différentes manières d'être malheureux. Tous ces enfants subissaient une souffrance, qu'elle soit physique ou psychologique.

– Penses-tu que John Kendall pouvait connaître la vérité au sujet de sa mère et de sa sœur ?

– J'avoue que je n'ai pas osé le demander à Lisa. Mais je suis certain qu'il était au courant, même si ce n'était pas de façon claire. Les dessins le prouvent. La mère supposée est représentée sans mains, car, en dépit des apparences, elle ne peut pas incarner l'autorité ou être capable d'amour maternel. Je suis sûr également que le tueur a senti le mal-être de ces enfants et que c'est pour cela qu'il les a choisis.

– Bon. Guillot habitait à deux pas de Pierre Corteggiani, il était donc certainement au fait que ses parents le battaient. Pour les petits Albertini et Cordier, il ne devait guère être difficile de savoir que leurs mères tapinaient. Mais pour John Kendall, ça me semble plus compliqué. Si Guillot ne s'est rendu que deux ou trois fois à la villa, comment aurait-il pu connaître ce secret que tu as mis des jours à dénicher, avec toutes les informations que tu possédais ?

Frédéric savait que sa théorie comportait encore des zones d'ombre, mais il sentait qu'il avait ouvert une brèche.

– Je ne dis pas qu'il connaissait ce secret, ça me semble totalement improbable. Mais Lisa m'a fait comprendre que tout n'est pas rose pour elle et que les frictions avec sa mère sont fréquentes, notamment sur l'éducation de John. Le tueur a pu entendre une de leurs conversations, être attentif à un détail qui lui a fait supposer que cet enfant était au fond de lui malheureux.

– Oui, oui, je me souviens de ton hypothèse : cet homme sait se fondre dans la foule et a appris à développer un certain sens de l'observation.

– Exactement. Mais les choses ne s'arrêtent pas là. Cet après-midi, j'ai relu des passages de l'*Énéide*.

– Ce bon vieux Virgile ! Ça faisait longtemps…

Frédéric prit l'exemplaire qu'il avait laissé sur la table basse et l'ouvrit au passage qui l'intéressait.

– Écoute : « Ces enfants qui ne connurent pas la douceur de vivre mais furent libérés des tourments futurs d'une existence cruelle. » Tu as noté : « mais furent *libérés* des tourments »…

– Tu penses à un rapprochement avec les paroles prononcées par l'enfant séquestré… enfin, plutôt le tueur, selon ta théorie. « Je vais t'aider, je vais te *libérer* » ?

– Je crois qu'elles font écho à ce passage, mais je crois aussi que nous avons mal compris le terme « libérer ». Notre homme est en proie au doute. Contre toute attente, il a établi une relation, même superficielle, avec John Kendall, qu'il séquestrait.

– D'accord, tenons cela pour acquis.

– Depuis le début, je vous ai dit que le tueur voyait uniquement les enfants comme des victimes à sacrifier, qu'il était insensible, obnubilé par son rituel… C'est sur ce point que je me suis trompé. Je ne dis pas que tout cela était faux, bien sûr, mais mes hypothèses étaient incomplètes.

– Continue.

– Je suis à présent certain qu'il a subi des sévices dans son enfance. Il est difficile de dire s'il s'agissait de violences physiques ou morales, mais peu importe. Il voit bel et bien ces enfants comme des êtres vivants. Le tueur et la victime sont chez lui un seul être dédoublé : le père ou la mère violents, affirmant leur puissance, et l'enfant terrorisé et maltraité. Il a choisi ces gosses parce qu'il se reconnaît en eux.

Louis prit un air soucieux.

– Pourquoi les tuer, alors ?

– C'est là que le terme « libérer » fait sens. On peut libérer une personne en la relâchant, mais on peut aussi libérer quelqu'un de ses souffrances. Le libérer « des tourments futurs d'une existence cruelle ». Cet homme croit rendre service à ses victimes. Il veut seulement tuer en eux l'enfant malheureux qu'il a été.

Frédéric s'agita sur son fauteuil.

– Il ne faut pas croire qu'il constitue un cas isolé, reprit-il. Il y a environ un an, dans un village des Charentes, un homme a tué à coups de fusil plusieurs communiantes qui sortaient de l'office.

– Oui, une bien étrange affaire.

– L'homme a été examiné par un de mes collègues. Sais-tu ce qu'il lui a déclaré ? Que grâce à son geste ces jeunes filles iraient droit au ciel, sans avoir eu le temps de pécher. Il l'a même dit en des termes beaucoup plus crus, finissant par indiquer que, sans lui, elles seraient devenues des « putes » comme leurs mères. Souviens-toi aussi de Jeanne Weber. Elle a dû être condamnée à l'époque où tu entrais dans les brigades.

Un sourire nostalgique éclaira le visage du policier.

– Je m'en souviens parfaitement, ce devait être en 1908. Tout le monde s'étonnait qu'une femme ait pu commettre de tels crimes !

– Il y en avait pourtant eu bien d'autres avant elle.

Au début du siècle, Jeanne Weber avait été accusée d'avoir étranglé huit enfants. Le déroulement des meurtres était toujours le même : la criminelle gardait en nourrice des garçons et des filles en parfaite santé qui finissaient par mourir de convulsions et de suffocations. Les médecins qui examinaient les corps ne remarquaient jamais les marques rouges sur la gorge. Il avait fallu qu'elle soit prise en flagrant délit, à cheval sur un jeune garçon qu'elle était en train d'étrangler, pour qu'on découvre le pot aux roses et qu'elle soit inculpée de huit meurtres, dont ceux de ses propres enfants.

– À l'époque, on s'est contenté de la déclarer folle et de l'interner dans un asile où elle a d'ailleurs fini par se pendre. Mais je connais des psychiatres qui se sont penchés sur son cas après sa mort. Jeanne Weber avait été maltraitée durant son enfance et elle avait épousé un mari alcoolique et violent. Les médecins dont je te parle ont émis l'hypothèse qu'elle avait agi en croyant rendre service à ces enfants, pour les empêcher de connaître une vie aussi misérable que la sienne.

– Comme notre tueur ?

Frédéric appuya ses mains sur ses genoux et se pencha en avant.

– Exactement ! Il a lui aussi l'impression d'agir par altruisme. Il ne veut pas affirmer de puissance dominatrice. C'est pour cela qu'il n'y a pas de dimension sexuelle ou sadique dans ses crimes. Il veut juste éliminer l'objet externe qui le renvoie à son propre passé. En d'autres termes, il doit dans un premier temps s'identifier totalement aux victimes, ce qui ranime en lui un traumatisme insupportable. Le seul moyen qu'il trouve pour détruire ce risque d'identification à ces enfants fragiles est de les tuer. Mais dans sa logique, en se sauvant du néant, il a aussi le sentiment de sauver ces enfants.

– Et pour John ?

– Quelque chose est venu le perturber. Quoi, je ne sais pas encore. Il a pu se reconnaître dans cet enfant et ne plus faire qu'un avec lui, ce qui n'avait pas été tout à fait le cas avec les autres gosses. Une identification telle qu'il n'a pu se résoudre à l'exécuter et a trouvé un autre moyen de le libérer, en le relâchant de la prison dans laquelle il l'avait enfermé.

– Il aurait voulu se racheter ?

– Je ne crois pas à une rédemption – il n'éprouve pas le moindre remords. Mais il a pu s'imaginer qu'en sauvant John il se sauverait lui-même.

– Est-ce que ça pourrait n'être qu'un état passager ?

– C'est assez probable.

Frédéric soupira et continua :

– Et si j'ai raison, il doit à présent s'en vouloir de ne pas l'avoir tué, car ce geste ne l'a évidemment pas délivré de ses tourments.

– Il pourrait tenter de s'en prendre à nouveau à lui ?

– Ce n'est pas à exclure. Il vaudrait sans doute mieux maintenir la présence policière chez les Kendall.

Ils continuaient à échanger leurs vues sur cette nouvelle théorie lorsqu'ils entendirent le bolide de Raphaël, au rugissement inimitable, se garer dans la rue devant la maison. On ne pouvait imaginer arrivée plus tapageuse.

– Qu'est-ce qu'il fait là ? demanda Louis en tirant le rideau du salon et en le regardant remonter l'allée.

– Salut, *old guys* ! lança le millionnaire quelques secondes plus tard. Alors, on mène la belle vie de célibataires ?

– Si on veut, bougonna le policier.

– J'espère que vous n'êtes pas encore passés à table, je vous emmène dîner. Mettez-vous sur votre trente et un !

Louis fit grise mine.

– Écoute, Raphaël, on est crevés. Je ne suis pas sûr que…

– Inutile de parlementer, sache que je ne souffrirai aucun refus. Vous n'allez pas passer votre vie à travailler ! De toute façon, j'ai déjà retenu une table à la Réserve.

13

Si la plupart des grands palaces avaient survécu à la guerre et retrouvé une clientèle fortunée, pratiquement tous les restaurants indépendants de la Côte d'Azur – ceux qui n'étaient pas rattachés à un hôtel – avaient fermé leurs portes. La raréfaction de la clientèle d'hiver et les problèmes d'approvisionnement avaient eu raison d'eux. Pour le riche hivernant, les annuaires de restaurants de luxe ne mentionnaient plus que deux établissements de choix : le grand restaurant de la Réserve de Nice et son homonyme de Beaulieu.

Fin gourmet, Raphaël était nostalgique de la grande époque où l'on comptait les bonnes adresses par dizaines : le Restaurant français, la Régence, le London House, la Maison Dorée… autant de tables qui rivalisaient avec celles de Paris.

Située en bord de mer, la Réserve avait réussi à traverser la guerre grâce à sa concession de parcs à poissons et de coquillages. Au départ simple baraque de planches construites sur les rochers et les ruines d'un ancien lazaret, le restaurant s'était développé au fil du temps sur les rochers avoisinants, formant l'une des curiosités architecturales les plus appréciées du littoral, avec sa gloriette orientale et son voilier juché sur les récifs.

On les installa à une table avec une vue splendide sur la mer. Le ciel rougeoyait encore à l'horizon. Au zèle et à l'obséquiosité du maître d'hôtel et des serveurs, il n'était guère difficile de deviner que Raphaël était un habitué.

Il commanda aussitôt du champagne, une veuve-clicquot-ponsardin dry, avec la désinvolture de ceux qui fréquentent depuis leur enfance ce type d'établissements. Louis, pour sa part, n'y mettait jamais les pieds. Sa paye de commissaire n'aurait bien sûr pas suffi, mais il avait toujours abhorré les manifestations ostentatoires d'argent et de luxe. Quant à Frédéric, sa profession l'avait souvent conduit dans des dîners réunissant des sommités du monde médical ou des politiciens en vue, mais ces restaurants où se retrouvait la fine fleur de la société le laissaient insensible, car il n'y était jamais allé en bonne compagnie. À tout prendre, il préférait encore dîner avec les chevaux de bois.

– Bon, j'espère que vous allez un peu me parler de votre enquête. On ne me tient au courant de rien ! C'est à peine si Louis m'a prévenu de la réapparition du petit Kendall. Edmonde doit être drôlement soulagée !

– Je peux aussi t'embaucher à la brigade. « Inspecteur des arts et des lettres » ou « inspecteur aéronautique », ça sonne bien comme titre, non ?

– Très spirituel ! Qu'est-ce que vous voulez manger ?

Louis venait de jeter un œil à la carte, mais il se perdait dans la dénomination ronflante des plats.

– Je crois que je vais te laisser commander.

– Que diriez-vous en entrée d'un Consommé à la Royale et d'un Saumon, sauces Isigny et Genevoise ?

Un serveur s'approcha pour emplir leurs flûtes.

– *Pithi è apithi*, déclara Raphaël en levant son verre.

– Qu'est-ce que c'est encore ? Du russe ?

– Du russe ! ricana Raphaël. C'est du grec, voyons ! Mais le jeu de mots est intraduisible : ça signifie « Bois ou va-t'en ». C'est la façon dont les Grecs trinquaient dans l'Antiquité.

– Alors, *piti et appétit*, répéta maladroitement Louis.

Ils partirent d'un grand éclat de rire.

On dégusta le potage, les Petites Croustades à l'Ostendaise et les Pommes à l'Anglaise. Malgré ses *a priori*, Louis dut bien avouer qu'il n'avait jamais rien mangé d'aussi bon de toute sa vie.

– C'est Clara qui va être contente ! s'amusa Frédéric.

Le policier feignit de se mettre en rogne.

– Écoute-moi bien, Berthellon : si tu t'avises de toucher un mot à ma femme de ce repas, je t'écharpe, je t'étrille et je te donne à manger aux poissons qui ont permis de confectionner le délice que nous sommes en train de déguster !

– Vous voilà prévenu, Frédéric ! Ne lancez pas la pomme de la discorde. Pour ma part, je crois néanmoins que je ne renoncerais pour rien au monde à mon célibat.

Louis soupira.

– Évidemment, c'est facile pour toi étant donné… Bon… enfin, tu me comprends.

Raphaël haussa les épaules.

– Que d'idées reçues, mon pauvre Louis ! Puisque nous parlions des Grecs, saviez-vous qu'à Athènes un homme ne pouvait pas rester célibataire ? Et qu'à Sparte la loi punissait ceux qui ne se mariaient pas ? Et pourtant, en matière d'uranisme, ils en connaissaient un rayon !

Ses deux compagnons de table sourirent.

– Bon, reprit-il, en attendant mon intégration dans les brigades, j'écouterais volontiers à présent un petit résumé de votre enquête.

Frédéric prit la parole et exposa les découvertes qu'il avait faites dans la journée, en prenant soin de ne pas révéler le secret de Lisa Kendall, comme il l'avait promis. Il dut donc pour cela modifier quelque peu sa théorie sans en altérer pour autant le fond.

– Félicitations, Frédéric ! Vous lisez en cet homme *aperto libro*, complimenta Raphaël en attaquant ses Gardons à l'Espagnole et ses Haricots verts Maître d'hôtel. Notre tueur aurait donc l'impression de sauver ces enfants ! Je dois dire que c'est la première fois que j'entends un mobile criminel aussi surprenant. L'âme humaine est vraiment insondable. On se demande comment des individus peuvent avoir des idées pareilles !

Frédéric secoua la tête en signe de désaccord.

– Personnellement, je me demande comment la police n'est pas confrontée plus souvent à ce genre de comportement. Il est tellement plus facile de se laisser aller à ses instincts les plus fous que de lutter contre.

– Ce que vous dites n'est pas faux. Vous connaissez Gide, bien sûr ?

– L'écrivain ? demanda Frédéric, pris au dépourvu.

– Oui. Vos réflexions me font penser à une phrase qu'il a écrite et qui dit : « Il est bon de suivre sa pente pourvu que ce soit en la montant. »

– C'est très beau, et très juste. Mais je crains malheureusement que l'Ogre ne soit plus capable de s'appliquer cette maxime.

Raphaël posa un instant ses couverts.

– Vous savez, ma famille vivait encore à Londres quand l'Éventreur a perpétré ses crimes. Je devais avoir 7 ou 8 ans à peine. Évidemment, à l'époque, je ne lisais pas les journaux, mais je me souviens parfaitement avoir entendu deux servantes de la maison parler de l'affaire. Elles disaient que ces femmes avaient été éviscérées et que la police avait reçu une lettre accompagnée du rein d'une des victimes.

– Bon sang, Raphaël ! Nous sommes à table !

L'aviateur fit à peine attention à la remarque courroucée du policier.

– J'en ai fait des cauchemars plusieurs nuits durant. Si j'en avais parlé à mes parents, les deux filles auraient été congédiées en moins de deux. Peut-être que Scotland Yard aurait fini par arrêter ce monstre s'il vous avait eu à ses côtés, Frédéric.

– Bon, intervint Louis pour détourner la conversation, et ton meeting, tu en es où ?

Raphaël fit une moue.

– Je ne désespère pas de décrocher une épreuve, même si la concurrence va être rude ! On verra bien.

– Allons, ne fais pas le modeste, je suis sûr que tu vas nous épater. Au fait, comment en es-tu venu à monter un jour dans un de ces coucous ? Tu ne m'as jamais raconté.

– Oh, c'est une longue histoire…

Tandis qu'ils finissaient de manger leur plat, Raphaël expliqua que son père, qui avait toujours été féru d'avancées technologiques, avait investi un peu d'argent dans la construction d'un prototype extrêmement léger, équipé d'un puissant moteur V8 E.N.V. L'appareil avait été installé dans le hall du Grand Palais lors de la Ire Exposition internationale d'aéronautique.

Alors qu'il visitait un jour avec son père le hangar du terrain de la Grimaude, à Antibes, Raphaël avait été fasciné par ces engins qui semblaient sortis tout droit de l'univers de Jules Verne. Malgré les protestations de sa famille, il avait commencé à piloter en 1909 auprès d'Antonio Fernández puis de Joseph Garbero.

Breveté pilote aviateur en deux mois, il s'était inscrit quelques mois plus tard au meeting de Reims parmi quarante autres participants – même si seuls une douzaine étaient parvenus à piloter réellement leur engin en maîtrisant les décollages et les virages – et avait obtenu le deuxième prix de distance et le troisième prix de vitesse. L'année suivante, lors du premier grand meeting niçois, il remportait le prix du tour de piste.

Raphaël raconta ensuite quelques anecdotes de pilotage : comment un jour, au meeting de Blackpool, le vent soufflait avec une telle force que son avion avait ralenti dans les airs, s'était immobilisé, puis en était même venu à reculer ; ou comment il lui était arrivé, dans des meetings de démonstration, de simuler une chute libre vers des spectateurs affolés avant de reprendre de l'altitude et de remettre les gaz.

– Tu vois, notre Raphaël est un sacré rigolo !

– Oh, d'autres ont fait bien pire ! Je me souviens que mon ami Efimoff, un aviateur russe, faisait exprès d'atterrir dans des marres d'eau pour éclabousser les badauds qui ne gardaient pas leur distance. Un sacré bonhomme, cet Efimoff ! Le pauvre, il a été fusillé au début de la révolution russe. Quel gâchis !

Les serveurs débarrassèrent les desserts.

– Ça vous dirait une petite liqueur ? J'espère, Louis, que tu feras une exception à la règle. Ils ont un excellent Martell et Hennessy des docks de Londres. Ça me rappellera le pays !

*

Après le dîner, Raphaël voulut les entraîner pour un énième verre, mais Louis déclina énergiquement, cette fois, en expliquant qu'ils avaient à peine dormi la nuit précédente et Frédéric argua de son départ matinal pour Toulouse.

– Vous allez nous manquer, mon ami, conclut Raphaël avec un peu de déception. Mais vous avez sans doute raison, il vaudrait mieux que je reste moi-même en forme pour l'entraînement de demain. Je n'ai pas envie de rater un virage !

Ils rentrèrent. Louis était harassé, mais il savait que les derniers événements l'empêcheraient de trouver le sommeil. Il enrageait que tous les renseignements qu'ils avaient collectés sur l'Ogre ne soient pas suffisants pour retrouver sa trace et arrêter sa folie meurtrière.

En se mettant au lit, Frédéric se sentit fiévreux. Un état désagréable qui lui rappela les longues semaines où il avait dû rester alité chez lui à la suite de son agression. Il plongea dans un demi-sommeil. Ses souvenirs s'emmêlèrent, se jouant de l'espace et du temps, se distordant sous l'effet de la fièvre.

Dans son rêve, il se trouve dans la cour d'honneur de Sainte-Anne. Au fond se dresse le long bâtiment de trois étages des services généraux. Il se déplace sans effort, n'ayant même pas l'impression que ses pieds touchent le sol. Il pénètre dans un couloir éclairé par une petite cour aux vitres octogonales et gagne le quartier des aliénés. Un quartier qu'il connaît comme sa poche depuis trois ans qu'il y officie. Une porte s'ouvre, mais au lieu de déboucher dans les dortoirs des malades il est dans la chambre de son père, cette chambre qu'il n'a vue qu'une seule fois, le jour de sa mort. Dans le lit, le vieil homme est immobile, pâle comme les draps, les lèvres parchemineuses. Il n'a pas envie d'être là, mais il faut bien faire son travail. Il s'aperçoit qu'il n'est pas seul dans la chambre. Il est entouré par ses élèves internes. Des visages anonymes, aux traits flous, fondus comme de la cire. Il consulte des papiers qu'il tient entre ses mains mais ne parvient pas à les lire. Les lettres se mélangent, se déforment, se diluent comme de l'encre dans de l'eau. Il observe son père, hiératique et statique comme un gisant. Il se tourne vers ses élèves et déclare d'un ton magistral : « En voie de guérison. » Il perçoit des conciliabules autour de lui. Les internes murmurent dans son dos, comme s'ils remettaient en question son diagnostic. Soudain, surgissant comme une figure hideuse d'une boîte à malice, son père jaillit hors du lit, serrant dans ses mains un couteau souillé de sang. Son visage est toujours aussi blanc mais ses yeux sont exorbités. « Tu en es vraiment sûr ? » hurle-t-il. Il fond sur Frédéric et lui enfonce profondément la lame dans le ventre…

– Frédéric, réveille-toi !

Le médecin se dressa brutalement. Il sentit les draps trempés sous son corps et essuya d'un revers de la main les gouttes qui ruisselaient sur son front.

Louis était assis sur le rebord du lit, à ses côtés. Il avait allumé la lampe de chevet, qui diffusait dans la pièce une lumière tamisée.

– Tu as fait un cauchemar. Je t'ai entendu crier.

317

Frédéric tenta de prendre ses repères et, une fois sorti de son état léthargique, sentit une chaleur humide se propager sur son ventre.

– J'ai mal, se plaignit-il en portant une main à son flanc.

Ses doigts étaient recouverts d'une sueur collante.

– Merde ! s'exclama Forestier. Regarde !

Frédéric fixa ses mains, écarlates, puis sa chemise imprégnée de sang.

14

Le médecin que Louis était allé quérir déclara, sans réelle surprise, que sous l'effet de violentes contractions la blessure de Frédéric s'était rouverte durant la nuit. Ce genre de plaie mal cicatrisée lui faisant craindre une infection, il la recouvrit d'un pansement mais déclara qu'on ne pouvait pas se dispenser d'une visite à l'hôpital pour une suture chirurgicale. En tout cas, il n'était pas question que Frédéric envisage de partir quelques heures plus tard pour son congrès. Même une fois la plaie recousue, il devrait faire le moins d'efforts possible dans les jours à venir.

Frédéric se résigna. S'il lui était impossible de se rendre à sa conférence, il pourrait au moins continuer à aider les policiers dans leur enquête.

*

Le lendemain, c'est l'air soucieux que Forestier arriva à la brigade. Il avait téléphoné aux premières heures pour avertir de son retard.

– Alors ? s'enquit Leroux qui apportait sur un plateau des cafés préparés sur sa mythique machine à réchaud.

– Rien de très grave, il va simplement falloir qu'il se repose. Il passera sans doute la journée à l'hôpital.

– Jamais une enquête n'aura fait autant d'éclopés parmi nos rangs ! constata Leroux, provoquant un rire à l'unisson.

– Un café ?

– Volontiers, Marcel.

Forestier prit sa tasse, dans laquelle il plongea trois sucres. Son péché mignon.

– Où sont Biasini et Laforgue ?

– Chez un bijoutier de l'avenue de la Victoire. Je crois que la belle Kristina a encore frappé.

– Non !

– Et du gros gibier, cette fois ! Le type a pignon sur rue et il est réputé pour être méfiant. En tout cas, Biasini avait raison, elle a fini par étendre ses filets jusque chez nous.

– Est-ce qu'on sait combien elle lui a volé ?

– Visiblement, près de 40 000 francs.

– Mon Dieu ! Ce qui porte son escroquerie à combien ? 90 000 francs ! Il faut qu'on mette fin à tout ça rapidement.

– Ah, les femmes… soupira Caujolle. Quelques simagrées, de belles paroles et ils tombent tous dans le panneau !

Forestier but sa tasse de café cul sec.

– Bon ! Les enfants, on verra ça plus tard. Il faut que je vous parle de l'affaire. Venez dans mon bureau.

Le commissaire tenta de résumer succinctement la conversation qu'il avait eue avec Frédéric la veille au soir. Au fil de son récit, les inspecteurs émettaient des onomatopées de surprise ou d'approbation. Même Caujolle était impressionné.

– J'avoue que là, il a fait fort. Je crois que je l'avais mal jugé.

– Il n'est jamais trop tard pour faire son *mea culpa*, constata Louis avec un sourire.

Sa remarque piqua Caujolle au vif, et son naturel ne fut pas long à revenir :

– Sa démonstration se tient, sauf peut-être en ce qui concerne l'autre enfant séquestré. On ne peut quand même pas écarter l'hypothèse qu'il détienne une autre victime !

– Je suis d'accord avec toi, on ne peut pas la balayer. C'est pourquoi, pour le moment, nous ferons comme si un quatrième enfant était en danger. J'ai demandé aux municipaux d'intensifier leurs patrouilles dans les environs de Riquier et de signaler tout événement suspect.

Louis se tourna vers Leroux.

– Pas de nouvelles de Paris ? Est-ce qu'ils ont réussi à remettre la main sur ces foutues empreintes ?

– Rien. Je les ai rappelés à la première heure ce matin, ils continuent de chercher – du moins c'est ce qu'ils disent.

– Quelle bande d'incapables !

Leroux saisit une pile de journaux sur la table.

– Au fait, j'ai les quotidiens. On parle de nous ! Je te rassure, rien à voir avec *L'Éclaireur*.

– Bon. Donne-les-moi que j'y jette un œil !

Les articles consacrés à la réapparition de John Kendall et aux meurtres des trois autres enfants étaient relativement importants.

Dans *Le Petit Parisien*, un aliéniste de Charenton, tenant de l'universel déterminisme comme vérité scientifique, déclarait que l'homme qui avait commis ces meurtres ne pourrait pas être traduit devant les tribunaux comme un simple quidam. « On n'estime pas responsable le rocher qui écrase tout sur son passage, déclarait-il. On n'estime pas responsable la bête sauvage qui attaque et tue un homme. On ne peut pas plus considérer ce tueur comme responsable, car il est aussi automate que la pierre ou la bête fauve. » Au journaliste qui lui demandait ce que l'on pouvait faire d'un tel individu si la police parvenait à l'arrêter, le médecin répondait qu'aucune peine ni aucun châtiment ne conviendrait à un tel homme. La seule réponse se trouvait dans une « réactivité sociale », faite d'une hygiène et d'une thérapeutique qui s'adresseraient moins aux agents du crime qu'à leurs causes sociales.

Dans *L'Intransigeant*, un autre médecin tenait un raisonnement aux antipodes. Cet homme, quels que pussent être ses troubles mentaux ou physiologiques, devrait répondre de ses actes. Pour lui, la modification pénale en faveur d'une prise en compte de l'atténuation de la responsabilité était une grossière erreur. Personne ne pouvait écrire la « table des fractions » de la responsabilité. Ce genre de dispositif était d'autant plus dangereux qu'il était incitateur de désordre et « démoralisant pour la conscience sociale ». Combien d'alcooliques chroniques, de déséquilibrés, de voleurs et d'assassins utiliseraient cette faille si des tueurs d'enfants échappaient à la guillotine ?

Un article du *Figaro* proposait enfin qu'on envoyât ce type d'individus dans des asiles de sûreté avec des mesures d'internement définitives. Jamais, au grand jamais, ils ne devaient pouvoir un jour recouvrer leur liberté.

Louis eut l'impression de revivre la discussion qui l'avait opposé à Frédéric quelques jours plus tôt. La plupart des articles jugeaient en tout cas de façon positive le travail des forces de police qui, par leur recherche inlassable du tueur, l'avaient poussé dans ses retranchements, l'empêchant par là même de commettre un nouveau meurtre. Au moins, Bouvier et Durand seraient contents et lui lâcheraient peut-être la bride quelque temps.

*

La nouvelle tomba peu après 11 heures. Paris avait fouillé dans les listes notariales et un seul notaire pouvait correspondre aux éléments que la brigade avait transmis : un certain Me Léon Gravat qui officiait à Bourges. Louis essaya de contacter son étude par téléphone au numéro qu'on lui avait donné et ce n'est qu'à la troisième tentative qu'il eut un clerc au bout du fil qui lui indiqua que Me Gravat serait absent une partie de la journée. Louis entreprit de récapituler l'affaire et lui demanda de voir si un acte ou un contrat impliquant le nom de Guillot et une femme dont le nom contenait « -omène Marie Je- » avait été dressé au cours des douze derniers mois. *A priori*, ces noms ne lui disaient rien mais il fallait évidemment qu'il vérifie.

Biasini et Laforgue revinrent à la brigade accompagnés du bijoutier grugé pour enregistrer sa plainte. L'homme avait la mine défaite et la honte au front. Jamais il n'avait connu pareille mésaventure. À l'évidence, la belle Kristina lui avait joué la même comédie qu'aux deux autres victimes, mais elle avait peaufiné son rôle. Le bijoutier s'était montré suspicieux face à cette princesse qui voulait se débarrasser d'un tel bijou pour une somme bien inférieure à son prix estimé. Pour calmer ses craintes, elle lui avait sorti un document d'identité rédigé en caractères cyrilliques et couvert de tampons, dont il n'avait pu évidemment déchiffrer le moindre mot. La femme semblait au désespoir et il avouait qu'il avait cédé autant à la compassion qu'à la cupidité devant une telle occasion.

Louis ne put s'empêcher de lui faire remarquer que s'il était bien victime d'une escroquerie, ses méthodes d'achat n'en étaient pas moins douteuses et illégales, ce qui réduisit l'homme au silence.

À midi, au lieu de déjeuner, le commissaire passa voir Frédéric à l'hôpital. Il avait repris des couleurs. On l'avait opéré en fin de matinée et les médecins ne voyaient pas d'inconvénient à ce qu'il sorte, à condition qu'il restât au calme complet et qu'il se déplaçât le moins possible.

– Tu as le bonjour de toute l'équipe. Même Caujolle a été bluffé par tes hypothèses !

– Il ne faut jamais désespérer du genre humain, répondit le psychiatre en souriant.

– Et surtout, pas de bêtises ! Tu te reposes, aucun effort inconsidéré. Tu n'as qu'à lire ou écrire.

– « La main à plume vaut bien la main à charrue ! »

Les inspecteurs faisaient triste mine lorsque Louis fut de retour rue de l'Église, après avoir déposé Frédéric chez lui.

– Qu'est-ce qui se passe ?

– Le service des archives a fini par remettre la main sur nos empreintes… expliqua Leroux.

– Miracle !

Ce dernier fit une moue résignée.

– Ne te réjouis pas trop vite, elles ne correspondent absolument pas. Ce Justin Guillot n'est pas notre homme.

Louis fixa avec atterrement les membres de son équipe.

– C'est impossible !

324

– Ça l'est pourtant. Outre qu'il n'y a aucun doute sur la comparaison dactyloscopique, on vient de recevoir un appel du ministère de la Guerre. Ils ont retrouvé la trace du Justin Guillot qui figure sur la fiche du quai des Orfèvres. Il a été enrôlé en août 14 dans le 46ᵉ régiment de Fontainebleau…

– Et ?

– Il est mort à Vauquois, sur le front Est, en avril 1915.

*

Concernant le nom du tueur, les hypothèses ne manquaient pas. L'Ogre pouvait fort bien s'appeler Justin Guillot, le type de la fiche n'étant dans ce cas qu'un homonyme. On pouvait aussi imaginer qu'il avait choisi un faux nom au hasard pour camoufler depuis le début sa véritable identité… ou le nom d'une personne qu'il connaissait, un homme qu'il avait pu fréquenter à un moment de sa vie.

Que la piste Guillot s'avérât une impasse désespérait Louis. Frédéric avait réussi à affiner le portrait du meurtrier et le policier s'était imaginé que la fiche des archives viendrait le parfaire. De déception, il s'enferma dans son bureau, se carra contre le dossier de son fauteuil et enchaîna les cigarettes, en contemplant leur bout incandescent.

Noyé dans un nuage de fumée, il finit par décrocher brutalement le combiné du téléphone pour obtenir l'office du notaire à Bourges – c'était au bout du compte leur dernière piste sérieuse. Le clerc se montra moins coopératif que le matin et Louis sentit une réticence dans sa voix. Il ne fut pas long d'ailleurs à lui passer Mᵉ Gravat.

Leur échange, sans être froid, fut peu cordial. Le notaire lui expliqua qu'il ne pouvait pas transmettre les informations qu'on lui réclamait par téléphone. Il ne refusait pas de collaborer à leur enquête – une réquisition n'était pas nécessaire –, mais il fallait qu'un policier dûment mandaté se rende sur place pour consulter ces documents. Louis explosa. C'était la goutte d'eau qui faisait déborder le vase. Il tenta de plaider sa cause, indiqua qu'il s'agissait d'une question de temps, que l'homme qu'ils recherchaient avait déjà fait cinq victimes et s'apprêtait peut-être à en faire une sixième, mais son argumentation fut vaine. Il finit par raccrocher violemment le téléphone, faisant trembler le bureau sur ses pieds.

Il analysa rapidement la situation. À cause de la longueur du trajet, il se voyait mal envoyer l'un de ses inspecteurs à Bourges. Ce serait une perte de temps qu'il ne pouvait pas se permettre. Il fallait retrouver cet acte notarié dans les plus brefs délais. Il repensa alors à la conversation qu'il avait eue avec Bouvier le jour de la disparition de John Kendall.

Paris voulait leur mettre des inspecteurs à disposition. Eh bien, il allait les prendre au pied de la lettre…

15

Les choses sont arrivées comme ça. Tu n'avais rien prévu.

De l'épisode du bureau, tu n'as bien sûr rien raconté à ta mère. Mais dans la journée elle est venue te voir, en colère. Le docteur lui a dit que tu te montrais moins sérieux dans tes leçons et que tu avais abîmé un livre avec de l'encre. Tu as gardé un silence contrit. Tu ne veux pas lui faire de peine. Cette place au château est une aubaine et tu te sentirais terriblement coupable si elle la perdait.

Tu as recroisé le docteur. Il a fait comme si de rien n'était, se contentant de dire qu'on reprendrait les leçons plus tard. Mais ces leçons, tu ne les reprendras pas, même pour tout l'or de la terre.

Tu n'avais rien prévu, non. Tu as cherché Justin presque tout l'après-midi. Tu ne l'as pas trouvé dans la grange, ni près de la mare. Tu as flâné dans les bois et t'es dirigé vers la ferme des Guillot.

Tu le vois soudain au détour du sentier, étendu sous un arbre. Tu ne lui as jamais adressé la parole. Tu l'as parfois vu travailler de loin ou venir au château pour parler au docteur. On dirait qu'il somnole. Ses joues sont teintées de couperose, une barbe sale couvre le bas de son visage. À côté de lui sont posés un fusil et une gibecière vide. Évidemment, ce n'est pas la période de la chasse. Justin t'a expliqué qu'on avait signalé des braconniers dans la région ces derniers temps et son père a pris l'habitude, avec l'accord du docteur, d'exercer une surveillance deux fois par semaine. Visiblement, ce salaud a un coup dans l'aile. Tu le regardes avec dégoût et tu songes à nouveau à la blessure de Justin. À cette image viennent se superposer celles du docteur et de ton propre père. Tous des cochons, des enfoirés qui ne méritent pas de vivre !

Tout se fait naturellement. Tu t'approches sans bruit, en évitant de faire craquer les branches sous tes pas. Le type ne bouge pas d'un iota. Il pionce plus profondément que tu ne pensais. D'une main, tu saisis le fusil et recules de quelques pas. Tu ouvres le canon comme Justin te l'a appris. Il est chargé… deux cartouches. Tu le refermes d'un geste sec qui le réveille.

D'abord, il ne semble pas bien comprendre ce qui se passe. Il fronce le nez et se relève à moitié. La surprise envahit son visage.

– Espèce de voyou, va ! Qu'est-ce tu fous avec mon fusil ?

Il ne semble pas du tout avoir peur. Il devrait, pourtant.

– C'est pas un jouet, ça ! Vas-tu m'le rendre ?

Il essaie alors de se lever, mais, à peine sur ses deux jambes, il commence à vaciller. Cet homme est ivre mort.

– Tu vas voir ! J'vais m'aller raconter au docteur c'que le bâtard de la bonne fabrique.

Tu pointes le fusil dans sa direction. Il se met vaguement à rire dans sa barbe. Tu vises, de la manière dont Justin t'a appris, et presses la détente. Pan ! Son père est projeté à terre, le bras ensanglanté. Il émet un hurlement rauque qui brise le silence de la forêt. Tu le regardes alors qu'il essaie de se relever. Il grouine comme un cochon qu'on s'apprête à égorger.

– T'as mal, hein ? Ça, c'est pour Justin ! vocifères-tu avec une vraie colère dans la voix.

Tu braques une deuxième fois l'arme dans sa direction. Cette fois tu vises la poitrine. Tu tires. Il tombe inerte sur le lit de feuilles. Il a un énorme trou au milieu du corps.

Tu viens de commettre un meurtre et tu n'en éprouves aucun remords.

16

S'ensuivit une période étrange. Alors que la dernière semaine ne lui avait pas laissé un instant de répit – avec le témoignage de la prostituée, l'enlèvement de John Kendall, la découverte du corps de Jean Cordier et la poursuite du tueur sur les toits –, il semblait soudain à Louis que l'enquête en était au point mort.

Il avait bien sûr contacté Bouvier, le patron des brigades, pour demander qu'un policier se rendît rapidement à Bourges, mais il ne se sentait plus désormais au cœur de l'affaire et voyait s'éloigner dangereusement la possibilité de mettre un jour la main sur l'Ogre, qui n'était pas, on en était sûr à présent, Justin Guillot. Louis repensa même à l'assassin de Whitechapel, qui, ainsi que l'avait fait remarquer Raphaël, n'avait jamais été arrêté.

Seule consolation, il avait obtenu que ce fût son vieil ami Boissonnard qui s'occupe de fureter dans les actes du notaire. Un excellent policier, auprès duquel il avait pris plaisir à travailler lorsqu'il était à Paris.

Louis en profita aussi pour appeler Raphaël et lui souhaiter bonne chance pour le meeting du lendemain.

– Au fait, remarqua l'aviateur, j'ai téléphoné aux Kendall pour leur témoigner mon amitié. Je les ai invités au meeting, ça fera prendre l'air au petit.

– C'est un peu tôt après ce qui lui est arrivé ! Ça m'étonnerait de toute façon que ton amie Edmonde accepte…

– Oh, elle a déjà accepté ! Elle est plus ouverte qu'elle n'y paraît. Évidemment, je lui ai promis que tu les accompagnerais et que tu veillerais à leur protection.

Forestier s'emporta :

– Tu te fous de moi ! Tu crois que je n'ai rien d'autre à faire en ce moment que de les chaperonner ?

Raphaël prit un ton détaché.

– Tu m'avais dit que tu avais l'intention de passer, de toute façon. Ça ne change rien pour toi.

– « Ça ne change rien pour toi. » Il est incroyable ! Il ne t'est pas venu à l'esprit que chaque sortie représentait un danger potentiel pour le gosse, que l'Ogre pouvait encore s'en prendre à lui ? Et quand est-ce que tu comptais me mettre au courant ?

– J'allais décrocher mon combiné quand tu as appelé…

– Cause toujours ! râla Louis en secouant la tête.

De son côté, réduit à un quasi-alitement, Frédéric continuait à contacter les principaux asiles du pays, à partir de la liste que lui avait envoyée le Conseil général des hôpitaux.

Le mardi, dans l'après-midi, il crut tenir une piste sérieuse. Un médecin de l'asile de Villejuif lui assura qu'un malade correspondant au signalement du tueur avait été interné deux ans plus tôt après avoir été arrêté pour exhibition dans un lieu public. Il souffrait d'une dermite éruptive très prononcée qui pouvait rappeler la description fournie par Cathy. Certes, la dimension sexuelle perverse de l'épisode cadrait mal avec ce qu'il savait à présent du tueur, mais il valait la peine de pousser plus loin les vérifications. Non sans mal, on mit la main sur le dossier du suspect. L'homme avait avoué s'être souvent livré à des propos ou à des actes obscènes. Il s'était un jour masturbé dans un jardin public avant d'être chassé par des passants. Les médecins de Villejuif avaient conclu à une *Dementia paralytica* et l'avaient soigné à coups d'hydrothérapie. Il était sorti au printemps 1921 sans que l'on n'ait plus eu de nouvelles de lui. Fort de ces informations, Frédéric envoya un télégramme au Conseil des hôpitaux pour que l'on recherche dans d'autres asiles la trace de l'individu.

*

Louis fut ramené plus tôt que prévu à l'affaire de la belle Kristina par un coup de fil émanant du Casino de la Jetée-Promenade. Des employés avaient repéré dans le restaurant une personne correspondant parfaitement au portrait établi par Biasini : une femme d'une trentaine d'années, d'une grande beauté, très élégamment vêtue, portant un grain de beauté au coin de la lèvre et s'exprimant avec un accent slave prononcé.

– Je crois qu'on la tient ! exulta Louis. Elle est toujours sur place, dans une salle de jeu. Bouge tes fesses, Marcel, je n'ai pas envie de la louper !

Le Casino de la Jetée-Promenade, bâti sur la mer, faisait partie de ces bâtiments niçois qui suscitaient des louanges enthousiastes aussi bien que des indignations outrées. Certains encensaient son architecture aérienne, son dôme majestueux et son style byzantin. D'autres, bien plus nombreux, se désolaient de ses tours-minarets, de la vulgarité de ses ors et de la prétentieuse statue marine qui surmontait l'édifice.

À titre personnel, Louis était plutôt charmé par ce palais des Mille et Une Nuits, mais il concédait volontiers qu'il n'y connaissait rien en architecture. Pour sa part, Raphaël qualifiait le casino d'« ineffable bazar » ou de « verrue » et avait toujours refusé d'y mettre les pieds.

Forestier et Leroux traversèrent les kiosques et le portail d'entrée avant de s'engager sur le large pont d'accès en encorbellement. Ils débouchèrent dans le grand hall central et se présentèrent à l'entrée des salles de jeu. Le casino abritait un cercle, une suite de salons privés où les abonnés et les cooptés s'adonnaient aux jeux d'argent. Moins de deux ans auparavant, il avait obtenu la panoplie complète de tout grand casino : baccara à deux tableaux, chemin de fer, boule, roulette, trente et quarante… Devant le retour progressif des représentants de la *High Life*, le maire voulait même obtenir l'autorisation d'ouvrir les jeux au-delà de la date réglementaire, fixée le 31 mai.

Un employé, qui avait surveillé la princesse depuis son arrivée, les conduisit dans la salle de baccara, une pièce immense au plafond luxueusement décoré d'où pendaient des lustres baroques. Les tables de jeu se succédaient dans un alignement parfait, symbole d'un monde d'ordre et de tranquillité.

– Elle est là, à la table de chemin de fer, indiqua discrètement l'employé. Elle a déjà joué plus de 2 000 francs !

Louis et Leroux s'approchèrent de la table et l'observèrent du coin de l'œil. Si ce n'était pas elle, c'était son sosie ! Dans sa crêpe de Chine rouge et noir, elle ne pouvait guère passer inaperçue. Au vu de sa beauté et du charme aristocratique qui émanait de sa personne, il n'était pas difficile de comprendre qu'elle ait pu gruger tant de bijoutiers en leur refourguant de la camelote.

– Je ne suis guère en veine aujourd'hui, déclara-t-elle de son accent charmant à ses compagnons de jeu. Je me retire.

Elle se leva. L'occasion pour Louis de l'intercepter en évitant le scandale.

– Madame ?

Elle toisa le policier sans surprise.

– Oui ? demanda-t-elle avec un brin de dédain.

– Je suis de la police. Commissaire Forestier. J'aimerais que vous nous suiviez discrètement. Nous aurions quelques questions à vous poser au sujet d'escroqueries qui ont été perpétrées chez des bijoutiers de la région.

Louis avait misé sur sa franchise et son ton direct pour provoquer une réaction de sa part. Il ne fut pas déçu du résultat.

Quelque chose passa d'abord dans son regard. Un trouble qui vira très vite à la colère. Puis sur son visage altier se peignit un rictus effrayant qui fit reculer le policier d'un pas. En une seconde, sa noblesse naturelle s'était évanouie. Elle poussa un cri effroyable qui inonda la salle de baccara et coupa net les conversations et les parties. Tous les regards se tournèrent vers elle, mais elle n'y prêta aucune attention. Elle fondit sur Louis comme une harpie, se mit à le griffer au visage et à le mordre jusqu'au sang au poignet, puis à tous les endroits de son corps qui s'offrirent sous ses dents. Le policier ne put retenir un hurlement. Il tenta de lui faire lâcher prise sans risquer de la blesser, mais ne dut son salut qu'à Leroux, qui la ceintura sans ménagement.

– La tigresse ! s'exclama Forestier en portant la main à sa blessure.

*

Au bout de deux heures d'interrogatoire, les policiers finirent par apprendre que la princesse Kristina se nommait en réalité Germaine Michaux, patronyme qui faisait à coup sûr moins d'effet que son faux titre aristocratique. Native de Toulon, elle avait travaillé un temps comme serveuse avant de devenir racoleuse d'une maison de passe à Marseille où elle avait appris quelques mots de russe sur l'oreiller. Depuis un peu plus d'un an, elle travaillait pour le compte d'un proxénète, cambrioleur à ses heures, qui avait monté de toutes pièces l'escroquerie de la bague. Le bijou avait été volé dans une luxueuse villa cannoise l'année passée.

– Vous comprenez, on ne voulait pas s'en débarrasser auprès du premier fourgue venu, confia-t-elle. On a préféré l'utiliser comme attrape-nigaud.

– Quelle comédienne ! s'extasia Leroux en aparté.

La jeune femme avoua qu'elle avait déjà dépensé plus de la moitié de l'argent escroqué. Mise sous pression par Louis et consciente qu'elle n'avait plus rien à perdre, elle finit par révéler que son complice, un certain Raoul Castelli, résidait avec elle à l'hôtel Negresco sur la Promenade des Anglais et qu'il allait sans doute s'inquiéter de ne pas la voir revenir. Dans la demi-heure, la brigade débarqua dans le palace niçois et trouva le proxénète confortablement installé dans sa suite, en train de siroter une flûte de champagne. Les policiers découvrirent dans ses bagages, au milieu d'articles de luxe, plus de 40 000 francs en liquide.

– Une belle prise ! s'enthousiasma Leroux en quittant le palace.

«Oui, une belle prise», songea Louis. Pas suffisante cependant pour lui faire oublier ses échecs répétés dans l'affaire de l'Ogre.

*

Boissonnard arriva à Bourges en début d'après-midi. De la gare, il prit un taxi qui le conduisit directement à l'office du notaire, où il fut accueilli dans l'indifférence la plus totale. On l'installa dans une pièce poussiéreuse où s'entassait de façon anarchique un amas de dossiers. Il apprit avec soulagement que ce n'étaient pas ceux qu'il allait devoir éplucher. On lui montra les étagères où étaient classés les actes enregistrés des deux dernières années. Il pourrait travailler dessus aussi longtemps qu'il le voudrait tant qu'il ne dérangerait personne.

Le policier mit quelques minutes à s'habituer au jargon notarial, puis il trouva rapidement son rythme de croisière. La tâche était répétitive et ingrate, mais il fallait se montrer consciencieux pour être sûr de ne rien manquer. Même si d'après Forestier le document recherché avait sans doute été rédigé à la fin de l'année précédente, Boissonnard décida d'examiner les dossiers dans l'ordre chronologique. Testaments, contrats de mariage, catalogues de biens, baux de fermes, actes de partage… Il ne négligea aucune piste, certain que son travail de fourmi finirait par payer.

Les heures passèrent. Le soir tomba. Éclairé par la lumière glauque d'un lustre suranné, Boissonnard s'aperçut avec découragement qu'il n'avait pas encore épluché le tiers des dossiers. Une secrétaire lui indiqua que l'office allait fermer et qu'il lui fallait remettre ses recherches au lendemain.

Il avait réservé une chambre dans une pension de famille à deux rues de là. Pour l'heure, il avait besoin d'un verre et d'une bonne nuit de sommeil pour être d'attaque. S'il ne voulait pas décevoir Forestier, il fallait à tout prix qu'il mette la main sur ce fichu document !

*

Déprimé, Louis laissa à Leroux et Caujolle le soin d'interroger Castelli. Il avait envie de boucler rapidement cette affaire qui, dans d'autres circonstances, aurait sans doute constitué un coup d'éclat pour la brigade.

Il voulait entendre la voix de Clara et décrocha son téléphone. Comme d'habitude, il dut subir les récriminations de la logeuse avant que celle-ci consente à monter la chercher. Il tenta de dissimuler son humeur morose pour remonter le moral de sa femme, qui s'habituait mal à la vie marseillaise. Même si elle ne se plaignait jamais, Louis savait qu'elle ne s'entendait pas bien avec son beau-frère, un homme travailleur mais fruste qui traitait sa sœur avec peu d'égards et n'était d'une façon générale pas tendre avec les femmes. Et la promiscuité dans laquelle ils vivaient – ils logeaient désormais à six dans un appartement de trois pièces – devait rendre les choses plus difficiles encore.

Forestier venait de raccrocher lorsque Leroux entre-bâilla la porte du bureau, noyé dans la fumée de cigarettes.

– Louis, je crois que tu devrais venir : Castelli se montre plus bavard que prévu.

337

*

Physiquement, Raoul Castelli était une caricature vivante : des yeux caves et sournois, un menton fuyant, une tignasse aussi drue et noire que l'était sa barbe naissante. À son allure, on avait du mal à croire qu'il pût être la tête pensante de l'équipe. Louis se demanda si les théories sur le criminel-né que critiquait Frédéric n'avaient pas tout de même un fond de vérité.

– Je voudrais trouver un arrangement, énonça l'homme d'un air crâneur.

Louis sourit.

– Un arrangement ? Rien que ça ! Cela dit, c'est vrai que tu en aurais besoin. Proxénétisme, crime en bande organisée, escroquerie, recel de bijoux… Ça va chercher dans les combiens, Marcel ?

– Oh, ça va ! grommela Castelli. Ne croyez pas que vous pouvez tout me foutre sur le dos. J'étais pas seul dans cette histoire.

– Malheureusement pour toi, les peines ne se divisent pas selon le nombre de complices. Elles auraient même tendance à s'aggraver dans un cas comme le tien.

Castelli observa un moment de silence.

– Comme je l'ai dit à l'inspecteur, j'ai des informations qui pourraient vous intéresser. Mais je veux quelque chose en échange…

Louis le fixa droit dans les yeux.

– Tout ce que je peux faire, c'est minimiser le rôle de Germaine dans vos magouilles. On pourra dire qu'elle agissait contre son gré, que tu la manipulais.

Castelli fit une grimace qui enlaidit son visage déjà disgracieux.

338

– Non, mais vous plaisantez ? C'est pas pour sa pomme que je veux négocier !

– Bon, Castelli, tu accouches ou il te faut le forceps ? Dis ce que tu as à dire et je verrai ce que je peux faire. J'ai des cas plus urgents à régler que le tien.

L'homme fut soudain animé d'un tic : ses paupières papillonnèrent à un rythme effréné.

– Justement, ça concerne une de vos enquêtes… Celle du gamin qui est né avec une cuillère en argent dans la bouche.

Louis et Leroux échangèrent un regard stupéfait. Castelli savoura son petit effet.

– Je vois que ça vous en bouche un coin !

– Tu commences à m'emmerder, fit Forestier, excédé. Si tu crois pouvoir nous refourguer les informations qui sont parues dans la presse…

Castelli secoua vigoureusement la tête.

– J'essaie pas de vous entuber. Le type qui a fait ça, celui que les journaux appellent l'Ogre… il a pas fait le coup tout seul.

Les policiers eurent du mal à rester impavides. Aucun journal n'avait mentionné l'hypothèse qu'il ait pu avoir un complice. Eux-mêmes n'en avaient pas la certitude absolue. Louis passa une main embarrassée sur sa bouche.

– Si tu nous donnes du solide, je laisserai tomber les accusations de proxénétisme et on ne retiendra pas la notion de bande organisée. Ça te va ?

Castelli feignit de peser le pour et le contre.

– D'accord, mais je veux un papelard signé.

– Tout ce que tu auras, c'est ma main dans la gueule si tu continues. Je te laisse dix secondes pour lâcher le morceau.

– Ça va ! Pas la peine de vous énerver, commissaire. Nous sommes entre *gentlemen*, non ?

Castelli désigna ses menottes de la tête.

– Pourriez pas m'enlever ça ? Je me sentirais plus à l'aise pour causer.

Louis ébaucha un geste et Leroux le libéra. Le receleur se frotta les mains pour se les dégourdir.

– Avec Germaine, on est arrivés à Nice lundi de la semaine dernière. Le soir, on est allés faire un tour au Café de Turin…

– À voir où tu logeais, je croyais que vous ne fréquentiez que les établissements de luxe, ne put s'empêcher de remarquer Louis.

– J'aime le fric, mais les rupins, je peux pas les encadrer ! s'emporta Castelli.

Leroux fronça les sourcils pour faire comprendre à Louis qu'il valait mieux éviter de l'interrompre.

– Vas-y, continue.

– Évidemment, Germaine était pas attifée en princesse. Il y avait foule ce soir-là : ça dansait, ça chantait, ça buvait… Je devrais pas le dire, mais Germaine a même essayé de vider les poches de quelques vieux qui se méfiaient pas. Je lui avais rien demandé, attention ! C'est un vice qu'elle a dans le sang, elle peut pas s'en empêcher. Vers minuit, il y a un type avec un fort accent italien qui s'est assis en face de moi. J'avais pas mal bu, mais à côté de lui j'étais sobre comme un âne. Il a commencé à parler, à parler… une vraie Napolitaine ! Impossible de l'arrêter. Renzo, il s'appelait. Il disait qu'il travaillait comme docker sur le port.

– Bon. Et alors ?

– Il arrêtait pas de dire qu'il en avait marre de son boulot, qu'il était pas fait pour trimer toute sa vie comme un con. Il était arrivé à Nice il y a deux ans et aucun travail ne lui convenait. À un moment donné, alors que je l'écoutais plus que d'une oreille, il a commencé à dire qu'il allait changer de vie, qu'on lui avait proposé un gros coup qui allait lui ramener plein d'oseille.

– Quel gros coup ?

– Un truc avec un gosse de richards. Ils devaient le garder quelques heures au chaud et soutirer du fric aux parents.

Louis s'agita. Il sentait la sueur perler sur son front.

– Ils voulaient l'enlever et demander une rançon ?

– Il a pas vraiment utilisé ces mots, mais c'est bien ce que j'ai cru comprendre. Naturellement, j'ai pensé qu'il baratinait. Ce type aurait même pas été capable de trouver la sortie du bar tout seul.

– Et tu dis que cette conversation a eu lieu lundi ?

– C'est ça.

Louis glissa un regard à Leroux. Ils pensaient la même chose. Lundi, soit peu de temps avant la disparition de John Kendall. Si Castelli disait vrai, ils tenaient peut-être le complice de l'Ogre.

– Qu'est-ce que tu sais d'autre sur cet homme ?

– Rien, je vous ai tout dit.

– À quoi il ressemblait ?

– Dur à dire. 35 ans peut-être, banal, les cheveux très bruns et mal peignés.

– On va aller loin avec ça !

– J'avais pas l'intention de faire son portrait ! Ah oui ! Il avait une bosse sur le pif.

– Tu l'as revu depuis ?

– Bien sûr que non ! J'avais complètement oublié cette histoire quand l'autre jour, ça devait être jeudi ou vendredi, Germaine était en train de feuilleter les journaux, allongée sur le lit à l'hôtel. « Mon Dieu ! elle a

341

crié comme une folle. Regarde, Raoul, un gosse de riches a disparu. Regarde, je te dis ! » J'ai lu l'article et j'ai presque tout de suite compris. Qui ça pouvait être sinon mon pilier de bar ?

– Pourquoi Germaine a-t-elle tiqué à la lecture de l'article ? Elle avait entendu la conversation ?

– Pas vraiment, mais je lui avais tout raconté en rentrant à l'hôtel.

Louis se planta devant Castelli.

– Tu te rends compte que tu détenais des informations essentielles concernant un rapt d'enfant et que tu n'as rien dit ?

– Eh ! Je suis pas une donneuse ! Qu'est-ce que vous vouliez que je fasse ? Que je vienne vous présenter mes respects ? Et puis, le gosse est réapparu. Tout est bien qui finit bien, comme on dit.

– Pas pour toi, malheureusement. Allez, on va te remettre au chaud ! Marcel, les bracelets.

– Et notre accord, commissaire, il tient toujours ?

– Franchement, Raoul, il vaudrait mieux oublier cette histoire pour le moment si tu ne veux pas te retrouver avec une accusation de complicité d'enlèvement sur les bras.

*

Le port, encerclé par les arcades de la place Cassini et les hautes maisons safranées du quai Lunel, était baigné par une lumière diffuse de fin d'après-midi. Forestier et Leroux longèrent les quais, où étaient amarrés cargos et tartanes. Ils passèrent devant des tonneaux soigneusement alignés devant la grue en fonte et des fardiers chargés de sacs de charbon. Plus loin, sur le pont des yachts de luxe aux cuivres rutilants et aux voilures blanches, s'animaient les robes claires de riches hivernantes.

Les policiers n'avaient pas voulu arriver en force, pour éviter de se faire remarquer. Ils souhaitaient d'abord obtenir le maximum de renseignements sur ce fameux Renzo, à supposer bien sûr que Castelli n'eût pas fabulé.

Forestier et Leroux furetèrent près des bâtiments des services portuaires et pénétrèrent dans la baraque qui servait de bureau d'embauche pour les dockers. Un grand gaillard aux favoris broussailleux fumait un cigarillo derrière une table croulant sous des dossiers et des formulaires. Un berger allemand était couché à ses pieds. Lorsqu'il les vit entrer, l'animal dressa l'oreille et se mit à grogner.

Louis sortit sa carte et se présenta.

– J'imagine que vous connaissez tout le monde ici…

– Faut voir, grommela l'homme en tirant sur son cigarillo, qui dégageait une odeur âcre.

– Nous recherchons un docker du nom de Renzo, dit Louis d'une voix autoritaire. C'est une affaire très importante.

L'homme ricana.

– Renzo ! Ça m'aurait étonné !

– Vous savez qui c'est ?

– Y a pas trente-six mille Renzo qui travaillent au port. Murati, c'est lui que vous cherchez. Un Italien. D'habitude, les ritals rechignent pas à la tâche, mais lui, c'était une mauvaise recrue : quand il arrivait le matin, il était déjà rond comme une barrique. On aurait fini par le virer s'il s'était pas fait la malle.

– Il a disparu ?

343

– Ça doit bien faire une semaine qu'il vient plus travailler.

La piste était donc sérieuse. Forestier songea à l'Ogre, qui lui aussi avait déserté son poste après l'enlèvement de John.

– Vous savez pourquoi ?

– Non, et je m'en fous ! À partir du moment où un de mes gars manque le boulot sans raison, il fait plus partie de la boutique. C'est pas l'Armée du Salut, ici.

L'homme éteignit son cigarillo et se dirigea vers une armoire en fer derrière lui.

– On fait les choses en règle, reprit-il. J'ai sa fiche d'embauche, si vous voulez, mais je ne sais pas si ça va vous être utile.

– Depuis combien de temps travaillait-il ici ?

– Un peu moins de six mois, répondit l'homme en continuant de farfouiller dans ses papiers. C'est un autre docker qui l'avait recommandé. Si j'avais su…

– Vous savez où il habite ?

– Ils sont plusieurs à crécher chez une logeuse de la rue Ségurane. D'après ce que j'ai entendu dire, il y a plus remis les pieds, mais il a laissé toutes ses affaires dans sa chambre. Oh ! Vous me direz qu'il devait pas avoir grand-chose.

L'homme extirpa d'une pochette une feuille cartonnée.

– Tenez ! Qu'est-ce qu'il a fait, Renzo, pour que vous vous mettiez à ses basques comme ça ? Il a oublié de payer la note ?

– Désolé, fit Louis en parcourant la fiche, c'est confidentiel.

– Si vous voulez mon avis, vous allez galérer pour lui mettre la main dessus. S'il a trempé dans une affaire louche, il est bien capable d'être repassé de l'autre côté de la frontière.

*

Ce soir-là, Louis et Frédéric dégustèrent une pissaladière et des *raïola* en daube que le policier avait achetées dans une échoppe de la vieille ville, en revenant du port. Ils arrosèrent le tout avec une bouteille de vin rouge dénichée dans la cave de la maison. Avec un vrai talent de comédien, Louis avait raconté l'arrestation épique de la princesse et détaillé la piste du complice supposé de l'Ogre.

– Et cet homme s'est volatilisé ? s'étonna Frédéric.

– On a interrogé la logeuse et bon nombre de ses collègues : plus personne ne l'a vu depuis une semaine. Le fait qu'il ait laissé toutes ses affaires me fait craindre le pire. Ce type était un poivrot notoire, il était instable. S'il a vraiment aidé l'Ogre à enlever John, il s'est laissé manipuler. Le tueur a dû lui faire miroiter une rançon qu'il n'a jamais eu l'occasion de réclamer.

– En tout cas, ça collerait avec nos hypothèses. Le complice ne pouvait être qu'un pion, un homme faible et influençable. J'imagine que le tueur l'a déniché dans un bar et l'a soigneusement choisi. Tu penses qu'il s'est débarrassé de lui après l'enlèvement ?

– J'en suis presque sûr. À quoi pouvait-il bien lui servir ? Murati ne pouvait plus être qu'un obstacle : il parlait trop et l'Ogre n'aurait pas pris le risque qu'on remonte sa piste.

Louis se leva et s'essuya les lèvres à sa serviette de table.

– Tu veux un café ?

– Volontiers.

– On a lancé un avis de recherche et j'ai mis tous mes indics sur le coup au cas où il se pointerait dans un bistroquet de la ville. Leroux va voir avec Paris s'il ne serait pas fiché, mais comme il ne vit en France que depuis deux ans, les chances sont maigres. Je doute vraiment qu'on le retrouve, ou alors ce sera raide comme un pantin.

Frédéric entassa la vaisselle dans l'évier.

– Une victime de plus à son tableau de chasse, murmura-t-il. Et pour les archives du notaire, tu as eu des nouvelles de ton ami ?

– Pas encore. Mais maintenant qu'on a fait chou blanc avec Murati, je compte vraiment sur lui.

Louis fit passer le café fraîchement moulu dans sa cafetière à filtre.

– Au fait, tu sais qu'à cause de Raphaël je chaperonne les Kendall au meeting demain ? Mathesson m'exaspère, parfois ! Dommage que tu ne puisses pas venir. Lisa sera là.

– Tiens ! se contenta de dire Frédéric avec détachement.

Louis versa le café dans deux tasses.

– Pourquoi ne réagis-tu pas chaque fois que je cause d'elle ?

Frédéric leva les mains en l'air en signe d'incompréhension.

– Je ne vois pas de quoi tu parles.

Louis lui tendit une tasse et secoua la tête.

– Mais si, tu le sais très bien. Allons, Frédéric ! Ta vie sentimentale est un fiasco : tu as plus de 35 ans et tu n'as jamais été capable de nouer une relation sérieuse avec une femme. Regarde comment tout a capoté avec Édith !

– Tu crois que je ne m'en rends pas compte ? fit le médecin d'un air sombre.

– Eh bien alors ! Pourquoi ne pas tenter ta chance avec elle ? Tu lui plais, ça crève les yeux.

– Mais il n'y a rien entre nous. J'ai dû la voir… quoi ? Trois fois en tout et pour tout… et dans les circonstances que tu connais !

Emporté dans le tourbillon d'événements des derniers jours, Frédéric n'avait guère pris le temps de s'interroger sur sa relation avec Lisa. Mais, quoi qu'il pût dire, il sentait bien qu'ils étaient attirés l'un par l'autre. Les ressemblances entre leurs situations familiales devaient y être pour quelque chose, toutefois ces similitudes n'expliquaient pas tout : il avait été conquis par la jeune femme, bien au-delà de la simple attirance physique qu'il avait pu connaître pour d'autres.

– De toute façon, trop d'obstacles nous séparent.

– Tu penses à quoi ? À la différence de milieu social ? Ça ne devrait pas être un gros problème : elle n'a pas l'air fascinée par l'argent. Et puis, après ce qu'elle lui a fait subir, je doute que sa mère ose en plus s'occuper de sa vie amoureuse !

– Il n'y a pas que ça. Tu crois vraiment qu'elle a envie de s'engager dans une relation avec tout ce qu'elle traverse ? Les tensions avec sa mère, comme tu l'as dit, sa position délicate par rapport à John, le sentiment de se voir dépossédée de sa propre vie… on peut difficilement imaginer terreau moins propice à une histoire amoureuse !

– « Terreau moins propice », ricana Louis. Tu parles comme un poète ! Moi, mon père disait toujours : « Le champ du paresseux est plein de mauvaises herbes. »

– Qu'est-ce que tu essaies de me dire avec ta métaphore champêtre ?

Louis but une gorgée de café, fit mine de réfléchir quelques secondes et déclara énergiquement :

– Qu'il est temps que tu te secoues ! Parce que si tu ne fais pas le premier pas, c'est une disette sentimentale qui t'attend.

17

6 avril 1922

La lecture du programme du meeting aérien établi par l'Aéro-Club de la Côte d'Azur suffisait à rappeler que les combats menés quatre ans plus tôt avaient laissé une trace prégnante dans les mémoires. La première épreuve consistait en effet à pulvériser à l'aide de mitrailleuses des ballonnets lancés dans le ciel à vingt secondes d'intervalle. La deuxième journée de compétition serait consacrée à la reconstitution d'une guerre aérienne.

La brigade de Nice n'avait pas été chargée de superviser la sécurité du meeting mais, comme le lui avait si bien rappelé Raphaël, Forestier avait toujours eu l'intention d'y faire un tour avec Clara et Jean.

Louis avait donné rendez-vous aux Kendall devant le square à musique du jardin Albert-I{er}. Ils arrivèrent dans leur imposante Alfa Romeo, une luxueuse limousine qui laissait imaginer aux quidams l'étendue de leur fortune. Mme Kendall affichait une mine moins revêche et son ensemble trois pièces au manteau coupé de biais faisait oublier son austérité naturelle. La jeune Lisa portait une rafraîchissante robe à fleurs qui laissait nus son cou et ses épaules ; son visage rayonnant contrastait avec la mine dévastée que Louis lui avait connue jusque-là. John se trouvait dans un vif état d'excitation à l'idée d'assister à la manifestation. Il n'avait plus rien du garçon hagard de l'hôpital, mais le policier savait que les traumatismes les plus profonds ne disparaissent pas du jour au lendemain ni ne se portent en bandoulière.

Contrairement au meeting de 1910 qui s'était tenu à l'aérodrome de la Californie, on avait choisi la Promenade des Anglais comme lieu d'exhibition. Elle avait été entièrement clôturée et l'accès n'en était autorisé qu'aux personnes munies de cartes et de tickets. Durant le court trajet qu'ils firent à pied, John fit part à Louis de ses connaissances en matière d'aviation. À la surprise de ce dernier, il connaissait le nom de la plupart des appareils engagés : le Hanriot de Maïcon, le Morane de Fronval, le Nieuport de Sadi-Lecointe…

– Commissaire, j'ai lu dans la brochure qu'en dehors des compétitions les pilotes donnaient des baptêmes de l'air, remarqua l'enfant d'un ton euphorique.

– C'est vrai. Le meeting dure une semaine, mais il n'y a que trois jours d'épreuves.

John hésitait.

– Est-ce que vous pourriez essayer de convaincre ma mère de me laisser monter dans un avion ? dit-il enfin. Je suis sûr que M. Mathesson accepterait de me prendre avec lui.

Louis eut du mal à dissimuler son embarras.

– Franchement, je crois que tu es trop jeune pour grimper dans un de ces engins. Ce genre de baptême ne s'adresse qu'aux adultes…

Les lèvres de John se crispèrent.

– Bien sûr…

– Mais je peux peut-être demander à Raphaël qu'il te fasse monter dans son avion au sol. Tu pourras au moins dire que tu as pris place dans un Nieuport !

– Oh, ce serait formidable ! jubila l'enfant, les yeux pétillants.

La Promenade des Anglais était noire de monde. Louis et les Kendall y accédèrent par la première entrée, située à hauteur de l'hôtel Ruhl. Les spectateurs étaient même descendus sur la plage pour assister aux démonstrations. Les ombrelles et les chapeaux florissaient, protections indispensables contre le soleil déjà cuisant.

Ils arrivèrent alors que débutait tout juste le premier défilé aérien, présentant les pilotes en lice. John crut bon d'expliquer à Louis qu'il fallait se référer aux lettres et aux numéros inscrits sur le fuselage et sous les ailes pour identifier les pilotes. Le spectacle était saisissant : jamais le littoral n'avait été survolé par autant d'avions en même temps. À environ une encablure du rivage, deux parachutistes venaient de s'élancer dans le vide, tandis qu'à l'arrière-plan un immense aérostat se déplaçait paresseusement entre les nuages épars.

Alors qu'ils avaient les yeux rivés vers le ciel, Lisa Kendall se pencha vers le policier.

– Merci, commissaire, d'avoir accepté de nous accompagner. Nous ne savons plus comment nous y prendre avec John depuis cette histoire. Je crois que cette sortie lui fera du bien.

D'une certaine façon, Louis aussi avait besoin de s'aérer l'esprit.

– C'est tout naturel. Votre… frère est un garçon formidable. Je suis sûr qu'il arrivera à dépasser ce qui lui est arrivé. Et je vous promets que je finirai par mettre la main sur cet homme. J'en fais une priorité.

– Frédéric… M. Berthellon, je veux dire, assistera-t-il au meeting ?

Louis réprima un sourire. Il avait encore dans la tête sa conversation de la veille avec Frédéric.

– Malheureusement non. Il est « assigné à résidence » : il a dû se rendre à l'hôpital à cause d'une vieille blessure qui s'est rouverte.

– À l'hôpital ? répéta Lisa avec émotion en posant sa main sur l'avant-bras du policier. J'espère que ce n'est pas grave.

– Mais non, tout va bien maintenant. C'est un dur à cuire, notre Frédéric ! Vous devriez lui rendre une petite visite, je suis sûr qu'il en serait ravi.

Le teint de la jeune femme se pourpra.

– Peut-être… oui, ce serait naturel après tout ce qu'il a fait pour nous.

L'avion vert de Maïcon survola le public réuni sur la plage dans un grondement sourd et caverneux, différent de celui qu'émettaient les autres biplans.

John, qui s'extasiait ouvertement au passage de chaque engin, gardait le silence. Louis remarqua qu'il s'était immobilisé, le regard perdu dans le vide.

– Ça ne va pas ? s'enquit-il en se mettant à sa hauteur.

Les yeux et le visage livide du garçon trahissaient une réelle anxiété.

– L'avion… l'avion, indiqua-t-il du bout de l'index.

– Oui. Et bien quoi ?

– C'est ce bruit que j'ai entendu… lorsque j'étais retenu prisonnier.

*

Il était là, devant lui. C'était trop beau ! L'acte notarié concernant la succession d'une dénommée Philomène Marie Jeansart, morte le 13 septembre 1921. Un frisson de satisfaction parcourut l'inspecteur Boissonnard et il dut relire le document à deux reprises pour être sûr qu'il ne commettait pas d'impair. Il lui avait fallu moins d'une heure pour mettre la main dessus.

Si vraiment, comme le pensait Forestier, la mort de cette femme avait été le déclencheur d'une effroyable série de meurtres, alors l'assassin de la Riviera ne pouvait être que son fils, le principal héritier, Albain Jeansart.

L'héritage qui figurait sur l'acte était modeste : un petit appartement du centre de Bourges qui appartenait pour moitié à la cousine de Philomène Jeansart, une ancienne gouvernante comme elle. Il ne pouvait pas s'arrêter en si bon chemin et se contenter d'appeler Forestier pour lui faire part de sa découverte. Cette femme était encore en vie et, si l'appartement n'avait pas été vendu, elle habitait peut-être toujours à la même adresse. Une mine d'informations… La seule personne qui eût connu intimement le meurtrier.

L'inspecteur recopia soigneusement l'essentiel de l'acte de succession et sortit en trombe du débarras poussiéreux qui venait de faire de lui le flic le plus chanceux de France.

*

Quand l'avion de Raphaël Mathesson se posa sur la piste de l'aérodrome après la démonstration, Louis finissait sa troisième cigarette en l'attendant devant un baraquement. Les mécaniciens accoururent vers l'appareil telles des abeilles attirées vers la ruche.

– Tu as vu le défilé ? demanda le millionnaire en descendant de son coucou.

– Bravo, très impressionnant, bougonna Louis avec impatience. Il faut que je te parle, ça urge.

Raphaël ôta sa paire de gants en cuir.

– Qu'est-ce que je peux faire pour toi, Sherlock ?

– J'étais avec le petit Kendall tout à l'heure.

– Alors, le spectacle lui a plu ?

– Oui, oui… fit Louis avec un geste vague de la main.

– Tu vois que c'était une bonne idée de l'inviter. Tu n'aurais pas une de tes infectes cigarettes ? J'ai oublié mon étui chez moi.

Le policier fouilla dans la poche de sa veste.

– Pouah ! grimaça Raphaël en tirant sa première bouffée. De quoi te faire passer l'envie de fumer !

– Si tu veux me faire livrer quelques boîtes de Cuba, ne te gêne pas.

– Alors, tu parlais de John…

– Tu te souviens que le petit a entendu à plusieurs reprises un ronronnement étrange quand il était séquestré ?

– Effectivement, Frédéric en a parlé l'autre soir au restaurant. Et ?…

– Il croit savoir ce que c'était. Il en est même certain. Il a reconnu le bruit du Hanriot de Maïcon tout à l'heure.

Raphaël jeta à terre sa cigarette à peine entamée et l'écrasa du pied.

– Le Hanriot… mais bien sûr ! Le bruit sinistre du moteur rotatif ! Ça colle parfaitement à la description du petit. Cet engin a un ronronnement inimitable, rien à voir avec mon Caudron, par exemple.

– J'ai besoin de ton aide, Raphaël. Je suppose que cet avion a dû survoler à plusieurs reprises la cachette de l'Ogre. Le gosse a été enlevé le 30 mars et « libéré », si je puis dire, le 2 avril. Je dois connaître dans le détail tous les trajets que le Hanriot a effectués pendant les séances d'entraînement entre ces deux dates. Ça peut être un moyen pour nous de repérer sa tanière. Tu crois que c'est faisable ?

Mathesson opina du bonnet.

– Bien sûr, excellente idée ! Il n'y a que trois pilotes qui volent en Hanriot : Maïcon, De Dominicis et Coppens. Les deux derniers n'étaient pas à Nice à ces dates, mais Maïcon s'est entraîné en même temps que moi. Je vais voir avec lui pour tracer tous ses allers-retours sur une carte. Ça ne devrait pas poser de problèmes : en général, on suit des parcours très balisés pendant les entraînements.

– Merci, tu me sauves la mise. Je n'ai jamais vraiment cru à l'intuition, mais j'en ai une sacrée bonne en ce moment. Tu peux me croire, on va finir par mettre la main sur ce salaud !

*

– Vous êtes sûr de vous ?

– Aucun doute. Cet homme est mort au cours d'une altercation avec un autre patient l'an dernier. Ils étaient tous deux affectés à des travaux de jardinage dans la cour de l'hôpital. Un coup de serpe qui lui a tranché la carotide.

Frédéric changea le combiné d'oreille. À l'autre bout du fil, l'un des médecins chefs de l'asile de

Charenton, dans le département de la Seine, venait de réduire à néant ses espoirs. Grâce au Conseil général des hôpitaux, il avait retrouvé la trace de son suspect, un temps interné à Villejuif. Pour finalement aboutir à une impasse.

– Mais j'ai beaucoup mieux pour vous, fit la voix au téléphone. C'est pour cela que j'ai voulu vous appeler sans perdre de temps.

Frédéric retint sa respiration.

– J'ai commencé ma carrière à l'asile de Naugeat. J'y suis resté jusqu'à la déclaration de guerre. Vous connaissez ?

– Bien sûr.

Le vieil asile d'aliénés de Naugeat, près de Limoges, était surtout connu pour avoir ouvert récemment deux villas-maisons de santé payantes qui accueillaient des malades de familles relativement aisées.

– Je n'étais qu'un tout jeune médecin à l'époque, mais jamais je n'oublierai ce patient.

– De quel patient parlez-vous ?

– Albain… il s'appelait Albain Jeansart.

Ce nom ne disait absolument rien à Frédéric et il le nota machinalement dans un coin de son carnet.

– Pourquoi dites-vous que vous ne l'oublierez jamais ?

– Parce qu'il n'avait que 13 ans à l'époque.

En général, les patients de cet âge ne se retrouvaient jamais en asile psychiatrique mais étaient placés dans des familles d'accueil avec suivi thérapeutique.

– C'était en quelle année exactement ?

– 1905.

Frédéric fit rapidement le calcul dans sa tête : s'il avait 13 ans cette année-là, il en aurait… 30 aujourd'hui. L'âge de celui qu'ils avaient cru être Justin Guillot.

– Comment s'est-il retrouvé à Naugeat ?

La voix du médecin prit des accents graves.

– Il avait commis un meurtre atroce. L'affaire avait fait grand bruit dans la région, surtout parce que la victime était un notable du coin, quelqu'un de très apprécié.

Frédéric sentit son cœur s'accélérer. Des précédents ! Si c'était lui, il ne s'était donc pas trompé sur son passé.

– D'abord, personne n'a cru qu'Albain pouvait être l'auteur de ce crime. C'était un garçon sans histoire. Et puis il y a eu cet incendie dans lequel il a été blessé et qui a fait penser au début qu'il était lui-même une victime.

– Un incendie, dites-vous ?

– Oui, celui du château du notable qui a failli lui coûter la vie. Il a été brûlé au troisième degré et a gardé sur le corps de terribles marques de brûlure. Les mêmes que celles dont vous m'avez parlé…

*

– Bon sang ! Qu'est-ce que tu fous ici ? Je croyais qu'on t'avait donné l'ordre de ne pas sortir ! Tu as vraiment envie que ta blessure s'ouvre à nouveau ?

Louis se leva promptement de sa chaise, un voile de colère sur le visage.

– Ne t'inquiète pas, le rassura Frédéric, j'ai pris un taxi. Je ne pouvais pas attendre, il fallait absolument que je te parle.

– Moi aussi. Tu tombes à pic, on a du nouveau ! Des informations qui vont au-delà de toutes mes espérances. Boissonnard vient de m'appeler, il est encore à Bourges. Il a mis la main sur l'acte notarié.

– Déjà ?

– Il est rapide, cet oiseau-là. Il a un nom. Et vu ce qu'il a collecté sur lui, je suis presque sûr qu'il s'agit de l'Ogre.

– Albain… murmura Frédéric, trop bas pour que le commissaire l'entendît.

Louis s'empara de feuilles éparses sur son bureau.

– Écoute ça ! Notre homme serait né en 1892… à Nice ! Ça concorde parfaitement. Il doit connaître la ville comme sa poche, le bougre. Et il avait des anté-cédents criminels.

– Son nom ? demanda le médecin avec impatience.

– Albain Jeansart. Guillot n'était qu'un pseudo-nyme destiné à nous égarer. On le tient, je te dis.

Les mains tremblantes, Frédéric sortit son petit car-net de poche, l'ouvrit et le tendit à Louis.

– Mais… qu'est-ce que… ? bredouilla celui-ci en lisant le même nom inscrit en lettres capitales, suivi de plusieurs pages de notes rédigées à la hâte. Comment savais-tu ?

Un sourire illumina le visage de Frédéric.

– J'en sais déjà long sur Albain. Plus que tu ne l'imagines.

TROISIÈME PARTIE

1

1904

Le corps du père de Justin a été retrouvé en fin d'après-midi, à l'endroit précis où tu l'avais laissé. On ne parlait que de ça au château. Les gendarmes ont immédiatement été appelés sur place. Pour eux, le déroulement des faits était facile à reconstituer : lors de sa ronde habituelle, le métayer avait surpris un braconnier ou un maraudeur, le ton était monté, une lutte s'était ensuivie. On avait fini par lui arracher son arme et par le toucher mortellement à deux reprises.

Une gigantesque battue a été organisée pour tenter de retrouver le meurtrier. On a passé au peigne fin le domaine, sans grand espoir, les gendarmes étant persuadés qu'il était déjà loin.

Tu ne t'es même pas senti soulagé par leur hypothèse. En fait, tu n'as jamais craint pour toi-même. Un enfant de 12 ans ! Qui aurait pu te soupçonner ? Pourtant, le soir même, tu t'es trouvé mal à l'heure du repas. Une violente fièvre t'a cloué au lit et tu as été pris d'affreux maux de tête. Ta mère était persuadée que tu avais attrapé des microbes dans cette mare fangeuse où tu te baignes. Tu lui as parlé de tes petites escapades, même si tu as omis de dire que tu étais toujours accompagné par Justin. Inquiète, elle a fait appeler le docteur, pourtant accaparé par la mort de son métayer. Tu ne voulais pas qu'il t'approche, mais tu n'avais plus assez de force pour lutter et tout le monde a mis tes protestations sur le compte du délire.

Tu es resté alité presque trois jours. Lorsque tu as enfin pu quitter ton lit, l'enterrement du père de Justin venait d'avoir lieu. Ta mère y a assisté et elle a trouvé le moyen de s'apitoyer sur lui. Tu l'as écoutée en silence. Savoir que ce type commençait à pourrir au milieu des vers t'a rempli de contentement.

Le lendemain, en fin de matinée, tu as fait le tour du château, conduit par une sorte d'intuition. À la limite de la propriété, à l'endroit où tu l'avais vu pour la première fois, Justin attendait. Depuis combien de temps était-il là ? Comment pouvait-il se douter que tu viendrais ? Te guettait-il depuis plusieurs jours déjà ?

Tu t'es approché de lui tandis qu'il demeurait immobile au milieu des arbres. Son corps noueux semblait engoncé dans ses habits crasseux. Il t'a salué sans enthousiasme. Quelque chose avait changé dans son visage. Une maturité nouvelle, comme si en quelques jours il avait vieilli de plusieurs années. Son regard était chargé d'inquiétude plus que de tristesse. Un bref instant, tu as cru qu'il savait, qu'il ne faisait aucun doute pour lui que tu étais l'assassin de son père. Mais la raison a rapidement balayé ce sentiment.

– Je pars.

Deux mots prononcés d'une voix atone. Le sol tangue sous tes pieds. Tu es abasourdi, mais cette entrée en matière abrupte t'évite de devoir parler de l'enterrement.

– Comment ça, tu pars ?

– La mère veut pas rester. Le docteur lui a proposé de faire des ménages, mais elle a d'autres projets. Plus rien ne sera comme avant maintenant.

– Mais… pour aller où ? bredouilles-tu.

– On va repartir à la ferme de la famille, à Guéret. Le grand-père peut plus s'en occuper seul. C'est le mieux pour nous.

– Quand ?

Justin baisse les yeux et trifouille la terre du bout de sa chaussure.

– Bientôt. La semaine prochaine peut-être.

Tu paniques. Pour la première fois, tu mesures les conséquences de tes actes. Tu comprends que tu es le seul responsable de cette situation. Que la mort de son père va vous séparer.

– Et nous ? Ça veut dire qu'on ne se reverra plus ?

– C'est la vie, dit-il d'un ton trop dur.

Le monde vient de basculer. Justin parti, tu te retrouveras bientôt seul entre une mère harassée de travail et un vieux châtelain vicieux. Tu ne sais déjà plus quoi lui dire. Tous les mots qui te viennent sont dérisoires.

– Tu veux qu'on marche ? demandes-tu pour trouver une contenance.

Justin secoue sa grosse tête de campagnard.

– Peux pas rester. La mère m'attend, je dois l'aider. C'est moi l'homme de la famille *à perzint*.

Il reste pourtant là, triturant de ses doigts épais les boutons de sa chemise sale.

– Je partirai pas comme un malpropre. Je repasserai te voir avant le départ.

– À quoi bon ? murmures-tu presque malgré toi.

Justin t'a entendu, mais il ne réagit pas. Trouver quelque chose à dire. Avouer ce que tu as fait pour lui…

– Tu sais… ton père…

Le garçon t'arrête d'un geste.

– J'ai pas envie de parler de ça. Le père est enterré, il faut regarder l'avenir. Bon, on se serre *la man* ?

Tu prends sa main dans la tienne. Elle est rugueuse et puissante comme celles des travailleurs et des paysans. Tu aimerais que cet instant se prolonge, mais ton ami a déjà tourné les talons.

*

Tu n'as plus revu Justin. La semaine suivante, un matin à l'aube, une charrette chargée des meubles et des maigres affaires d'une famille de métayer l'emmenait loin du domaine.

Après son départ, la vie a perdu tout sens pour toi. Tu t'es senti vide, inutile. Par ton geste, tu venais de faire chanceler l'existence de Justin et de détruire ton propre bonheur. Puis, dans les jours qui ont suivi, les cauchemars sont revenus. Comme naguère quand vous habitiez encore à Nice. Pas une nuit sans que tu ne sois assailli d'idées noires, d'images terrifiantes que tu croyais disparues.

Toujours les mêmes scènes, vaguement modifiées au hasard de ta mémoire. Ta mère, ton père et toi. Tu serais bien en mal de trouver l'origine de cette tragédie et de dire quand ta mère s'est fait battre pour la première fois. D'après les rares confidences qu'elle t'a faites sur la question, cela datait du début de leur mariage. Elle avait toujours supporté les humiliations et les coups parce que, dans sa famille, comme un héritage que personne n'oserait remettre en cause, on lui avait appris que lorsqu'une femme n'agit pas comme il faut, c'est le devoir du père d'y remédier. Rien de terrible, d'autres avaient subi cela avant elle et le subiraient encore.

Tout a changé plus tard, alors que tu étais déjà grand… 9 ou 10 ans peut-être. Avant, il ne battait pas ta mère pour faire semblant, mais elle le supportait vaille que vaille, sans broncher. Et puis, avec le temps, la main s'était faite plus dure. Bizarrement, quand ton père la battait, on ne pouvait pas dire qu'il avait bu. S'il était brindezingue, plus rien n'existait autour de lui.

Souvent, dans l'appartement de Riquier, tu surprenais des conversations entre tes parents. En général, il suffisait d'un rien pour que tout bascule. Un plat pas à son goût. Une remarque trop audacieuse de ta mère. Un regard qui lui avait déplu. C'était alors le début d'un festival d'attaques qui allaient en augmentant. Des insultes franches qui n'avaient d'autre but que de rabaisser ta mère. Des paroles que tu ne comprenais qu'à moitié, encore que… « Bordel, regarde-toi ! T'es déjà toute mollassonne. T'es tellement molle qu'en te baisant j'ai l'impression de baiser une motte de beurre ! » Il aimait bien cette expression. Et toi, tu imaginais réellement une motte de beurre et ce qui allait avec. Il ne devait jamais se regarder dans un miroir : un corps dégingandé, une tignasse graisseuse, des chicots jaunis. Un type dont aucune femme n'aurait voulu. Alors que ta mère plaisait aux hommes. Tu le voyais aux regards qu'ils lui jetaient parfois en la croisant dans un escalier ou dans la rue.

Cela, d'ailleurs, n'échappait pas à ton père. Il la traitait fréquemment de « putain » ou de « rouchie », la soupçonnant de se donner à d'autres hommes. « Putain » par-ci, « putain » par-là. Tu avais même fini par croire que pendant que tu étais à l'école ta mère faisait réellement le trottoir. Pas de fumée sans feu.

Ne se maquillait-elle pas le matin à l'insu de ton père, lorsqu'il était déjà parti au travail ? Et cet argent qu'elle rapportait au foyer ? Disait-elle vrai en expliquant qu'elle faisait des travaux de blanchisserie pour mettre du beurre dans les épinards ? Une ou deux fois, tu avais vu des filles arpenter le pavé de quartiers malfamés, le rire haut, les lèvres rougies et les paupières noircies. Des filles étranges, pas vraiment belles, mais qui suscitaient en toi des interrogations. Tu avais du mal à imaginer ta mère se livrant à des choses aussi dégoûtantes, mais il t'arrivait de douter.

Aux paroles s'ajoutaient les coups. Eux arrivaient sans crier gare, sans signes annonciateurs particuliers, souvent à cause de ces histoires supposées de coucheries, mais parfois aussi sans raison, comme une manière d'affirmer un pouvoir et de rappeler la hiérarchie naturelle dans le couple. Et ils s'abattaient avec une violence inouïe. Il frappait rarement à mains nues, peut-être par veulerie ou par facilité, pouvant utiliser n'importe quel objet qui lui tombait sous la main : une bûche, une canne, une serviette mouillée… Il était peu méthodique, tapait brutalement, en gestes désordonnés et mal assurés, en général lorsqu'il était fatigué à la fin de la journée.

Ton père te frappait peu, en comparaison de ce qu'il faisait subir à ta mère. Quelques raclées données sous le coup de la colère, que tu ne redoutais pas plus que ça et qui ne te faisaient pas vraiment mal.

Un soir, environ un an avant sa mort, ton père a remis le couvert avec ses histoires de « putain », parce qu'un voisin du dessous faisait selon lui les yeux doux à ta mère. Il fallait tous qu'elle les aguiche, cette salope ! Tu voyais la scène par la porte entrouverte de la cuisine. Tu sentais que les coups n'allaient pas tarder à pleuvoir. Et sans doute que ta mère le sentait aussi. Tout en l'insultant, il a pris le tisonnier de la cuisinière et s'est avancé vers elle. Il n'avait jamais utilisé un pique-feu et peut-être voulait-il simplement l'effrayer, car une chose est sûre : s'il ne se lassait pas de la battre, il n'avait aucune envie de finir en prison pour le meurtre de sa femme.

Tu as vu rouge. Sans réfléchir, tu t'es précipité dans la cuisine, où tu as pris le premier pot en terre qui traînait sur la table et tu l'as expédié dans sa direction, avec une assurance incroyable. C'est à peine s'il a eu le temps d'esquisser un mouvement de la tête pour éviter le projectile, qui s'est fracassé contre le mur. Ton père est resté sans bouger quelques secondes, comme s'il n'arrivait pas à concevoir que la scène qui venait de se dérouler était réelle. « Salopard ! » a-t-il crié enfin, encore à moitié hébété. Puis son visage a changé de couleur et il s'est rué vers toi. Tu as bien cru à ce moment qu'il allait te tuer. Et ce n'était pas une façon de parler. Que tu n'aurais pas droit à ta traditionnelle branlée mais qu'il allait te briser le crâne à coups de tisonnier. Au lieu de ça, il t'a empoigné par le bras et fait sortir de la cuisine, se retournant une dernière fois pour lancer à ta mère : « Et toi, tu perds rien pour attendre ! C'que tu vas déguster ! »

Tu n'as pas cherché à te débattre, conscient que la moindre résistance aggraverait ton cas. Il t'a conduit dans le réduit d'un mètre sur deux bizarrement situé entre deux étages de l'immeuble, auquel on accédait par une minuscule porte près de l'entrée. Le cagibi sentait le vieux et une persistante odeur d'urine, alors que personne n'avait jamais dû pisser dans un coin aussi saugrenu, à part peut-être les rats. Pas de lumière, pas d'ouverture vers l'extérieur. Un endroit oppressant et humide qu'on utilisait parfois pour stocker des vieilleries. « Et t'as pas intérêt à la ramener ! » t'a-t-il menacé en refermant à clé la porte sur toi.

La première fois, il t'a laissé là deux ou trois heures. Peut-être plus. Ta seule consolation, c'était que ton intervention avait éteint sa colère contre ta mère. Malgré ses menaces, il l'a oubliée et il est sorti furibard, probablement pour se pocharder et dilapider le maigre salaire du jour.

La seconde fois, un mois ou deux plus tard, ton stratagème n'a pas fonctionné comme prévu. Tu ne lui as rien lancé au visage mais tu as osé le braver en t'interposant devant ta mère qu'il s'apprêtait à corriger. Ton geste avait un goût de réchauffé. Avant de t'enfermer dans le cagibi, il a passé ses nerfs sur toi. Une branlée mémorable et douloureuse. Peine de récidive. Pour la première fois il a frappé à coups de poing, te laissant sur la peau des bleus gros comme des prunes. Ton bras gauche, d'abord endolori, s'est mis à te lancer, une douleur atroce. Tu as passé la nuit dans le cagibi, transi par l'humidité et noyé dans l'obscurité, persuadé que ton bras était cassé. Tu as entendu les cris et les pleurs de ta mère qui le suppliait de te laisser sortir.

Étrangement, tes deux interventions l'ont calmé un temps. Il s'est fait moins virulent envers elle, comme si cette soudaine concurrence masculine l'avait perturbé.

La troisième fois, tu étais seul avec lui à la maison. Tu n'as pas eu besoin de défendre ta mère. Il n'y a pas eu non plus d'attitude insolente de ta part ni de dispute. Ces derniers temps, le comportement de ton père avait changé. Il s'était blessé sur un chantier, ce qui l'avait immobilisé pendant plusieurs jours. Privé de sorties et sans labeur pour l'occuper, il s'était mis à boire à la maison, plus que de raison. Ce jour-là, il s'était pris une sacrée brosse qui n'avait pourtant pas suffi à l'abrutir. Tu as pressenti quelque chose, remarqué une convoitise noire dans son regard, un sourire vengeur au coin des lèvres.

Il n'y a pas eu de coups. C'est froidement qu'il t'a conduit dans le cagibi. Une fois recroquevillé dans le coin froid mais familier, tu l'as entendu défaire le ceinturon de son pantalon. Le bruit métallique de l'ardillon sur la boucle et celui feutré du cuir dans le passant… un bruit que tu n'oublieras plus jamais. C'était étrange, car il ne te frappait jamais avec sa ceinture d'habitude…

Et il ne l'a pas plus fait ce jour-là.

*

Tu n'as jamais su si ta mère s'était doutée de quelque chose. Quoi qu'il en soit, c'est vers cette époque qu'elle a commencé à ourdir des plans pour s'enfuir de Nice. Elle avait entamé une correspondance avec une cousine dans le Cher qui avait une bonne situation chez un notable et qui pouvait lui obtenir du travail. Des lettres qu'elle dissimulait dans une commode de la chambre, mais sur lesquelles ton père finirait bien un jour par tomber. C'est aussi vers cette époque qu'elle s'est mise à murmurer quand elle se croyait seule : « Je lui ferai la peau un jour, ça j'me le jure ! »

Après avoir repris le travail, mal guéri de sa blessure qui le tourmentait, ton père a recommencé ses invectives comme si de rien n'était. Jusqu'au jour où une dispute virulente a éclaté. Les images du cagibi et de ce qui avait suivi revenaient sans cesse en toi et tu as hésité à intervenir. Tu as fini par franchir le pas, certain que ton père ne tenterait rien en présence de ta mère.

Il t'a regardé fixement et tu as lu dans son regard une forme de satisfaction, comme si sa colère n'avait été qu'un piège tendu à ton adresse. « Ta mère ou toi ? » a-t-il demandé d'une voix soudain redevenue calme.

Et ça n'a plus jamais été toi.

2

– Bon, récapitulons ! Comme vous le savez, Boissonnard a pu parler à la cousine de la mère de notre suspect. Les deux femmes ont vécu ces dernières années dans le même appartement à Bourges. Elle est malheureusement âgée et, d'après notre collègue, n'a plus toute sa tête. Il l'a néanmoins interrogée durant plus d'une heure et, *a priori*, il n'y a pas de raison de mettre en doute les informations qu'elle lui a données.

Frédéric et les inspecteurs de la brigade formaient un aréopage attentif autour de Louis.

– Un témoin sénile, il ne manquait plus que ça ! s'exclama Caujolle, qui commençait à reprendre goût à ses boutades caustiques.

– C'est déjà inespéré d'en avoir un ! De toute façon, avec ce qu'a pu glaner Frédéric, ça devrait faire l'affaire.

Louis plongea le regard dans ses notes, un amas de signes anarchiques qu'il était le seul à pouvoir déchiffrer.

– Notre suspect, Albain Jeansart, est né en 1892 à Nice, où il a passé son enfance. Boissonnard a réussi à dégotter l'adresse. Tenez-vous bien : ce gosse a grandi à Riquier, dans l'appartement même où est mort Pauvert.

L'ensemble de l'équipe se figea.

– Et dire qu'on aurait pu trouver ça grâce au proprio qu'on a interrogé ! regretta Leroux.

– On n'avait aucune raison de chercher aussi loin. Frédéric, en tout cas, ne s'était pas trompé : ce mec a dû subir des trucs dans sa jeunesse qu'on ne soupçonne même pas. Sa mère s'appelait Philomène Marie Jeansart. Comme nous le supposions, elle est morte l'an dernier. Une insuffisance cardiaque… mort naturelle, de toute évidence. C'est sa disparition qui sans doute a été le déclencheur de la série de meurtres sur laquelle nous enquêtons.

– Un simple déclencheur, reprit Frédéric, qui n'explique pas ses motivations réelles mais a probablement fait resurgir des traumatismes plus anciens.

Le policier acquiesça avant de reprendre.

– Le père d'Albain travaillait dans le bâtiment. Si on en croit les confidences de la cousine, c'était un poivrot tyrannique et violent. Sa femme aurait subi un véritable enfer dans les derniers mois de leur vie commune et elle aurait songé à plusieurs reprises à mettre les voiles avec son fils. Heureusement pour elle, ce salaud est mort avant qu'elle ait osé mettre ses projets à exécution.

– On sait de quoi il est décédé ? intervint Leroux.

– Une intoxication alimentaire. En 1904.

– Le hasard a bien fait les choses !

L'ironie de sa remarque ne passa pas inaperçue.

– Je me suis fait la même réflexion que toi. Vu le contexte particulier, il va nous falloir creuser cette histoire. Caujolle et Biasini, vous allez essayer de trouver trace de l'affaire : épluchez les journaux, voyez auprès de la municipale et de la gendarmerie… Démerdez-vous comme vous voulez, mais je veux savoir ce qui s'est vraiment passé.

Les deux inspecteurs firent un signe discret de la tête.

– Qu'est-ce qu'on sait d'autre ? enchaîna Leroux en passant deux doigts sur sa moustache comme pour la cirer.

– Après la mort du père, grâce à sa cousine qui travaillait pour un notaire de Bourges, la mère d'Albain a obtenu une place de gouvernante dans la Creuse, près d'Aubusson, chez un médecin à la retraite : un certain docteur… Lombart.

Caujolle se dressa.

– Dans la Creuse, vous dites ? Si je me souviens bien, c'est aussi là qu'est né Justin Guillot !

– À Guéret, c'est exact. Tu as bonne mémoire. Bien sûr, il peut s'agir d'un pur hasard, mais je n'y crois pas trop au point où l'on en est. D'autant plus qu'ils sont nés à un an d'intervalle.

– Effectivement, nota Leroux, ça ferait beaucoup de coïncidences…

– Tu prends le relais, Frédéric ? À partir de là, tu en sais plus que moi.

Le médecin esquissa un mouvement pour se lever.

– Et ne commence pas à t'agiter comme un beau diable. Je n'ai pas envie de passer la journée à l'hôpital !

Frédéric se carra contre le dossier de sa chaise.

– Ce matin, j'ai eu l'occasion de parler longuement avec un médecin de Charenton qui a travaillé il y a des années à l'asile de Naugeat, près de Limoges, et qui a connu notre suspect. Ma première hypothèse était juste : cet Albain a bien séjourné en asile psychiatrique. En deux mots, voilà ce que j'ai appris : les premiers mois qu'il a passés dans la Creuse se sont plutôt bien déroulés. C'était un enfant discret, assez taciturne, mais qui n'a manifesté aucun comportement inquiétant ni violent. Jusqu'à cette nuit de mars 1905 où il a assassiné le docteur Lombart durant son sommeil en lui assénant seize coups de couteau.

– Attends ! En 1905, tu dis… Quel âge avait-il exactement ? l'interrompit Caujolle, qui le tutoya sans même s'en rendre compte.

– 13 ans.

– Oh… Pute borgne !

– Étonnant, je sais. J'ignore si on a recensé dans les annales beaucoup de meurtriers aussi précoces.

– Nous avons donc la certitude qu'il avait déjà agi avant notre série de meurtres, analysa Louis. Et Dieu sait combien de personnes il a pu assassiner entre cette époque-là et aujourd'hui !

Triturant son vade-mecum, Frédéric continua :

– Albain ne s'en est pris qu'au docteur. Après l'avoir tué, il est descendu dans le salon et a utilisé des allume-feu pour tenter d'incendier le château. Il n'a même pas cherché à s'enfuir. Il s'est contenté de s'installer dans le bureau du docteur et il a attendu.

– Tu veux dire qu'il a voulu se suicider ?

– Je n'étais pas dans sa tête, mais ça m'en a tout l'air. Sa mère et les domestiques qui vivaient dans une dépendance du château ont vu les flammes à travers les fenêtres et sont intervenus. On a sorti le gamin *in extremis* de la demeure, presque asphyxié par la fumée. Il était gravement brûlé sur une partie du corps.

– Les marques de brûlure ! comprit Caujolle.

– Ses blessures étaient graves mais il a survécu. Notre homme a porté toute sa vie les stigmates visibles de son crime. Il est resté six mois à l'hôpital. À sa sortie, il a été interné à Naugeat, qui venait d'ouvrir un service entièrement consacré aux patients mineurs.

– Tu veux dire qu'il n'a pas fait de prison pour ce meurtre ? S'il avait déjà 13 ans, l'irresponsabilité pénale ne s'appliquait pas à lui !

– Non, mais les experts, après l'avoir examiné, ne l'ont pas estimé apte à être jugé. C'est vers cette époque qu'on a commencé à privilégier les mesures éducatives, et même la liberté surveillée, à l'enfermement répressif.

– On voit où ça a conduit !

Frédéric parut dubitatif.

– Je ne sais pas si la prison aurait été une meilleure solution… C'est donc à Naugeat que le médecin avec qui j'ai discuté l'a suivi. C'était un garçon insaisissable. « Doux, le visage fin et peu expressif, mais très intelligent », voilà ce qu'il m'a dit. Il s'est d'abord muré dans un mutisme total et on a mis plusieurs semaines à le faire parler. Puis Albain a accepté de s'ouvrir à lui de cauchemars qu'il faisait de façon récurrente.

– Quel genre de cauchemars ? questionna Forestier.

– Le garçon s'imaginait métamorphosé en figures animales effrayantes et indescriptibles. Il faisait aussi des rêves sur son grand-père maternel, qui est mort pendant la Semaine sanglante en 1871 et qu'il n'a évidemment pas connu.

– Bizarre !

– Assez. Mais d'après le médecin de Naugeat, ce rêve d'un grand-père inconnu pouvait indiquer le regret du père mort.

– D'après le portrait qu'on nous en fait, on se demande ce qu'il pouvait bien regretter !

Frédéric fronça la bouche.

– Les choses ne fonctionnent pas de façon aussi simpliste. Certains psychanalystes parlent aujourd'hui de « parricide fondateur ».

– Hein ?

– Ils ont repris une idée de Darwin selon laquelle l'organisation originelle de la société humaine était celle d'une horde soumise à la domination d'un mâle. Les fils auraient fini par assassiner leur père tout-puissant…

– Qu'est-ce que c'est que ces fariboles ? s'énerva Louis.

Frédéric fit un signe d'apaisement de la main.

– Tout cela est à prendre de manière métaphorique. La mort du père entraînerait un sentiment ambigu de soulagement et de culpabilité qui nous pousserait à la faute ou aux actes criminels. Dans le cas d'Albain, le père est mort dans des circonstances étranges. Peut-être le garçon s'est-il imaginé que cette disparition n'avait pas été naturelle. Même si son père était un horrible bonhomme, il a pu développer un sentiment de culpabilité. Pour les psychanalystes, un tueur pourrait agir en répétant l'assassinat originel du père par le fils.

– Attends ! Tu commences à m'embrouiller avec toutes tes théories. Est-ce que tu es en train de nous expliquer qu'il a tué le docteur parce qu'il voyait en lui une autre figure paternelle ?

– J'y viens. Au fil des entretiens, le médecin a décelé en lui un être profondément perturbé. Albain ne cessait de se poser des questions existentielles, des questions somme toute banales à l'entrée de l'adolescence. Sauf que, chez lui, ces interrogations tournaient à l'obsession. Il expliquait que s'il commettait des actions monstrueuses, comme le meurtre du docteur, c'était avant tout pour ne pas avoir à penser. Il a confié qu'il passait une grande partie de son temps dans les livres. D'après le médecin, il s'était constitué malgré son jeune âge une incroyable culture littéraire, inhabituelle pour quelqu'un de son milieu social.

Forestier cessa de faire la grimace, content de se rattacher à des éléments concrets de son enquête.

– Ça cadre parfaitement avec ce qu'on avait supposé sur l'Ogre : une culture largement supérieure à la moyenne.

– Oui. Ses lectures lui donnaient la sensation de pouvoir s'identifier à des héros de récits. Il lisait surtout la nuit, quand tout le monde dormait. Tous ces stratagèmes lui permettaient de ne pas avoir à se confronter à lui-même.

– Bon. Et pour le meurtre et l'incendie ? Est-ce qu'il a avoué en être l'auteur ?

– Il l'a avoué, tout en s'en justifiant. Selon lui, le docteur Lombart était un être mauvais et vicieux.

– Comment ça ?

– Il a expliqué qu'il avait essayé de le salir.

– Le salir ? Tu veux dire que...

– Qu'il l'avait attouché un jour, alors qu'il lui dispensait une leçon dans son bureau.

Louis plissa les sourcils.

– Est-ce que ça a été confirmé par quelqu'un ?

– Non. Si on en croit la mère d'Albain, le docteur était une personne bienveillante et généreuse, incapable de faire une telle chose. Elle était persuadée que son fils avait inventé toute cette histoire.

– Et ce médecin de l'asile, qu'en pensait-il ?

– Qu'il était au contraire très probable qu'Albain ne mentait pas. Ses angoisses paraissaient bien réelles. Mais vous connaissez le proverbe latin : *In ore puerorum mendacium*...

– Si tu te mets à faire ton Raphaël...

– « De la bouche des enfants ne sortent que des mensonges. » Vous savez bien que leurs témoignages dans les affaires de violence ou de mauvais traitements n'ont jamais eu beaucoup de poids.

Louis aurait pu citer au contraire une bonne demi-douzaine d'affaires dans lesquelles les tendances mythomanes d'enfants avaient eu des conséquences dramatiques, mais il voulait aller à l'essentiel.

– Donc, il aurait commis ce meurtre parce qu'il voyait dans le docteur un être néfaste, comme l'avait été son propre père ? On retomberait alors sur ton hypothèse : il agit par « altruisme »…

– Il veut éliminer tous ceux qui le renvoient à son traumatisme d'origine. Sauf qu'à cette époque il ne s'en prenait qu'à des êtres qui s'étaient vraiment mal conduits. Plus tard, il a pris pour cible des enfants auxquels il s'identifiait et qu'il voulait libérer de leurs tourments supposés.

– Et qu'est-il devenu par la suite ?

Frédéric consulta son carnet pour vérifier des dates.

– Il a passé deux ans et demi à Naugeat. Malgré son comportement assez fermé, il s'est montré irréprochable : aucun incident signalé à son sujet, des efforts assidus dans les cours qu'on lui donnait… Les médecins l'ont jugé apte à être réinséré. Il est ensuite passé par au moins deux internats de la région prenant en charge des mineurs délinquants. Pour finir, il a été placé comme apprenti chez un ébéniste à Tours. Mon enquête ne m'a pas mené plus loin. Le médecin à qui j'ai parlé n'avait plus eu de nouvelles de lui.

– On sait au moins d'où il tenait ses talents de menuisier, remarqua Louis. J'imagine que, comme on l'avait supposé pour Guillot, Jeansart a été enrôlé en

14. Je vais voir avec le ministère de la Guerre si on peut remonter sa piste.

Caujolle se tortillait sur sa chaise depuis un moment, impatient de passer à l'action après ces beaux discours.

– Tout cela est bien joli, mais ça ne nous dit pas où on est susceptibles de le trouver ! C'est quand même ce qui urge ! N'oubliez pas qu'il est possible qu'il détienne un autre gosse.

– C'est vrai, concéda Frédéric, j'ai pu me tromper sur ce point.

– Pour en revenir à des choses plus concrètes, poursuivit Caujolle, qu'est-ce qu'on va tirer du bruit d'avion qu'a entendu le petit Kendall ?

Louis se tourna vers son inspecteur.

– Mathesson est en train de se renseigner. Il va établir le parcours effectué par l'appareil pendant les entraînements. Ça nous permettra peut-être de réduire le périmètre de nos recherches.

– Ça reste quand même très aléatoire !

Forestier souffla. Il n'avait guère besoin qu'on lui rappelle le merdier dans lequel ils étaient fourrés.

– Oui, mais à moins que tu n'aies mieux à proposer, c'est notre seule piste sérieuse.

*

Missak Najarian disposa des paires de mocassins vernis dans la minuscule vitrine trop encombrée de sa modeste boutique. Ce mois-ci, les clients avaient été plutôt rares, mais le cordonnier ne se plaignait pas : il avait réussi en moins d'un an à se constituer une solide clientèle d'habitués, séduits par la finition de son travail et ses prix raisonnables.

Najarian avait commencé à apprendre le métier à l'âge de 12 ans, dans la boutique de son père à Smyrne, au cœur du quartier des Haynots. Dès son arrivée à Nice, il s'était noyé dans le travail pour éviter de trop songer au passé – une question de survie pour lui. Ses cousins et la famille de sa femme vivaient toujours en Ionie, mais les nouvelles se faisaient rares, leur départ ayant été vécu comme une trahison. Il avait simplement appris, par de minces articles dans les journaux, la désastreuse campagne grecque menée sur les rives de la Sakarya. La débâcle grecque était à craindre, et la contre-attaque turque plus que probable, tout comme le reflux des populations vers les côtes de la mer Égée.

À la lecture de ces nouvelles inquiétantes, Missak avait repensé à sa vie d'avant, à ses parents, à son enfance dans le quartier arménien. Le collège Saint-Mesrop, l'église Saint-Grégoire, les tanneries, les échoppes de soierie et de tissage… Mais d'autres souvenirs plus récents étaient revenus dans la foulée : les humiliations, les arrestations et les confiscations de biens que les habitants de la ville avaient subies dès 1915.

Si à Istanbul et à Smyrne les Arméniens avaient échappé aux massacres turcs généralisés qui ensanglantaient le reste de l'Empire, ils avaient néanmoins souffert de harcèlements incessants jusqu'à la fin de la guerre. Le père de Missak, déjà malade, avait été arrêté arbitrairement pendant trois mois en 1916 lorsque des libelles hostiles au gouvernement avaient été placardés dans la ville. Il était mort peu après sa libération, d'épuisement et de lassitude.

Après guerre, les Grecs avaient pris le contrôle de la ville. Accueillis par certains en libérateurs, ils n'avaient pour les autres jamais été que des occupants. Une résistance turque s'était rapidement constituée, créant un conflit larvé que certains hésitaient encore à qualifier de « guerre ». Missak avait décidé de partir, désireux de mettre sa famille à l'abri et conscient qu'ils ne connaîtraient jamais d'existence pacifique dans cette ville qu'il aimait tant. Ayant un peu côtoyé les « protégés francs » de Smyrne et se débrouillant dans leur langue, il avait naturellement choisi la France comme lieu d'exil. Mytilène, Salonique et Marseille… Puis le départ vers Nice, où la petite communauté arménienne vivait dans une discrétion absolue, ne suscitant qu'une indifférence qui lui convenait.

Missak jeta un œil au-dehors. À travers la vitre dorée par le soleil, le cordonnier aperçut Daron, son fils de 11 ans, qui disparut bientôt au bout de la ruelle pour rejoindre la placette du quartier où il aimait bien jouer.

*

Daron balançait son filet, dans lequel des billes de verre chamarrées s'entrechoquaient et s'agglutinaient en une volumineuse grappe. Il s'accroupit dans un coin de la place, à l'ombre d'un platane démesuré qu'on avait laissé croître sans jamais l'élaguer. Il sortit quelques petites boules peintes et les fit rouler sur les pavés inégaux. Elles zigzaguèrent en suivant les interstices du revêtement.

Soudain, une de ses billes à spirales rouges partit plus loin que les autres et finit sa course contre le rebord d'une chaussure. Un homme, devant lui.

– Bonjour, Daron.

Son prénom avait été prononcé à la française. Au début, dans la bouche des gens du quartier, il le reconnaissait à peine. Il leva les yeux, mais l'inconnu était à contre-jour et il ne distinguait qu'une silhouette.

– Moi aussi j'adorais jouer aux billes quand j'étais petit.

Daron parlait un français confus mais il le comprenait relativement bien. Il demeura silencieux et plissa les yeux pour détailler l'homme nimbé d'une auréole. Il avait beau faire un effort de mémoire, il ne le connaissait pas. Il lança un regard rapide sur la place pour se rassurer. Un couple de vieux était assis sur un banc plus loin, une charrette dans laquelle s'entassaient des ouvriers passait derrière eux.

– Je suis un ami de ton papa, reprit l'homme, et aussi un de ses clients.

À ces mots d'« ami » et de « client », Daron fut un peu rassuré, même s'il était sûr de ne l'avoir jamais vu dans la boutique.

– Je vais chez lui, d'ailleurs… J'ai un meuble à lui apporter.

L'homme désigna une camionnette bâchée garée à l'angle de la ruelle. L'arrière était ouvert et laissait voir une petite commode couchée sur le côté.

À défaut de parler, Daron hocha la tête pour montrer qu'il comprenait. Il ne savait pas que *hayrig* attendait une livraison. L'homme sortit quelques pièces de sa poche.

– Tiens, j'ai oublié de prendre des cigarettes, dit-il en feignant d'en porter une à sa bouche, joignant ainsi le geste à la parole. Tu voudrais bien aller m'en acheter ?… Des Gauloises. Tu pourras garder la monnaie. Tu t'achèteras de nouvelles billes.

Daron hésita, regarda à nouveau la camionnette, puis l'inconnu devant lui. Il avait l'air inoffensif, gentil même. De toute façon, qu'est-ce qu'il pouvait bien risquer en pleine journée et en public ? Et puis, comme le répétait souvent son père, il fallait toujours rendre service à ses amis. L'enfant rassembla ses billes dans le filet comme des poissons dans une nasse et se leva. Il prit la poignée de pièces et traversa nonchalamment la place jusqu'au débit de tabac.

Quand il revint, quelques minutes plus tard, il vit l'homme affairé à l'arrière de sa camionnette.

– Ah, te voilà ! dit-il d'un ton détendu.

Daron lui donna les cigarettes et la monnaie, mais il secoua énergiquement la main.

– Non, c'est pour toi, je t'ai dit que tu pouvais garder l'argent.

Daron regarda les deux pièces avec contentement et les fit disparaître dans sa poche.

– Tu as l'air costaud ! Tu ne voudrais pas m'aider à sortir le meuble ? Monte, tu te faufileras plus facilement à l'arrière.

L'enfant posa son sac de billes à terre. Son père serait certainement content de le voir porter le meuble qu'il attendait. Il grimpa agilement sur la plate-forme et, se penchant, contourna la commode.

L'homme se retourna et glissa un regard méfiant derrière lui. Il sortit un épais mouchoir de sa poche et s'engouffra à son tour dans la camionnette.

*

– Rarement vu une bicoque aussi mal foutue, nota Caujolle à l'adresse de Biasini.

L'immeuble devant lequel se trouvaient les deux inspecteurs, au bas du quartier Carabacel, semblait avoir poussé de travers au fond d'une impasse qui ne devait jamais avoir vu la lumière du jour. Seule la porte d'entrée entrebâillée paraissait de niveau, ce qui ne faisait qu'accentuer l'étrangeté de la construction.

Les deux hommes entrèrent. Une tête de femme adipeuse et posée directement sur des épaules tombantes émergea de la loge de la concierge.

– Vous cherchez ? lança-t-elle d'un ton peu amène.

Caujolle exhiba d'un geste sec sa carte de policier.

– M. Angeli, c'est bien ici ?

– Oh, celui-là ! D'anciens collègues, je présume ?

L'inspecteur ignora la remarque.

– Quel étage ?

– Troisième. Et essuyez-vous les pieds avant d'entrer, grommela la bignolle, j'ai passé la *ramassa* !

La cage d'escalier leur rappela celle de l'immeuble de l'Ogre, vétuste et guère entretenue.

– Vraiment pas terrible, pour un ancien commissaire, fit Biasini. Même chez moi ça a meilleure gueule !

– Et tes poules, tu ne les ramènes jamais dans ta piaule ?

– Tu es fou ! s'exclama Biasini en se recoiffant. Elles prendraient la fuite au premier rendez-vous !

Ils durent frapper à trois reprises. L'homme qui apparut dans l'embrasure de la porte était mutilé : la manche droite de son gilet, vide, était repliée sous l'aisselle. D'un âge guère identifiable, il avait le visage grêlé et le nez rougeaud des gros buveurs. Avec son pantalon de velours usé et ses pantoufles élimées, il était d'une apparence plutôt négligée.

– Monsieur Angeli ?

Il afficha une vague surprise, comme s'il n'avait plus l'habitude de recevoir de visites, et hocha la tête avec méfiance.

– Inspecteurs Caujolle et Biasini, de la brigade mobile de Nice.

Son visage s'apaisa un peu.

– Les hommes de Clemenceau… qui m'honorent de leur visite ! On aura tout vu !

– Pourrions-nous vous parler quelques instants ?

– Bon, eh bien… entrez.

Sa diction était un peu hésitante, peut-être sous l'effet de l'alcool. Il fit quelques pas et les inspecteurs s'aperçurent qu'il boitait sévèrement de la jambe gauche. L'appartement, sommairement meublé, n'avait rien d'accueillant et semblait d'une propreté douteuse. Sur la table du salon traînait une bouteille de vin vide.

– Désolé, messieurs, si je ne vous serre pas la main, fit-il avec un rire forcé en désignant du menton son moignon.

– Mutilé de guerre ? demanda Biasini sans tact.

L'homme ne parut pas froissé et opina du chef.

– Aubérive, septembre 1915. Un sacré carnage, croyez-moi…

– J'imagine, murmura Biasini.

– … que je ne souhaiterais pas à mon pire ennemi. Mais inutile de remuer toute cette merde.

« S'il était au front en 15, pensa l'inspecteur, c'est qu'il était engagé volontaire. Les commissaires ont tous eu le choix de rester en poste. »

– En quoi je peux vous aider ?

Caujolle reprit la parole :

– Nous avons obtenu votre nom par la police municipale de la rue de l'Hôtel-de-Ville. Vous y avez été commissaire avant la guerre, c'est bien ça ?

Il agita la tête.

– Ils se souviennent encore de moi ?

– Ça vous étonne ?

– J'y suis retourné une fois… mais depuis qu'ils sont embauchés par l'État il y a eu du changement. J'y connaissais plus *dégun*.

– Nous recherchons des informations sur une affaire que vous avez menée. Mais c'était il y a un bail…

Un rictus se dessina sur le visage de l'homme.

– J'ai quitté la boutique en 14 quand je suis parti au front, alors ça fait forcément un bail.

– Vous n'avez pas été réintégré ?

Angeli soupira.

– Vous m'avez vraiment regardé ? J'ai obtenu un poste réservé dans l'administration, mais je n'arrivais plus à travailler. Les mutilations que vous voyez là sont les moins douloureuses : j'ai aussi été touché à la tête par un éclat d'obus. Depuis, je suis incapable de me concentrer plus d'une heure. Je préfère vivre de ma pension d'invalidité. Je suis seul, ça me suffit.

Un silence gêné pesa dans la pièce.

– Bon. Et pour cette affaire ? reprit-il avec un brin d'agacement.

– Nous avons retrouvé une mention de l'enquête dans les archives, mais rien d'assez précis.

Caujolle sortit de sa sacoche une feuille jaunie par le temps.

– Si vous pouviez y jeter un œil… Il s'agit de la mort d'un certain Antoine Jeansart, officiellement décédé d'une intoxication alimentaire. L'affaire remonte à 1904.

À l'évocation de son passé de commissaire, le visage d'Angeli s'anima, et c'est avec un certain empressement qu'il saisit le dossier et qu'il le survola. Il leva ensuite ses yeux torves vers les inspecteurs.

– Sur quoi vous enquêtez exactement ? On ne déterre jamais une affaire sans raison.

Caujolle ne vit pas d'inconvénient à dévoiler les vrais motifs de leur venue.

– Vous avez probablement entendu parler des trois meurtres d'enfants qui viennent d'être perpétrés dans notre ville.

L'homme fit une moue.

– J'ai lu ça dans les journaux. L'« Ogre », comme ils l'ont appelé.

Même s'il semblait vivre en ermite, l'ancien commissaire se tenait tout de même au fait de l'actualité.

– Il vous donne du fil à retordre, hein ! Vous ne lui avez toujours pas mis la main dessus ?

– Pas encore. Mais nous pensons qu'il s'agit du fils de cet Antoine Jeansart et nous aimerions éclaircir la cause réelle de sa mort. Je sais que tout cela est ancien mais…

– Le fils d'Antoine Jeansart, vous dites ? Je me souviens très bien de cette histoire, coupa Angeli avec autorité, comme s'il avait été atteint dans sa fierté.

– C'est vrai ?

– Je m'en souviens parce que ce type n'est pas mort accidentellement, vous pouvez me croire !

Les deux inspecteurs échangèrent un regard stupéfait mais rempli d'espoir. Angeli prit place sur une chaise, devant la table du salon, et en indiqua deux aux inspecteurs.

– Je vous proposerais bien à boire mais y a plus que des cadavres.

– Ça ne fait rien. Vous disiez ?

– On n'aurait jamais entendu parler de cette affaire s'il n'y avait pas eu un dépôt de plainte.

– Qui émanait de qui ?

– La mère de Jeansart, une grande gueule qui est venue claironner un jour dans nos bureaux que sa bru avait assassiné son fils en l'empoisonnant.

Le souvenir de l'affaire semblait l'avoir complètement ragaillardi.

– Sa bru ? Philomène Jeansart, vous l'avez connue ?

– Oh, je ne suis pas près de l'oublier ! Après la plainte, on a naturellement enquêté. L'homme était tombé malade et avait fini par mourir d'une septicémie généralisée, selon le médecin traitant. Il y a eu une autopsie qui a confirmé ses dires, mais on a aussi retrouvé dans l'appartement un ouvrage médical qui traitait de poisons et de maladies infectieuses.

– Il appartenait à sa femme ?

– On a vite prouvé qu'elle l'avait acheté dans une librairie proche de leur domicile seulement deux mois avant la mort de Jeansart. Et puis, il y avait un mobile : ce type passait son temps à la tabasser, tous les voisins ont pu en témoigner.

« L'Ogre avait bien eu une enfance difficile, la cousine n'avait pas fabulé. »

– Vous l'avez donc arrêtée ?

Angeli posa son coude sur la table graisseuse.

– Le procureur l'a fait écrouer, mais les interrogatoires n'ont rien donné. Comme je vous disais, c'était une femme qu'on n'oublie pas : très solide et pugnace. Rien n'aurait laissé penser qu'elle se faisait rosser. Mais enfin, les apparences sont souvent trompeuses, vous devez en savoir quelque chose…

– Qu'a-t-elle dit exactement ?

– Elle n'a rien lâché. Quand on la questionnait, sans ménagement, elle n'arrêtait pas de répéter : « Ce n'est pas à moi de prouver mon innocence mais à vous de montrer que je suis coupable. »

– Elle a vraiment dit ça ?

– Ce sont des phrases qui restent gravées là-dedans, confirma l'ancien commissaire en se tapotant le crâne. Pendant des années, chaque fois qu'on cuisinait un dur à cuire, on se la ressortait entre nous !

– Que s'est-il passé ensuite ?

Angeli étendit sa jambe gauche en dehors des pieds de la table.

– Oh, pas grand-chose ! Il y a eu une exhumation. Les poisons qu'elle aurait pu utiliser pour provoquer la septicémie n'ont pas été décelés lors de l'autopsie. Tout portait à croire que ce type n'avait pas été empoisonné, ou alors elle était sacrément douée. Elle n'avait quand même pas fait des études d'apothicaire ! Tout le monde était sûr qu'elle avait fait le coup, mais impossible de dire comment elle s'y était prise. Le dossier n'aurait pas tenu une minute en cour d'assises. Le juge a été obligé de la mettre hors de cause. On n'a plus jamais entendu parler d'elle par la suite.

Caujolle et Biasini se regardèrent, un peu interloqués. Ils n'avaient pas la certitude qu'elle avait assassiné son mari, mais au moins n'avaient-ils pas fait chou blanc.

– Enfin... soupira Angeli. Ce type était un fieffé salopard, et ça ne m'a pas chagriné qu'elle s'en sorte à si bon compte. Surtout à cause du petit !

3

1904

Très vite, exposée en plein soleil, la viande a bruni sous l'effet de l'oxydation et s'est mise à dégager une odeur légèrement incommodante. Le troisième jour, elle a pris des reflets olivâtres et s'est couverte d'une croûte brillante, un vernis qui donnait à l'ensemble des aspects de nature morte. L'odeur, peu perceptible au début, est devenue fétide. Comme les mouches s'agglutinaient de plus en plus nombreuses sur le morceau de viande, tu l'as placé sous un bout de grillage, craignant qu'elles ne mettent l'expérience en péril.

Le quatrième jour, le temps s'est couvert et quelques gouttes sont tombées sur la ville. De retour de l'école, en prenant soin que personne ne te remarque, tu as grimpé en catastrophe sur le toit de l'immeuble mettre le morceau à l'abri près d'une montée de cheminée. Son aspect avait peu changé mais la pestilence s'était intensifiée.

Le lendemain, le soleil était de retour pour cuire la viande à petit feu. La pellicule s'est épaissie, se transformant en une peau verte craquelée par endroits. Sur la moisissure est apparue une barbe blanche aux extrémités noirâtres.

Le jour suivant, comme un lichen tenace, la barbe avait grandi. La viande répandait une odeur de petit-lait aigre mais ne suintait pas encore comme tu l'espérais. Tu as enlevé la barbe blanche, méticuleusement, en te gardant de racler la moisissure.

Le septième jour, la viande exhalait une odeur qui prenait à la gorge. Elle s'était encore assombrie, mais était à présent striée de traces plus claires et parsemée de petits points blancs. Mais surtout, à la surface, suintant comme la sueur des pores d'une peau, on distinguait le liquide jaunâtre tant attendu, le précieux grouillement de germes mortels de la chair en décomposition. Tu as décidé de patienter un peu avant de le recueillir.

Ce matin, le morceau putréfié puait si fort et avait pris un aspect tellement répugnant que tu as craint d'avoir attendu trop longtemps. Dans un petit pot, à l'aide de la lame d'un couteau, tu as prélevé l'élixir et l'as porté à tes narines. À ton grand soulagement, si la viande empestait à réveiller un mort, la liqueur n'avait qu'une odeur un peu âcre qui pouvait sans doute être camouflée.

Tu as emballé la viande dans deux sacs de papier, sachant qu'il te faudrait t'en débarrasser rapidement avant d'accomplir ta besogne, pour ne laisser aucune trace.

Tu sais parfaitement comment agir. Tu as lu le procédé dans un roman policier médiocre où un jeune homme, perclus de dettes, veut hériter d'un oncle fort riche qui menace de le déshériter. Seule la scène de meurtre était réussie. Au départ, tu as eu peur que l'auteur n'ait pris de sérieuses libertés avec la réalité, mais ton expérience semble pour l'instant fonctionner. Elle est en tout cas conforme aux descriptions du livre.

La viande qui se décompose finit par exsuder un liquide qui est un concentré de bacilles toxiques. Dans ton roman, le personnage invite son oncle à dîner et lui prépare des côtelettes sur lesquelles il dépose avant de servir le suintement mortel qui, n'ayant pas cuit, a gardé toute sa virulence. Vu le spectacle de la décomposition du morceau de viande que tu as sous le nez, tu te demandes comment le liquide peut ne pas être décelé au goût, mais il te faut bien tenter ta chance.

Tous les jeudis, ta mère rentre tard et ne dîne pas avec vous. Elle a pris des ménages dans le centre-ville pour compenser les sommes que ton père dilapide en boissons. De retour du travail, il exige que la table soit mise et que son repas soit prêt lorsqu'il pose son sale cul sur sa chaise.

Ta mère a dit que demain elle achèterait des escalopes pour son repas du soir. Un luxe à la maison. Avec un peu de veine, il aura déjà bu quelques verres et ne sera pas trop regardant sur son assiette.

Tu t'imagines déjà la lui apportant. Une belle escalope, bien salée et poivrée, accompagnée de bonnes patates sautées comme il les aime. Tu le regarderas dévorer sa viande avec appétit. Peut-être remarquera-t-il le goût étrange de son assiette. Peut-être pestera-t-il en disant que ta putain de mère s'est encore fait avoir et qu'on lui a refourgué de la bidoche pas fraîche. Mais tu es sûr que ce con finira son assiette, pour ne pas gaspiller.

Bon appétit, papa !

4

– Ah, Frédéric ! Bien dormi ? Je n'ai pas voulu te réveiller ce matin.

Forestier éteignit sa cigarette à moitié consumée et se leva de son fauteuil pour serrer la main de son ami.

– J'ai dormi comme un loir.

– Et ta blessure ?

– Rien à signaler.

– Tant mieux.

Frédéric posa son pardessus sur le dossier d'une chaise.

– Je viens de parler à Caujolle. Il m'a raconté pour la mère de Jeansart.

– Tu as vu ? On a eu le nez creux ! Une femme battue qui zigouille son mari, et qui s'en sort, en plus ! Je suis sûr que le gosse était au courant. On le tient, notre traumatisme !

Le médecin haussa imperceptiblement les épaules.

– Ou une partie du moins. Je ne suis pas sûr que ça permette de tout expliquer…

– Bien sûr, admit Louis, qui ne voulait plus s'attarder sur cette partie-là de l'affaire. On a du pain sur la planche : Raphaël doit passer d'un instant à l'autre. Il a pu établir le parcours du Hanriot de Maïcon. Si ça peut nous aider à resserrer le périmètre de nos recherches…

Ah ! Surtout, pas un mot sur le meeting ! Évitons de le déprimer.

La journée d'ouverture de la compétition s'était soldée pour l'aviateur par un échec cuisant. Le propulseur rotatif de son Caudron était tombé en rade dès la première épreuve et il n'avait même pas eu l'occasion de défendre ses chances. Il enrageait d'avoir manqué la fameuse « épreuve de lenteur » pour laquelle il s'était tant entraîné. Même Coppens et De Dominicis n'avaient pas été capables de se maintenir à l'altitude minimale exigée par le règlement. Douchy avait finalement gagné l'épreuve en un peu plus de 4 minutes, un score que Mathesson avait maintes fois battu lors de ses entraînements. Quant à son ami Maïcon, il avait remporté la coupe Édouard-Pillon devant d'anciens as des as de la guerre dans un exercice militaire de haute volée.

– Salut, la cavalerie !

À travers la porte entrouverte, les deux hommes entendirent Raphaël débarquer dans la salle des inspecteurs.

– Tiens ! Quand on parle du loup !

Raphaël avait l'air chagrin, même s'il essayait de le cacher sous une allure nonchalante. Il n'avait visiblement pas digéré son échec de la veille.

– Frédéric ! salua-t-il en portant la main à son front comme un militaire à son képi. Mais vous avez l'air de vous porter comme un charme ! Louis m'a fait des frayeurs. Je vous imaginais à moitié agonisant dans votre lit.

– N'exagérons rien ! s'énerva Forestier.

– Les amis, j'ai un peu de temps à vous consacrer. Mon propulseur est foutu. Je ne sais même pas si je pourrai participer à la prochaine épreuve…

Caujolle, Biasini et Laforgue tentèrent de le réconforter.

– Au fait, où est passé Leroux ? s'enquit Louis.

– Il est dans son grenier, pendu au téléphone, indiqua Caujolle. Les analyses des résidus trouvés sur la dernière victime…

– Ah ! Je les avais oubliées, celles-là !

Raphaël se posta devant l'immense plan de Nice que Forestier avait affiché dans la salle.

– Bon, assez traîné ! Voilà le parcours que j'ai établi.

Il prit un crayon rouge qui traînait sur le bureau de Leroux. Sur le plan apparaissait encore le cercle qu'ils avaient tracé, avec les croix indiquant les lieux où l'on avait découvert les trois cadavres d'enfants. Presque au centre, un point bleu marquait l'appartement de l'Ogre à Riquier.

– Maïcon est parti de l'aérodrome et a longé chaque fois la Promenade avant d'amorcer un virage au niveau des Ponchettes.

L'aviateur dessina d'un geste précis le trajet sur la carte.

– Il a survolé le Lazaret, puis le Mont-Boron, en restant parallèle au boulevard de l'Impératrice-de-Russie… notre bonne vieille Alexandra.

– Continue, l'incita Louis, qui craignait qu'il ne s'embarque dans des anecdotes historiques sur l'impératrice.

Raphaël leva son crayon, le temps de se repérer sur le plan.

– À partir de là, il a contourné Riquier par l'est, en demeurant assez loin du Paillon. Il pouvait voir la place de la Manufacture sur sa gauche, à environ une centaine de mètres. Il a ensuite coupé le boulevard de

Riquier et a continué vers le nord en passant pile au-dessus du quartier Saint-Roch…

– Saint-Roch, répéta Louis. Vous entendez…

– Je savais que ça te plairait.

Raphaël hésita un instant.

– Après, Maïcon a survolé le Paillon à cet endroit-là… Non, attendez, un peu plus haut.

– Au-dessus de la passerelle qui rejoint les Abattoirs, tu veux dire ?

– Oui. Il a poursuivi sa route vers l'ouest jusqu'à Pasteur avant de repartir vers la mer en survolant Saint-Étienne et la gare PLM.

Chacun demeura muet devant le plan, puis Caujolle finit par prendre la parole.

– On ne va pas tergiverser ! Il faut tout miser sur Saint-Roch, sans exclure peut-être Pasteur, qui n'est pas si loin de l'endroit où est réapparu le petit Kendall.

– Je pense comme toi. Tout converge vers cet endroit.

Louis prit le crayon des mains de Raphaël et dessina un carré grossier sur le quartier Saint-Roch.

– La tanière de Jeansart doit se situer dans ce carré qui ne fait même pas un kilomètre de côté. Une zone qui épouse pratiquement les limites du premier cercle qu'on avait défini. Un lieu proche du centre-ville, mais en dehors tout de même de l'endroit où les gosses ont été enlevés et retrouvés assassinés. À l'extérieur en tout cas de son aire… comment dis-tu déjà, Frédéric ?

Le médecin quitta le mur des yeux.

– Son « aire sacrificielle ».

– C'est ça.

Leroux entra dans la pièce en saluant Raphaël de la main.

– Qu'est-ce que j'ai loupé ?

– Regarde le plan. On est presque sûrs que Jeansart se terre à Saint-Roch.

– On avance, alors !

– Et toi, de ton côté ?

– Le labo de Locard a fait du bon boulot, comme d'habitude. Si vous voulez tout savoir, les résidus qu'on a prélevés sur le petit Cordier sont constitués de parcelles de charbon, de poussière de bois et de copeaux.

– Ça ne va pas nous mener loin ! commenta Caujolle, déçu. On avait vraiment besoin d'eux pour trouver ça ?

Leroux lui lança un regard furibond.

– Attends, je n'ai pas fini. Les copeaux étaient en voie de décomposition très avancée : ils ont probablement été exposés à l'air durant plusieurs années. Le labo ne peut pas dire depuis quand exactement, mais ça remonte au moins à trois ou quatre ans.

– De la sciure, des copeaux… récapitula Forestier. On sait que Jeansart était un excellent menuisier. Ces analyses peuvent coller avec son métier.

– Oui, continua Leroux, mais on sait aussi que Jeansart s'est installé à Nice il n'y a que quelques mois. Il a tout à fait pu se replier dans un atelier ou un entrepôt, un endroit où l'on avait l'habitude de travailler le bois.

– Or Saint-Roch grouille d'anciens entrepôts désaffectés. Malin de sa part : c'est le repaire idéal pour quelqu'un qui ne veut pas attirer l'attention, et en plus, ça correspondrait à la description que John Kendall a faite de la tanière.

– Il aurait pu louer un atelier de menuiserie, par exemple, pour planquer les gosses !

– Attendez ! remarqua Frédéric en levant l'index. Loué ou acheté… Il a fait un petit héritage, il avait de l'argent de côté. Un homme tel que Jeansart aura sans doute voulu être maître chez lui. Sa tanière doit être un endroit qu'il s'est parfaitement approprié et où personne ne risque de le déranger.

– Qu'est-ce que ça change ? demanda Caujolle, peu perspicace.

Le visage de Louis s'éclaira.

– Qu'est-ce que ça change ? Le cadastre, les hypothèques, bon Dieu ! Si Jeansart a acheté ces derniers mois un atelier sous son vrai nom ou sous celui de Guillot, on en trouvera trace quelque part !

L'équipe mit un moment à saisir la portée des paroles du commissaire.

– Et on connaît maintenant la zone de recherche… compléta Leroux. Jeansart a peut-être fait là la plus grosse erreur de son existence !

5

1911

Sur le trottoir humide, la fille va et vient, l'air aux aguets, la jupe retroussée, barrant le chemin aux rares passants et leur susurrant des obscénités. Elle fait son heure pour aguicher le chaland et l'attirer dans la maison. La rue est éclairée par la lumière blafarde d'un lampadaire et par celle, rougeoyante, de la lanterne du bordel aux murs lépreux qui ne possède que deux fenêtres grillagées sur rue.

Vous êtes trois. Les conscrits qui t'accompagnent, deux esbroufeurs qui n'arrêtent pas de discutailler en se donnant des coups de coude, t'ont embringué presque malgré toi dans leur sortie nocturne. Tu les méprises au plus haut point, mais tu sais donner le change et t'esclaffer à leurs blagues. Ils t'ont surnommé la Tombe parce que tu causes peu. Vous avez trouvé le quartier sans problèmes. L'un des plus misérables de la ville, un de ces trous que la municipalité ne prend plus la peine de surveiller et où l'on peut se livrer à peu près à n'importe quelle débauche.

La fille a senti le coup et vous a alpagués, vous donnant des « minous » et des « mignons ». Elle a des cheveux oxygénés qui laissent apparaître des racines brunes, une tête pas vraiment moche mais trop maquillée, une paire de nichons bien comme il faut. Vous entrez. La maison sent une vague odeur de boustifaille. Des filles sont affalées sur des banquettes et des canapés vieillots. La maquasse, une bringue mal foutue, vous regarde d'un œil suspect. Comme toutes les patronnes, elle se méfie des bandes qui n'ont que le prix d'une passe. Elle vous informe qu'ici c'est une fille par client, que pour les passes à trois c'est double tarif pour chaque participant. Les deux cons qui t'accompagnent se retrouvent tout à coup l'air penaud. Ils n'ont pas envie de faire ça à plusieurs et montrent l'argent pour une passe normale.

Les filles sont assez quelconques, à l'image du bordel, mais cet amas de chairs dénudées te donne la trique. Tu en repères une à ton goût. Pas trop vieille, avec des tétons roses qui pointent à travers la chemise transparente. Tes deux compagnons sont déjà avachis sur une banquette avec deux filles qui les caressent. Il y a beaucoup de bruit, les verres s'entrechoquent, on circule sans se regarder et en parlant fort. C'est la première fois que tu viens dans un boxon. En fait, c'est la première fois tout court. Tu n'as pas peur. Tu es même indifférent.

La fille que tu as choisie s'appelle Thaïs, mais tu doutes que ce soit son vrai nom. Tu te souviens qu'Alexandre le Grand s'était laissé séduire par une courtisane du même nom. Elle te fait boire, un casse-gueule infâme. Tu ne bois jamais d'alcool et tu sens ton corps s'alanguir. Elle n'arrête pas de parler, avec un drôle d'accent populo, et te débite des saletés pour t'exciter. Toi, tu bandes déjà moins et tu te dis qu'il est vraiment temps de monter.

La chambre est laide. Un vieux lit rustique avec une couette florale parsemée de taches louches. Un lavabo à l'émail abîmé dans un coin de la pièce. En moins de deux la fille se retrouve à poil sur le lit, exhibant ses fesses avec un air canaille. Tu t'aperçois que ses seins sont tombants et qu'elle a des plis de graisse sur le ventre. Elle se trémousse un instant, puis s'approche de toi comme tu restes les bras ballants.

– Je vais m'occuper de toi, mon chaton.

Tu détestes qu'elle t'appelle son « chaton », tu n'es plus un enfant. Elle défait ton pantalon et sort ton sexe ramolli. Elle commence à t'astiquer avec vigueur. Tu ne ressens plus grand-chose. Elle finit par prendre le morceau de chair pendant dans sa bouche. Au début, ce va-et-vient t'excite un peu, mais pas autant que ça devrait. Tu regardes les cheveux mal arrangés de la fille, son visage blafard, son corps déjà flétri malgré les artifices.

– Putain, rouchie, murmures-tu presque sans t'en rendre compte, et trop bas pour qu'elle entende.

Tu revois ces femmes qui traînaient dans les bas quartiers de Nice quand tu étais gosse. Ces filles qui te fascinaient mais te répugnaient en même temps. Puis tu te représentes ta propre mère arpentant le pavé devant ce bordel, maquillée à outrance comme ces filles, faisant la grimpette avec des inconnus. Tellement molle que la baiser, c'est baiser une motte de beurre…

La fille a beau s'activer sur toi, ton sexe est définitivement en berne.

– C'est pas grave, mon chaton, on va essayer autre chose.

La putain s'allonge à nouveau sur le lit et t'entraîne par le bras. Elle écarte ses jambes avec obscénité et exhibe son sexe aux poils sombres que tu regardes avec dégoût. On dirait un animal sournois qui te guette dans l'ombre.

– Approche-toi !

Tu t'exécutes. Ton corps recouvre à présent le sien. Tu la domines. Elle semble si menue sous ton corps puissant ! Tu as envie de la punir pour les choses répugnantes auxquelles elle se livre. Tu fixes sa bouche écarlate, trop rougie, impure.

Tu ne te contrôles plus. Tu passes tes mains autour de son cou. Au début, elle se contente de sourire, persuadée qu'il s'agit d'une petite fantaisie qui te met en condition. Ces filles ont l'habitude des mecs tordus. Mais tes mains se resserrent. Tu sens les muscles de son cou se tendre. Tu vois ses veines se gonfler, saillir à fleur de peau. La putain panique. Elle ouvre grand la bouche pour trouver l'oxygène qui maintenant lui manque. Elle tente de se débattre et te meurtrit le corps de ses mains et de ses jambes, à coups répétés. Mais tu n'as pas mal. Elle ne peut rien contre toi.

– Salope, salope ! scandes-tu en serrant toujours plus fort.

Soudain, tu tombes à la renverse, sans comprendre pourquoi. Une douleur envahit ton crâne. Tu te retrouves sur le bord de la couette, à deux doigts de chuter au sol, la tête à moitié coincée entre le lit et la commode. Tu essaies de te relever. La garce t'a frappé avec la lampe qu'elle a réussi à saisir sur la table de nuit.

La fille halète et tente de reprendre son souffle. Ses yeux sont exorbités, la terreur a élu domicile sur son visage. Elle déploie son bras en avant pour se protéger. Tu comprends qu'elle essaie d'émettre un hurlement, mais elle peine déjà à avaler sa salive.

Tu portes la main à ton front taché de sang. Tu entends un couple passer dans le couloir. Des rires. À présent, c'est toi qui paniques. Si elle réussit à crier…

– Ta gueule !

Tu rajustes rapidement ton pantalon et sors de ta poche tout ton argent, l'équivalent de trois ou quatre passes. Tu jettes les billets sur la couette en direction de la fille qui te regarde, toujours terrorisée : tu espères que cette somme suffira à la faire taire.

Puis, à moitié débraillé, tu te précipites dans le couloir, les mains tremblantes et des envies de meurtre plein la tête.

6

Louis le savait, il y a parfois dans les enquêtes des moments de grâce, des instants où le hasard fait pencher la balance du bon côté et où les différents éléments d'une affaire s'emboîtent parfaitement, comme des pièces d'horlogerie. Landru avait été arrêté après que la sœur d'une de ses victimes l'eut croisé par hasard dans la rue, alors même que les policiers l'avaient intensément recherché pendant plus d'un an. L'épopée sanglante des chauffeurs de la Drôme s'était terminée de manière fortuite, lorsque deux colporteurs de grand chemin emprisonnés pour une peccadille avaient balancé les tortionnaires. Dans l'affaire de l'Ogre, l'hypothèse de Louis et de Frédéric, à la fois trop belle et hasardeuse, s'était pourtant révélée exacte. Le travail avait payé, mais le sort leur avait aussi donné un coup de pouce.

Au cadastre et au service des hypothèques, dans la longue liste d'ateliers, d'usines, de manufactures, de moulins et d'entrepôts qui avaient fait l'objet de transactions les dernières années, les inspecteurs trouvèrent trace d'une ancienne scierie à vapeur, au cœur de Saint-Roch, non loin de l'usine à gaz, qui avait fonctionné jusqu'en 1918 et qu'on avait vendue pour une bouchée de pain à un certain Albain Jeansart en décembre 1921.

À l'annonce de la nouvelle, toute la brigade avait exulté. Jeansart avait commis l'imprudence de faire cette acquisition sous son vrai nom et sa tanière se situait dans la zone même qu'ils avaient déterminée. Louis se souvenait du revers qu'il avait subi lors de sa première rencontre avec le tueur, et il s'était juré de ne jamais revivre pareille mésaventure. Il l'aurait cette fois… même mort.

D'après les renseignements qu'on put obtenir, la scierie dont Jeansart avait fait son repaire avait été construite au milieu du XIXe siècle. C'était une ancienne scierie à roue, comme il y en avait eu un certain nombre le long du Paillon et dans les environs de Nice, qui avait tiré sa force motrice des petites chutes d'eau dérivées du fleuve. Elle avait ensuite été reconvertie au début du siècle en scierie à vapeur, avant que l'entreprise, fragilisée par la guerre, ne fasse faillite.

Conscient de la faiblesse de ses effectifs, Forestier obtint du préfet et du commissaire central le renfort des meilleurs éléments de la police municipale, ainsi que l'aide de quatre recrues de la gendarmerie mobile. En tout, une escouade de vingt hommes, tous armés et expérimentés.

Il fallait agir vite, mais sans précipitation. Dans un premier temps, Louis décida de faire un simple repérage des lieux avec Leroux et Biasini. À bord de la Panhard, ils se rendirent dans le quartier Saint-Roch, tournèrent un moment avant de trouver la bonne adresse et longèrent à vitesse réduite le terrain où avait été bâtie la scierie.

À travers une barrière en bois vermoulu et un mur crevé ils distinguèrent le bâtiment, un ensemble hétéroclite composé de deux étages : un rez-de-chaussée bâti en dur, en partie enterré et percé de quelques fenêtres à jambages, auquel était accolée une maisonnette sur deux niveaux qui servait de lieu d'habitation privée ; au-dessus, un étage construit entièrement en bois et qui avait visiblement été complété par une excroissance, probablement pour permettre des sciages en grandes longueurs. De la charpente émergeait une cheminée à forme pyramidale tronquée à la cime.

Ils ne notèrent aucune activité particulière mais repérèrent une camionnette Renault bâchée garée dans la propriété, le type même du véhicule utilitaire qui passe inaperçu et peut permettre des enlèvements. De là à penser que l'Ogre était dans sa tanière… Forestier laissa Leroux et Biasini à proximité et leur demanda de rester en poste jusqu'à l'opération. Ils ne devaient rien tenter seuls, même s'ils repéraient Jeansart.

– Vous savez comment Pauvert a fini ! conclut-il avec anxiété.

Le commissaire rassembla ensuite sa nouvelle équipe dans les locaux de la police municipale de l'hôtel de ville, qui offraient l'avantage d'être beaucoup plus vastes que ceux de la brigade, mais aussi en bien meilleur état. Il avait surtout pensé que ce choix apaiserait les tensions : il voulait clairement associer les municipaux et les gendarmes à l'intervention et ne pas leur donner l'impression qu'ils étaient réduits à de simples carabiniers d'Offenbach. Il fallait mettre un terme à ces guéguerres qui avaient fait bien assez de dégâts dans le passé. Étant donné la gravité de l'affaire, chacun s'efforça de mettre de l'eau dans son vin, fier de prendre part à cette capture exceptionnelle.

Louis, secondé par Caujolle, se montra habile coordonnateur. Il exposa les plans du cadastre dont il disposait, décrivit les lieux à partir de son repérage et détailla les étapes de l'opération. Son plan était d'une simplicité biblique : commencer par encercler le repaire de Jeansart pour l'empêcher de fuir, puis, au signal donné, faire irruption en quatre équipes distinctes dans la propriété en resserrant le cercle, appliquant ainsi la bonne vieille méthode du marteau et de l'enclume.

Une heure après que Forestier les eut quittés, Leroux et Biasini appelèrent d'un café du quartier pour signaler qu'il n'y avait aucune activité dans la scierie ni aux alentours.

– En ce moment même, constata Forestier, nous ignorons totalement où se trouve Jeansart. La présence de la camionnette devant la scierie ne prouve rien... Quelle heure est-il ? (Il se tourna vers la pendule murale.) 17 h 40... Que Jeansart se pointe ou pas avant, l'intervention aura lieu à 19 heures tapantes. Ce qui nous laisse juste le temps de tout mettre au point. Le soir tombe vers 20 heures et je n'ai pas envie d'assiéger la place de nuit, la coordination entre les hommes serait trop difficile.

– Pourquoi ne pas simplement attendre d'être sûrs que Jeansart est dans sa tanière ? objecta un flic de la municipale, les bras croisés et l'œil légèrement réprobateur. On pourrait le cueillir sans effort à son entrée ou à sa sortie. S'il arrive juste après notre intervention, il nous repérera et pourra se faire la belle.

Louis s'était attendu à ce type de réaction. Il avait lui-même longtemps balancé avant de faire son choix.

– Tout simplement parce qu'il se peut qu'une dernière victime soit détenue dans cette scierie. Un gosse, à nouveau... Nous ne pouvons pas prendre le risque d'attendre Jeansart indéfiniment. C'est pourquoi l'intervention doit être propre et nette. On entre dans la propriété et on fouille rapidement les lieux. Si notre homme n'y est pas, on ressort illico et on se met en planque. N'oubliez pas vos thermos de café, la nuit pourrait être longue !

Louis promena un regard circulaire sur toute son équipe.

– Vous comprendrez que l'idéal serait de capturer cet homme vivant. Mais s'il risque de nous échapper ou de mettre en danger une vie – la vôtre ou celle d'une victime qu'il pourrait détenir –, vous avez l'autorisation, et même le devoir, de le neutraliser et de le tuer. La seule chose qui compte aujourd'hui est de le mettre hors d'état de nuire. Bon, je vous propose de récapituler nos positions…

*

Leroux et Biasini s'étaient planqués à une distance raisonnable de la scierie, à l'angle d'un vieil immeuble qui avait l'avantage d'être dissimulé par une rangée d'ormeaux. Les deux inspecteurs avaient plutôt l'habitude des surveillances, mais, de toute leur carrière, ils n'avaient jamais ressenti un tel état d'excitation. Au passage de n'importe quel badaud susceptible de vaguement correspondre à la description de l'Ogre, Biasini ne pouvait s'empêcher de donner un coup de coude à son collègue, qui le rabrouait chaque fois avec lassitude.

À 18 h 25 précises – Leroux venait justement de jeter un œil à sa montre –, un homme portant un pardessus d'hiver sombre longea la rue, tourna la tête comme pour s'assurer de ne pas être épié et s'arrêta devant le portail de la scierie.

– *Fan de pute !* s'écria Biasini. C'est lui.

– Attends, le calma Leroux.

L'homme, dont on ne pouvait distinguer le visage, fouilla dans sa poche et s'affaira sur la chaîne qui barricadait l'entrée.

– Tu as raison, c'est lui.

– Qu'est-ce qu'on fait ?

– Rien ! On le laisse entrer.

– Tu rigoles ? On est deux, armés jusqu'aux dents, et il ne se doute rien. On peut le coincer comme on veut !

– La ferme ! On ne change rien au plan de Louis, tu as compris ?

L'homme défit la chaîne, jeta à nouveau un œil suspicieux autour de lui et pénétra dans la propriété. De là où ils étaient, toute intervention était désormais impossible. Jeansart, si c'était lui, replaça la chaîne avec soin et disparut totalement de leur champ de vision.

Biasini soupira bruyamment, mais Leroux le rabroua.

– Arrête de souffler comme un bœuf ! Je reste ici. Toi, tu appelles les autres et tu leur racontes tout. Allez, grouille-toi !

*

À 18 h 45, l'équipe de Louis était prête. N'ayant pas trouvé de moyen sûr pour donner le signal, tous les policiers avaient synchronisé leur montre pour faire irruption au même moment. Forestier, Caujolle et quatre flics de la municipale s'étaient postés en embuscade à l'avant de la propriété, cachés dans un camion de livraison. Leroux dirigeait les opérations à l'arrière du terrain, tandis que Biasini et Laforgue étaient chacun à la tête de quatre hommes sur les côtés de la scierie. Naturellement, avec sa jambe dans le plâtre,

Delville était resté à la brigade. « Pas d'hommes inutiles sur le terrain », avait tranché Louis.

D'après ce qu'on savait, le bâtiment ne possédait que deux entrées : la première était située dans le prolongement du portail et donnait accès à ce qu'on appelait la « cave » de la scierie, qui contenait les mécanismes et les sous-sols de l'habitation ; l'autre était celle de la maisonnette à étage, à l'opposé. Comme on ne pensait pas pouvoir s'introduire par les différentes fenêtres qui jalonnaient la bâtisse, Louis avait décidé que les deux équipes latérales pénétreraient sur le terrain mais resteraient au-dehors pour cueillir Jeansart s'il s'enfuyait par là.

Dans leur véhicule, les policiers commençaient à se sentir à l'étroit. En fait, Forestier prenait conscience qu'il n'avait plus fait de planques depuis bientôt dix ans. Il n'oublierait jamais sa « première fois », une nuit de février 1908 où il avait reçu l'ordre de rester en faction avec deux mobilards dans une rue, par moins dix degrés, dans l'espoir de surprendre des monte-en-l'air qui sévissaient dans le coin. Au bout de trois heures, transis de froid, ils s'étaient réfugiés dans un bar où ils avaient enchaîné les tasses de café agrémentées de quelques gouttes de gnôle. À 8 heures, le lendemain, ils étaient de retour rue Greffulhe pour faire leur rapport au commissaire Faivre. Ils assurèrent qu'ils n'avaient pas quitté leur poste de toute la nuit et qu'ils n'avaient rien noté de particulier. Leur patron se mit alors dans une rogne terrible. Ils n'étaient qu'une bande de rigolos et d'arracheurs de dents ! On venait de l'avertir qu'un bureau de tabac avait été « déménagé », dans la rue même qu'ils avaient surveillée ! Faivre les avait agonis d'injures et avait été à deux doigts de les mettre à la porte. Cette mésaventure avait servi de leçon à Louis et il ne pouvait pas se la rappeler sans que le rouge lui monte au front.

– Qu'est-ce que tu penses du cadenas ? demanda-t-il à Caujolle.

– Oh, une formalité ! Je pourrais bien trafiquer la serrure, mais je crois qu'on irait plus vite avec la monseigneur !

– Sur ce coup, je te fais confiance.

– Combien de temps encore ?

Forestier zyeuta sa montre.

– Cinq minutes. Je te propose qu'on sorte deux minutes avant les autres pour faire sauter la chaîne.

Il se tourna vers les quatre autres policiers.

– Je vous demande de ne pas intervenir avant qu'on ne vous ait fait signe. Inutile de poireauter à six sur le trottoir. Et faites gaffe, c'est nous qui sommes en première ligne ! Jeansart est très fort, il ne se laissera pas prendre sans résister.

Les hommes acquiescèrent sans broncher. Forestier demeurait les yeux rivés au cadran de sa montre, un beau modèle en or qui avait appartenu au père de Clara, aujourd'hui décédé – sans doute le seul objet de valeur qu'il eût jamais possédé –, et dont elle lui avait fait cadeau à leur mariage. Il eut une pensée pour sa femme et son fils, dont il était obligé de vivre séparé. Pour peu de temps encore, espérait-il.

– Eh, René ! Pas de bêtises à l'intérieur, murmura-t-il. Ce qui s'est passé avec Pauvert restera entre toi et moi. Ne crois pas que tu aies à te racheter de quoi que ce soit. Les héros morts, c'est bon pour la guerre ! Ta tronche de con me manquerait trop !

– Merci, patron, fit Caujolle en souriant.

– Bon. *Andiamo !*

Les deux hommes sortirent du fourgon et coururent à petites foulées jusqu'au portail en se courbant le plus possible. Caujolle ne put s'empêcher de jeter un œil à la serrure du cadenas. Il plaça ensuite la chaîne dans les mâchoires de la pince et força sur les branches. Le visage de l'inspecteur se crispa, car la chaîne résistait, mais elle finit par se rompre en émettant un bruit sourd. Ils entrebâillèrent le portail. Forestier fit un signe rapide en direction du fourgon des policiers.

La scierie se situait à environ vingt-cinq mètres, au bout d'un terrain envahi par les herbes folles et jonché de détritus et de ferraille rouillée. Louis regretta qu'il n'y eût aucune possibilité de se protéger pour progresser jusqu'au bâtiment.

– Couvre-moi !

Caujolle s'arrêta derrière un vieux bidon corrodé et dégaina, pendant que Forestier progressait sur l'allée boueuse. Celui-ci atteignit en quelques secondes la scierie et se dissimula dans le recoin d'un vieil appentis délabré. Il temporisa. Les quatre policiers venaient de franchir le portail et rejoignaient Caujolle. Louis leva le pouce pour indiquer que la voie était libre. La première équipe devait pénétrer par le rez-de-chaussée, et il avait besoin des talents de son inspecteur pour ouvrir la porte si elle était fermée à clef. Ce dont il ne doutait pas.

Les deux mobilards passèrent devant et descendirent trois marches faites en traverses de chemin de fer. La porte était constituée de panneaux de bois robustes mais mal ajustés, et équipée d'une serrure grossière. Forestier s'approcha et essaya de relever lentement la clenche, au cas où. La porte n'était pas fermée ! Impensable pour un type aussi prévoyant que Jeansart.

Louis poussa le battant, juste pour permettre le passage d'un homme. Presque aussitôt on entendit retentir une puissante sonnerie, comparable à celle d'un carillon ou d'une pendule.

– Merde ! s'écria Louis. On est repérés ! Il a piégé la porte.

*

Quelques secondes auparavant, après avoir franchi le mur d'enceinte, Leroux et son équipe atteignaient la maisonnette à l'autre bout de la propriété. Sur la façade, toutes les fenêtres étaient dissimulées par des volets verdâtres. Leroux repéra cependant une petite lucarne qui n'était pas occultée. Il se posta en dessous et croisa les doigts pour inciter un flic à lui faire la courte échelle. L'homme s'exécuta. En s'appuyant d'une main contre le mur, le mobilard se hissa, trouva un équilibre précaire et jeta un œil à l'intérieur. Les lumières étaient éteintes, toutefois il distingua une petite cuisine miteuse dans laquelle régnait un bazar incroyable : de la vaisselle sale s'amoncelait dans l'évier, des vêtements froissés traînaient sur la table, des chaises paillées étaient entassées dans un coin… mais pas de présence humaine.

Leroux redescendit. Le policier lui adressa un signe interrogateur de la tête.

– Défoncez la porte !

Les deux flics restés en arrière se postèrent devant l'entrée, armés d'un petit bélier. Ils le balancèrent d'un coup souple et heurtèrent la porte au niveau de la serrure. Celle-ci céda dans un grand fracas.

Les hommes se déployèrent promptement dans la maison. La cuisine donnait, derrière un rideau de perles crasseux, sur un salon minuscule meublé de bric et de broc. Arme au poing, Leroux et deux policiers s'engagèrent dans un escalier en colimaçon à l'angle de la pièce. À l'étage se trouvaient deux chambres, dont les portes étaient largement ouvertes. La première contenait uniquement un sommier en fer et une armoire, et ne semblait pas être utilisée. La seconde était à l'évidence celle de Jeansart. Elle était vide, mais Leroux remarqua immédiatement sur la table de chevet le cendrier dans lequel un mégot de cigarette rougeoyait encore.

*

Forestier et ses hommes firent irruption dans le bâtiment et se retrouvèrent dans une petite pièce poussiéreuse remplie d'outils, de cartons et de ferraille, éclairée seulement par un œil-de-bœuf. On avait fixé sur le battant intérieur de la porte un bras en bois qui, à l'ouverture, avait actionné la cloche d'une pendule. Forestier la fit taire en la fracassant au sol mais c'était trop tard : le piège de Jeansart avait parfaitement fonctionné.

Il ne fallait pas se laisser abattre. C'était certes un contretemps fâcheux, mais ils étaient vingt contre un ! Ils avaient devant eux deux ouvertures bien distinctes, vaguement dissimulées par des rideaux sales.

– On se sépare ! Vite !

Caujolle prit sur la gauche, suivi de deux hommes, cependant que Forestier et les autres policiers poussaient le second rideau. Ils se retrouvèrent dans un long couloir plongé dans la pénombre.

– La lampe torche ! demanda Louis à un de ses coéquipiers.

414

Sous le faisceau de lumière, ils remontèrent le couloir jusqu'à un petit escalier très abrupt. Au-dessus d'eux, une trappe. Forestier resta en tête, son Browning tendu en avant, conscient qu'à chaque recoin de cette baraque il pouvait tomber dans un guet-apens.

Il ouvrit la trappe d'un geste sec. À la pénombre succéda la lumière. Ils venaient de déboucher dans ce qui avait été la halle de sciage, un espace d'environ cent mètres carrés, entièrement bâti en bois du sol au faîtage. Sur toute la longueur, de larges poteaux reliés par des travures et coiffés de sablières assuraient la solidité de la construction. Contrairement au rez-de-chaussée, où les rares fenêtres étroites avaient été ménagées dans l'épaisseur du mur, la salle était jalonnée par de larges baies ouvertes. Ils longèrent rapidement l'imposant chariot sur roulement qui permettait de faire avancer les grumes à débiter jusqu'à la scie circulaire à lames multiples. Rien ne permettait vraiment de dire que la scierie n'était plus en activité. Le sol était toujours recouvert de copeaux, de sciure et de billots ; dans un coin étaient entreposées des planches soigneusement découpées.

Louis essaya de se repérer. Il supposa que la machinerie à charbon et les mécanismes se situaient sous leurs pieds. Il avait en tout cas la certitude qu'il se trouvait à l'endroit où avait été séquestré John Kendall. Plus loin, au bout de la halle, vers l'entrée où devaient être acheminées autrefois les cargaisons de grumes, il remarqua que des cloisons de bois avaient été installées entre deux poteaux et réduisaient la surface initiale de l'espace. Soudain, il perçut un gémissement, une plainte assourdie toute proche.

– Vous avez entendu ?

Les policiers opinèrent de la tête. Forestier s'approcha de ce qu'il supposait être une geôle. Il repéra immédiatement la targette qui fermait la porte et surtout le guichet dont John avait parlé. Il sentit sa main trembler. Se pouvait-il que… ? Il tira le verrou et ouvrit la porte, tandis que les autres flics pointaient leur arme pour le couvrir. Un filet de lumière éclaira la cellule.

Il était là, couché à même le sol.

Un enfant.

En vie.

*

Caujolle avançait d'un pas décidé. Malgré ce que lui avait dit Forestier, il avait bel et bien envie de se racheter. Il ne digérait toujours pas la faiblesse dont il avait fait preuve dans l'appartement de l'Ogre. Il espérait que des quatre équipes, c'était la sienne qui tomberait sur Jeansart, pour pouvoir le cueillir et même le buter si nécessaire.

Une première pièce s'offrit à lui, étrange, à peine plus large qu'un couloir, avec des établis et des étagères qui couraient sur toute la longueur du mur. Il y avait peu de lumière, mais suffisamment pour progresser en toute sécurité. Sur la droite, il arriva dans une pièce très vaste mais plus sombre, dans laquelle dormait comme un monstre effrayant l'imposante machine à vapeur : la chaudière cylindrique, les pistons, le balancier et les courroies qui avaient autrefois permis d'actionner la scie sans plus avoir recours à la force de l'eau étaient désormais recouverts de poussière et laissés à l'abandon.

Caujolle se demanda si Forestier était déjà tombé sur Jeansart. Ce salaud pouvait se terrer dans n'importe quel recoin de ce repaire qu'il connaissait comme sa poche. Vu l'obscurité qui régnait, chacun des policiers représentait une cible idéale. L'inspecteur désigna du doigt des recoins plongés dans le noir.

– Allez-y, les gars !

Il progressa le long de la machine et continua son exploration au bout de la salle. Sur sa gauche, il avisa une sorte de porte coulissante en bois, de conception rudimentaire. Caujolle sentit des gouttes de sueur couler sur son front. L'endroit pouvait servir de cachette à Jeansart s'il les avait entendus arriver.

Il tira sèchement le panneau et balaya de son arme et de sa lampe le réduit devant lui. Il s'agissait d'un cul-de-sac, sans aucun recoin pour se planquer. Un bureau clos de petite taille, presque vide, dont la propreté tranchait avec le reste du bâtiment. Contre le mur était appuyé un secrétaire à cylindre massif couvert d'objets hétéroclites, de livres et de papiers. Caujolle s'approcha et, à la lueur de sa torche, fit une inspection rapide.

Sur le gradin qui ornait le dessus du meuble était disposée toute une rangée de livres reliés en cuir. L'inspecteur eut le temps de détailler quelques titres : l'*Odyssée*, l'*Énéide*, *L'Enfer* de Dante… Toutes les lectures qui avaient servi à ce malade pour accomplir son rituel. Le rideau en quart de cylindre était relevé et la tablette d'écritoire sortie. Sur la gauche était posé un portrait de femme dans un cadre en argent : elle avait les traits inquiets mais le visage fin, surmonté d'un gros chignon. Après tout ce que leur avait dit Berthellon, Caujolle supposa qu'il s'agissait de la mère de Jeansart. À côté s'entassaient plusieurs carnets ainsi qu'un gros cahier qui ressemblait à un herbier. L'inspecteur le feuilleta, mais au lieu de plantes et de fleurs séchées il trouva épinglé sur la première page un magnifique papillon bleu et pourpre. Sur chacune des pages suivantes avaient été collées des mèches de cheveux : une mèche blond cendré, une autre brune et ondulée, une troisième noir d'ébène. Caujolle tressaillit. Les trophées de l'Ogre ! Il avait donc bien gardé un souvenir des deux prostituées et des enfants. Il continua à tourner les pages et compta rapidement le nombre de mèches : quatre, cinq, six, sept... Si l'Ogre avait conservé une relique des deux filles, des trois enfants assassinés et de John Kendall, à qui pouvait bien appartenir la dernière mèche ? « Un autre gosse séquestré ? » se demanda-t-il aussitôt.

Il ouvrit ensuite les tiroirs, qui contenaient plusieurs petites boîtes métalliques. Il y découvrit pêle-mêle des bijoux, des pièces de monnaie antiques, et plusieurs lettres et feuilles de papier pliées en quatre. Tandis qu'il en prenait quelques-unes, un flic de la municipale l'interpella :

– Inspecteur ! Pas de traces de Jeansart, mais j'ai trouvé un truc étrange.

Caujolle se retourna.

– Moi aussi, dit-il en désignant le meuble. J'arrive.

Ils retournèrent dans la salle du moteur de la scierie. Le policier éclaira de sa torche un recoin sombre qu'il venait d'examiner.

Sur un établi, derrière la chaudière, étaient disposées des dizaines de fioles et de bocaux remplis de liquides et de substances difficiles à déterminer. On se serait presque cru dans le laboratoire de Leroux. Si seulement son collègue avait été là, il aurait peut-être pu les identifier.

– Vous sentez cette odeur ?

Des effluves d'œuf pourri planaient dans l'air.

Au centre de la table trônait un énorme tube en cuivre en forme de fusée renversée. Caujolle n'avait jamais rien vu de semblable.

– Qu'est-ce que c'est que cette merde ? murmura-t-il.

Un policier tendit la main vers l'étrange engin, mais Caujolle le retint :

– Non, attends, n'y touche pas !

Un sale pressentiment... Il promena à nouveau son regard sur les bocaux et chercha une étiquette, en vain. Puis il repéra un pot transparent qui contenait une substance pulvérulente noire. Il le prit délicatement et en vida un peu dans le creux de sa main. Il la porta à ses narines. L'aspect et l'odeur ne trompaient pas. De la poudre d'amorce...

Il fit alors immédiatement le lien avec les effluves écœurants. Il n'avait jamais été très doué en chimie mais il se rappela vaguement que c'était l'odeur du soufre ou du sodium. L'impensable s'imposa brutalement à son esprit. Si l'engin avait été retourné, c'était qu'il venait d'être amorcé.

Ce qu'il avait devant les yeux n'était ni plus ni moins qu'une bombe.

7

– On se tire ! hurla Caujolle.

Les deux policiers qui l'accompagnaient restèrent interdits.

– C'est une bombe, putain ! On déguerpit !

Caujolle n'y connaissait pas grand-chose en engin explosif mais il savait que toucher à une machine qui avait été enclenchée risquait de la faire péter en moins de deux. Il dut tirer par le bras ses coéquipiers, qui n'arrivaient toujours pas à le croire. Ils sortirent en hâte de la salle du moteur et rebroussèrent chemin. L'inspecteur devait absolument prévenir les autres pour les faire évacuer au plus vite. Soit Forestier était toujours au rez-de-chaussée, dans une pièce adjacente, soit il avait déjà progressé vers l'étage. Dans tous les cas, il était en danger de mort.

Ils se retrouvèrent rapidement dans le réduit de l'entrée.

– Bon, sortez et postez-vous au portail. Il peut ne s'agir que d'une simple diversion, mais on ne va pas tenter le diable.

Les deux flics lui jetèrent un regard circonspect.

– Et vous, qu'est-ce que vous allez faire ?

– Je ne vais pas laisser les autres dans ce bourbier ! répondit Caujolle en s'engouffrant dans le couloir qu'avait emprunté l'équipe de Louis.

Forestier avait pris l'enfant dans ses bras. Celui-ci, conscient mais groggy, le fixait avec incrédulité, comme s'il était incapable de comprendre ce qui lui arrivait.

– Il a été drogué, constata-t-il, plus pour lui-même que pour ses hommes.

Le commissaire souffla néanmoins de soulagement : après John Kendall, c'était un deuxième gosse qui venait d'échapper à l'Ogre. Sur ce coup, ils avaient fait fausse route. Frédéric s'était trompé : John avait bien été séquestré en même temps qu'une autre victime. À moins que l'enfant n'ait été enlevé que plus tard… Mais ces questions n'avaient guère d'importance pour le moment. Jeansart était toujours quelque part dans ce labyrinthe et il fallait en priorité s'occuper du petit.

– Je vous le confie, fit Louis au flic le plus proche de lui. Vous allez l'évacuer jusqu'au fourgon. J'ai fait appeler une ambulance tout à l'heure, au cas où – j'espère qu'elle sera déjà là. Elle devrait vous attendre au coin de la rue. Restez derrière nous, on vous couvre.

Forestier ouvrit la voie. À l'extrémité de la halle, au milieu d'un entassement d'affaires, on distinguait deux orifices carrés qui avaient dû servir jadis à faire passer les grumes à débiter, ainsi qu'une porte sur la droite qui donnait probablement accès à la partie habitation.

– Attention !

La porte venait de s'ouvrir subitement. Louis et le flic qui avait les mains libres mirent leur arme en joue, mais ils se retrouvèrent nez à nez avec Leroux.

– C'est moi, pas de blague ! avertit le mobilard, qui tenait lui aussi son Browning en main.

– Marcel !

Leroux vit immédiatement l'enfant dans les bras du policier.

– Où l'avez-vous trouvé ?

– Dans une cellule à côté, là où Kendall a sans doute été séquestré.

– Alors on a bien fait d'intervenir aussi vite.

Après avoir inspecté la maisonnette, vide, les policiers étaient passés par l'« âtre de feu », un ancien local contigu à la scierie qui servait autrefois à consumer la sciure et les écorces, jouant ainsi le rôle de brûleur et de foyer pour chauffer les pièces d'habitation.

– Et Jeansart, pas de trace ? demanda Louis.

Leroux secoua la tête.

– Mais il était là il y a cinq minutes : j'ai trouvé une cigarette encore fumante dans sa chambre.

– Dieu sait combien il y a de recoins ici ! Bon, on va faire sortir le gamin. Leroux, tu n'as qu'à…

Louis n'eut pas le temps de finir sa phrase.

Une explosion terrible leur vrilla les tympans. Un souffle les plaqua à terre. Puis, comme une coulée de neige dévale une montagne, un flot de fumée épaisse inonda la salle et les prit à la gorge.

Aucun des policiers ne comprit ce qui venait de se passer. Le temps sembla former une parenthèse. Ils demeurèrent à terre durant de longues secondes. Forestier avait heurté violemment le plancher de bois et perdu son arme. Sonné, enveloppé par un nuage âcre de poussière, il était couvert de sciure et ses mains étaient écorchées. Il toussa et cracha, la gorge encombrée, et tenta de se mettre debout. Il s'aperçut que la moitié du plancher de la halle avait été arrachée et qu'il n'y avait plus à l'emplacement du chariot de roulement qu'un trou béant. Les poteaux autour de la trappe avaient sauté et une bonne partie du toit s'était effondrée. Par chance, la charpente au-dessus de leurs têtes avait résisté.

Totalement déboussolé, il tourna sur lui-même en titubant. Leroux se relevait; ses collègues, eux, étaient encore au sol.

– Ça va ?

Leroux fit un geste rassurant. Louis se précipita d'abord vers l'enfant. Il se trouvait encore dans les bras du policier et avait été protégé de l'explosion, mais il avait l'air terrifié. Louis secoua le flic, qui reprit rapidement ses esprits, pendant que Leroux aidait ses coéquipiers.

– Qu'est-ce que c'était ?

– Une explosion, fit Louis. Je ne sais pas trop.

Lorsque la fumée se fut un peu dissipée, il vit que des flammes déjà hautes se propageaient le long des poteaux, des travures et de la ferme.

– Il faut sortir de là ! cria-t-il. Tout va cramer !

Un des policiers était toujours étendu sur le sol. Il avait le visage en sang. Probablement avait-il été blessé par un projectile, peut-être un morceau de bois. Forestier se rappela malgré lui le visage défiguré de Pauvert.

– Aidez-moi, il faut le porter.

À deux, ils le prirent sous les épaules et le traînèrent vers l'âtre de feu à côté de la halle.

– Allez, tout le monde se replie !

– Et les autres ? demanda Leroux.

La halle devenait un enfer. Forestier fit un signe négatif de la tête.

– Impossible de repasser de ce côté-là. Il faudra faire le tour.

*

Dans le soir tombant, la scierie tout entière était désormais la proie des flammes. La partie haute du bâtiment, au gerbier béant, ne formait plus qu'un immense brasier. Une fumée dense s'élevait en panaches noirs dans le ciel.

L'enfant et le policier blessé furent évacués vers l'ambulance.

– Reprenez vos positions autour du bâtiment, ordonna Louis. Ne le laissez pas profiter de cette panique pour foutre le camp !

Suivi de Leroux, il accourut vers l'entrée du rez-de-chaussée, où ils croisèrent un policier de l'équipe menée par Caujolle, les bras croisés sur ses cuisses et le visage couvert d'une suie noire.

– Où sont les autres ? hurla Louis à son adresse.

Le policier le regarda d'un air atterré.

– Je n'ai rien pu faire, on ne plus respirer là-dedans. C'était une bombe !

– Une bombe ? s'étrangla Louis. Tu l'as vue ?

– Oui. C'est votre collègue qui a compris. Il nous a tous fait évacuer. Il était sur le point de vous rejoindre pour vous prévenir quand ça a pété.

Forestier se tourna vers la porte d'où s'échappait une épaisse fumée. Heureusement, l'entrée semblait être encore épargnée par les flammes.

– On ne va pas attendre les secours. Marcel, tu es de la partie ?

– Qu'est-ce que tu crois ?

Forestier repéra dans un coin une brouette à moitié remplie d'eau stagnante. Il laissa tomber sa veste au sol, puis enleva prestement sa chemise et la plongea dans l'eau. Il s'en masqua ensuite la bouche, pour ne pas inhaler de fumée et garder les idées claires. Leroux l'imita, mais avec un simple mouchoir.

Les deux hommes se lancèrent un dernier regard avant d'entrer. À cause de la fumée, on n'y voyait goutte et d'âcres relents leur irritaient les yeux et la bouche. Sans leur protection, ils auraient été totalement asphyxiés. Sous le souffle de l'explosion, une partie du mur et du toit s'était écroulée, empêchant toute exploration sur le côté gauche. Forestier se rassura en se disant que Caujolle avait dû emprunter le couloir sur la droite. Ils progressèrent à tâtons, cherchant un éventuel corps à terre.

– J'ai quelque chose ! cria Leroux.

Forestier l'entendit à peine, car sa voix était couverte par le vacarme de l'incendie, mais il rappliqua auprès de son ami.

– C'est Caujolle ?

– Non.

L'un des flics qui avaient fait irruption avec Louis dans le bâtiment gisait à terre, inconscient ou peut-être déjà mort.

– Sors-le d'ici ! s'époumona le commissaire. Je continue !

Leroux plaça le corps sur son épaule à la manière des pompiers et, au prix d'un gros effort, se redressa. Dans l'opération, il perdit son mouchoir imbibé et pensa un moment qu'il ne serait pas capable de rejoindre la sortie. Les nuages de fumée affluaient sur lui en masses compactes et il parcourut les derniers mètres à l'aveugle, les yeux brûlants et la respiration coupée.

Forestier manquait d'air lui aussi. La fumée se faisait de plus en plus dense et offrait une vraie résistance, quasi physique. Il s'engagea dans le couloir. Par chance, celui-ci était bien maçonné et avait résisté à l'explosion, du moins dans les premiers mètres. Mais plus loin l'escalier et la trappe qui permettaient l'accès à la halle s'étaient effondrés et étaient ravagés par les flammes. Une chaleur étouffante, quasi insupportable, se dégageait du brasier.

Il tomba presque aussitôt sur Caujolle. L'inspecteur était inerte et recroquevillé près d'un éboulis de pierres. Forestier ne tenta pas de le ranimer. À l'instar de Leroux, il le souleva à deux bras. Sous l'effet de l'adrénaline, il lui semblait que ses forces s'étaient décuplées. Au moment où il le hissait sur son épaule, la vitre de la lucarne du couloir, percée dans le mur gouttereau, explosa en mille morceaux et créa un appel d'air. Une langue de feu jaillit du fond du couloir et passa à deux doigts de lui. Juste après, il entendit un fracas assourdissant en provenance de la halle. Sans doute la charpente qui venait de crouler sous l'effet des flammes.

Forestier poussa un cri rauque en se redressant, cala Caujolle sur son épaule et rajusta sur sa bouche sa chemise mouillée. Il remontait le couloir en chancelant lorsqu'une flamme l'atteignit à la tête.

*

Dehors, Leroux avait déposé au sol le policier blessé.
– On a réclamé une autre ambulance ? demanda-t-il à ses collègues.

– Oui. Elle ne devrait pas tarder.

L'homme respirait, très faiblement. L'inspecteur connaissait les gestes élémentaires de secourisme. Il étendit la victime sur le dos, lui pinça le nez et commença à lui faire du bouche-à-bouche. Il avait du mal à se concentrer, n'arrêtant pas de jeter vers la porte des coups d'œil furtifs. Il était sorti depuis au moins deux minutes et Louis n'apparaissait toujours pas. Il continua de souffler de l'air de façon régulière. Au bout d'un long moment, l'homme réagit et se mit à tousser bruyamment.

– Viens ici, fit-il au policier à ses côtés. Reste avec lui jusqu'à l'arrivée des ambulanciers.

Leroux se releva et courut devant la porte.

– Allez, bon sang ! marmonna-t-il. Qu'est-ce qu'ils foutent ?

Les secondes s'écoulaient, chacune plus pesante que la précédente.

Du bouillonnement de fumée noirâtre qui s'échappait de l'entrée, Louis émergea enfin, portant Caujolle sur son épaule.

– Dieu soit loué !

Le commissaire fut pris d'une terrible quinte de toux.

– Aidez-moi !

Leroux vint le délester du poids de l'inspecteur. Il remarqua que, sur le côté droit de son crâne, les cheveux de Forestier avaient brûlé et il éteignit même de la main quelques brindilles incandescentes. Il installa Caujolle à une quinzaine de mètres du bâtiment dévoré par le feu, dans la même position que l'autre policier.

– Il respire ? demanda Louis en crachant un mélange de salive et de fumée.

– Non, constata Leroux.

Il entreprit à nouveau un énergique bouche-à-bouche, mais au bout d'une minute Caujolle ne donnait toujours pas de signe de vie. Chose inhabituelle, la panique gagna le visage de Louis. Il avait vu tant d'amis mourir au front, dans des conditions atroces. Sans compter les flics qui étaient tombés dans l'exercice de leur métier. René ne pouvait pas crever ici, surtout après leur conversation dans le fourgon.

Leroux ne cessa pas un instant la respiration artificielle. Il savait qu'on pouvait ranimer un noyé ou une victime d'asphyxie même s'ils avaient été privés d'oxygène durant plusieurs minutes. Forestier se pencha par-dessus son épaule.

– Allez, Marcel, sauve-le !

Leroux continua de s'activer sur le corps de Caujolle. Louis ne voyait plus la scène qu'à travers un voile brumeux. Il avait oublié l'Ogre, l'enquête et la scierie en flamme… Il pensait que si vraiment une force supérieure existait en ce monde, quel que fût le nom qu'on puisse lui donner, elle ne pouvait pas les abandonner dans un moment pareil.

Louis formulait intérieurement une prière désespérée quand Caujolle fut secoué d'un soubresaut.

8

La seconde ambulance arriva enfin sur les lieux pour évacuer l'autre policier blessé et Caujolle. Louis aurait voulu rester à ses côtés mais il avait la lourde tâche de continuer à coordonner le travail des différentes équipes. Les policiers encore vaillants avaient tous repris leur poste, espérant que Jeansart sortirait du bâtiment en feu. Louis chargea un agent de prévenir le plus vite possible les gendarmes de la caserne Saint-Augustin, même s'il savait qu'ils ne pourraient plus faire grand-chose.

La mine défaite, l'œil sombre, il regardait avec Leroux les flammes qui dansaient toujours plus hautes dans la nuit tombante.

– Si René meurt, je ne me le pardonnerai jamais…

Leroux se tourna vers lui. Il n'avait pas envie de lui sortir de lénifiantes paroles de réconfort.

– Nous faisons tous un boulot dangereux. Chacun des hommes ici présents sait qu'il peut mourir lors d'une intervention. La dernière fois, c'est toi qui as failli y laisser la peau. René connaissait les risques…

– Je sais, répondit Louis.

Il fut à deux doigts de lui avouer ce qui s'était passé dans l'appartement de l'Ogre mais il se ravisa, incapable de trahir sa promesse.

– Tu crois qu'il a grillé dans son repaire ? reprit Leroux.

Louis leva les bras en signe d'incertitude.

– Si c'est le cas, je n'aurai aucun regret.

Il repensa à ce qu'avait pressenti Frédéric le lendemain de son arrivée : « Si cet homme voit qu'il est perdu, il est probable qu'il mettra fin à ses jours tout en entraînant le maximum de monde avec lui. » Il avait vu juste.

– Et ce gosse, comment personne n'a-t-il su qu'il avait disparu ?

– J'imagine que ses parents ont fini comme Yvette Cordier et que leurs corps nous attendent quelque part. On sera fixés bien assez vite de toute façon.

*

La scierie brûla une bonne partie de la nuit et il fallut attendre le début de la matinée pour que les pompiers pussent commencer à en explorer les décombres. Si Jeansart avait été pris dans l'incendie, ce dont personne ne doutait vraiment, il faudrait des heures, peut-être des jours, pour le retrouver.

Forestier demanda qu'une poignée de flics municipaux prît la relève devant le bâtiment. Avec Leroux, il se rendit à l'hôpital où l'on avait emmené Caujolle et les blessés. D'après les médecins, l'état du mobilard était préoccupant. Ses voies aériennes supérieures avaient été obstruées par une quantité importante de suie. L'intervention de Leroux l'avait sauvé, mais il était resté longtemps privé d'oxygène et le diagnostic vital était pour le moment engagé. Louis était inquiet, car il se souvenait de tous ces soldats morts de complications pulmonaires, dans d'horribles souffrances, après avoir été exposés au chlore ou au gaz moutarde.

Les autres policiers s'en étaient mieux sortis, même s'ils allaient rester quelque temps en observation. Quant à l'enfant, toujours sous l'effet des drogues, Louis jugea qu'on pouvait lui laisser le temps de récupérer avant de l'interroger. Plus rien ne pressait à présent.

Le commissaire avait obligé chacun de ses inspecteurs à regagner ses pénates pour prendre un peu de repos. Seul Leroux avait fait de la résistance et ils se retrouvèrent dès potron-minet, rue de l'Église, en compagnie de Delville, qui râlait de ne pas avoir pu les aider. Ils s'allongèrent malgré tout quelques heures sur des lits de camp qui servaient à l'occasion.

Louis ne put trouver le sommeil. Après s'être agité sur sa couche comme un diable dans un bénitier, il se leva et demeura longuement immobile devant le plan de la ville et les portraits des victimes de Jeansart. L'Ogre était probablement mort à présent, mais il n'en tirait aucune satisfaction, et pas seulement à cause de ce qui était arrivé à Caujolle. Non, il avait en bouche un goût d'inachevé. Tout désir de vengeance s'était évanoui. Contrairement à ce qu'il avait confié à Frédéric, il aurait aimé faire face à cet homme pour l'obliger à répondre à toutes les questions qu'il se posait. Sans doute n'aurait-on jamais pu accéder à ses motivations profondes ni à son sinistre passé, mais il aurait tout de même voulu essayer. Une interrogation surtout continuait de le tarabuster : pourquoi Jeansart ne l'avait-il pas tué quand il en avait eu l'occasion sur le toit de l'immeuble ? Aucune des hypothèses qu'il avait émises ne le satisfaisait.

Leroux rejoignit Louis et Delville dans la salle des inspecteurs. Désireux de se plonger dans le travail pour ne pas trop penser à son collègue, il voulait rédiger son rapport des événements, même si beaucoup de points restaient à éclaircir, notamment au sujet de la bombe.

– Comment est-ce qu'il a pu fabriquer cet engin diabolique ? demanda Forestier, appuyé sur l'espagnolette de la fenêtre.

Leroux leva les yeux tout en changeant le rouleau encreur de sa machine.

– Oh, rien n'est impossible pour un homme très motivé ! Le flic qui était avec René m'a sommairement décrit ce qu'il avait vu. Ça avait tout l'air d'être une bombe à renversement.

– Qu'est-ce que c'est ?

– Un appareil assez simple, mais qui demande d'être très méthodique si tu ne veux pas que tout t'explose à la gueule. Une éprouvette est remplie d'amorce, de sodium et d'eau, le tout séparé par des diaphragmes de papier. Lorsque tu retournes l'engin, l'eau imbibe les lames de papier et elle finit par se décomposer au contact du sodium : l'hydrogène est libéré et déclenche l'explosion. Tu peux la retarder en augmentant le nombre de feuilles de papier. On peut arriver au même résultat avec de l'acide sulfurique et de la nitroglycérine.

– Et ce simple mélange a pu provoquer un tel chaos ?

– Le « labo » de Jeansart était visiblement bourré de matériaux explosifs et de substances inflammables. Alors, oui. J'imagine qu'il a activé la bombe dès qu'il nous a entendus entrer dans la scierie.

Leroux s'installa devant sa Heady.

– Bon, au boulot ! dit-il en faisant craquer les phalanges de ses doigts.

Forestier décida d'appeler Bouvier. Il préférait ne pas remettre à plus tard ce pensum. Leur conversation fut relativement brève et le patron des brigades, après s'être dit sincèrement désolé pour Caujolle, se réjouit de l'issue de l'affaire. Un deuxième enfant avait été sauvé et la mort de Jeansart éviterait un procès long et coûteux. Celui de Landru n'avait de toute façon guère permis d'obtenir de réponses sur les meurtres de Gambais. L'assassin disparu, on pourrait comme on le voudrait réécrire l'histoire de la façon la plus favorable pour la police. Louis lui rappela qu'il n'avait pas la certitude que l'Ogre fût mort, mais Bouvier fit la sourde oreille.

– Vous m'avez vous-même dit que personne n'aurait pu sortir vivant de ce brasier !

Il n'insista pas. Louis chercha ensuite à joindre Clara à Marseille et dut laisser un message à la loge de l'immeuble. Ayant accompagné sa sœur au marché, elle ne le rappela qu'une demi-heure plus tard. Il lui raconta l'opération dans les grandes lignes en évitant de lui parler de Caujolle.

– Nous allons pouvoir revenir, alors ? demanda-t-elle avec confiance.

– Je suppose. Mais je te rappellerai demain.

– Oh, tu ne sais pas comme je suis soulagée ! Je n'en peux plus de vivre dans cet appartement !

– Le beau-frère ne s'est pas arrangé ?

– Pas vraiment ! Je ne sais pas comment ma sœur fait pour le supporter. Il me donne des envies de meurtre !

– Attention, tu parles à un policier. Au moins, tu te rends compte de la chance que tu as d'avoir un mari modèle comme moi…

Elle éclata de rire, et ce rire fut pour Louis un baume réconfortant.

Frédéric arriva à la brigade peu après 10 heures. Louis l'avait joint tard la veille : il était donc au courant des moindres détails du drame qui s'était joué dans la scierie. Son état s'était amélioré et il avait parlé au médecin directeur de Sainte-Anne pour planifier son retour. Son supérieur l'avait incité à prendre tout le temps nécessaire pour recouvrer ses forces et revenir frais et dispos. On ne l'attendait pas avant le courant de la semaine suivante, de quoi lui permettre de prolonger un peu son séjour sur la Côte.

À midi, Leroux retourna à l'hôpital. Caujolle était conscient mais on lui faisait régulièrement inhaler de l'oxygène.

– Ils vont devoir te lâcher une décoration, fit le policier avec un enjouement forcé en pénétrant dans la chambre. Pas vraiment l'idéal pour te faire dégonfler les chevilles !

Caujolle, étendu sur son lit, essaya de parler, mais il s'étouffa en une longue quinte de toux.

– N'essaie pas de forcer, les médecins ont dit qu'il te fallait du temps.

D'un geste de la main droite, Caujolle indiqua qu'il voulait écrire. Leroux lui tendit son calepin et son porte-mine. L'inspecteur griffonna maladroitement quelques mots.

– Les lettres ? Dans ta veste ? lut Leroux en cherchant du regard des habits autour de lui.

Il fouilla en vain la chambre et finit par interpeller dans le couloir une infirmière qui mit bien dix minutes pour remettre la main sur ses affaires, noires de suie. Leroux en fouilla les poches et y trouva une lettre et une feuille de papier qui empestaient la fumée.

Il déplia la lettre. Son visage se décomposa au fil de la lecture.

Mon cher petit,

Quand tu la liras cette lettre, je serai là-haut, enfin j'espère. Le bon Dieu et la Vierge Marie qui protègent les femmes décideront. J'ai demandé à la cousine Albertine de ne te la donner qu'après ma mort. Il y a des choses qu'on ne peut pas dire avant.

Quand j'en avais encore la force, j'ai allumé deux cierges à l'église Notre-Dame et j'ai fait une prière pour que le ciel te protège. Je l'ai fait pour toi mais j'avais aussi dans l'idée de me racheter. Je me rends compte que je n'ai pas été une assez bonne mère. J'aurais dû mieux te protéger. Tu comprends de quoi je parle, et puis aussi pour l'incendie du château. J'aurais dû te croire quand tu disais que ce n'était pas ta faute, que le docteur avait essayé de te faire du mal. Mais j'avais honte, je ne pouvais pas croire à toutes ces abominations et j'étais horrifiée par le meurtre. Je ne reconnaissais plus mon fils. Je suis sûre que c'était un coup de folie, tu n'étais pas un mauvais gosse. Tout le monde le disait que tu étais très intelligent, que tu pouvais faire des études, comme personne n'en a fait dans la famille. Après, quand tu étais à l'asile des fous, j'aurais dû venir te voir plus souvent. Mon petit, j'aurais dû plus te dire que je t'aimais, mais ta pauvre mère n'a pas eu la vie facile.

Pour ton père, je voulais que tu saches que j'ai toujours su. Dès qu'il est tombé malade, j'ai su. Il était fort comme un bœuf et jamais il n'avait été souffrant. Je ne sais pas comment tu as fait mais ça n'est pas important. Les gendarmes ont bien essayé de me faire avouer, mais je n'ai rien dit. Je ne voulais pas que tu te retrouves seul, parce que pour moi, ça m'était égal. La prison ne me faisait pas peur, je pensais même que ça aurait été plus facile que de vivre une vie dont je ne voulais pas. Je n'aurais parlé que s'ils avaient eu des soupçons. Sinon, je t'aurais protégé mon petit, tu le sais. De toute façon, si ça n'avait pas été toi, c'est moi qui lui aurais fait la peau. Je l'avais en tête depuis un moment déjà. C'est peut-être à cause de ton père, si tu n'étais pas un enfant comme les autres. Ou peut-être, c'était ma faute.

J'ai hâte d'en finir. Je m'en vais sans regret. Ma vie a déjà été trop longue. Je te laisse les sous que j'ai mis de côté et aussi la moitié de l'appartement. Il ne vaut pas beaucoup mais quand même, ça te fera de l'argent de côté. De toute façon, la cousine ne restera pas quand je serai partie. Je crois qu'elle préférera retourner auprès des siens pour finir ses jours.

J'aimerais que ta vie soit belle, je t'aime mon petit. Vierge Marie, priez pour nous,

Ta maman

Louis quitta la lettre des yeux.

– Dis-moi que j'ai bien compris : Jeansart aurait tué son propre père ?

– Ça m'en a tout l'air, confirma Leroux.

L'inspecteur avait rapporté à la brigade les précieux documents, seules reliques qu'on avait pu sauver de l'incendie. Frédéric prit la feuille des mains de Forestier.

– J'avais parlé de parricide symbolique, mais jamais je n'aurais pensé qu'il était concrètement passé à l'acte. Son père a été sa première victime, et il a rejoué le meurtre à peine un an plus tard avec le docteur.

– Si c'était pour les mêmes raisons, ça voudrait peut-être dire…

– Que son père avait abusé de lui, conclut Frédéric. C'est possible, même si la lettre ne le dit pas.

Forestier dodelina de la tête.

– Il y a quand même deux formules ambiguës : « Tu comprends de quoi je parle » et aussi « J'ai toujours su pour ton père ». Ça peut faire allusion au meurtre, mais aussi implicitement à des abus.

– La mort de sa mère et cette lettre ont dû avoir un effet dévastateur sur Jeansart. Elles ont pu faire remonter à la surface les traumatismes enfouis, car il n'est pas à exclure que l'Ogre avait complètement refoulé le meurtre de son père et d'éventuels abus.

– Refoulé ? Tu crois qu'il avait oublié le fait qu'il l'avait trucidé ?

– Ce sont des cas rares mais c'est en effet possible. Les gestes déplacés du docteur ont pu d'abord réveiller ces épisodes agonistiques de l'enfance et entraîner ensuite une amnésie. Le refoulement fonctionne comme une défense, la conscience rejette ce qu'elle n'est pas capable de concevoir.

Forestier fit un signe du menton à Leroux.

– Et tu dis que Caujolle a trouvé ça dans une pièce de la scierie, à côté de la machine à vapeur ?

– Au milieu d'autres affaires, parmi des photos et les mèches de cheveux de toutes ses victimes.

– Son « cabinet de curiosités », analysa Frédéric. Les tueurs psychopathes aiment en général conserver des souvenirs de leurs meurtres et des objets qui les relient à leur passé. Dommage que tout ait brûlé. J'ose à peine imaginer ce que ces affaires auraient pu nous apprendre sur lui.

Leroux ne put s'empêcher de sourire.

– Justement, tout n'a pas brûlé. Caujolle a aussi eu le temps d'embarquer ça.

L'inspecteur brandit une feuille qu'il venait de déplier. C'était un portrait réalisé au fusain qui représentait un visage d'adolescent massif et carré. Une esquisse non dénuée de défauts, mais qui avait su capter le regard inquiétant et la rugosité des manières du modèle. Dans le coin inférieur droit on pouvait lire les initiales « A. J. ».

– Albain Jeansart ? décoda Louis. Vous croyez que c'est lui qui a fait ça ? Plutôt doué, le bougre ! Mais je ne vois pas bien ce que ce dessin nous apporte.

– Retourne-le ! L'intéressant se trouve derrière.

Sur le verso, en haut de la feuille, était écrit : « Justin, le 8 juillet 04 ».

– Justin ! s'exclama Louis avec excitation. Comme Justin Guillot ?

– Ça peut être évidemment un hasard, mais je n'y crois pas une seconde.

Frédéric tapota l'esquisse du bout de l'index.

– Le portrait a été réalisé en juillet 1904, moins d'un an avant que Jeansart ne tue le docteur. Le garçon sur ce dessin a... quoi ? 14 ou 15 ans ?

– Guillot est né en 91, remarqua Louis. En 1904, il avait 13 ans. Ça pourrait tout à fait coller. S'il a fait son portrait et qu'il l'a conservé durant près de vingt ans, c'est qu'ils devaient être très proches. On comprendrait alors pourquoi il a pris ce pseudonyme au lieu d'un nom pioché dans le Bottin.

Frédéric et Leroux approuvèrent du regard.

– Malheureusement, ces trouvailles ne nous servent plus à rien, à présent.

– Elles nous aident à comprendre le passé du tueur, nuança Frédéric.

– J'imagine que pour toi ça n'est pas anecdotique.

Louis se tut un court instant avant de poursuivre.

– Et pour le gosse, Marcel ? Qu'ont dit les médecins ?

– C'est vrai, j'allais oublier ! Le gamin baragouine le français… Probablement un étranger arrivé récemment.

– Un Italien ? hasarda Louis en pensant aux deux premières victimes.

– Non, un Arménien, si j'en crois son nom : il s'appelle Najarian.

Louis ne savait pas grand-chose de la communauté arménienne, si ce n'est que la plupart de ses membres étaient arrivés à la suite des massacres perpétrés en Turquie pendant la guerre.

– Jeansart en était donc revenu à des proies faciles. Encore un gosse d'immigrés. Tu sais autre chose sur lui ?

– Rien, ils n'ont pas cherché à en savoir plus. Mais ils pensent qu'on pourra l'interroger sans problème dans le courant de l'après-midi.

– Parfait. Frédéric, ça t'embêterait de m'accompagner tout à l'heure ? Tu as fait des miracles la dernière fois avec le petit Kendall.

– Bien sûr.

– J'espère qu'on arrivera à se débrouiller et qu'il ne faudra pas faire appel à un traducteur.

Leroux posa la lettre et le dessin de Jeansart sur son bureau.

– Et les pompiers ? demanda l'inspecteur. Vous n'avez pas eu de nouvelles pendant mon absence ?

– Non. À mon avis, ils vont mettre un bail pour tout déblayer. Je ne sais même pas s'il restera quelque chose du corps de Jeansart.

Leroux eut un rire moqueur.

– Un corps ne se désintègre pas comme par magie, même dans un incendie comme celui-là ! On retrouvera forcément son squelette carbonisé.

– Tu as raison. Il faudrait d'ailleurs passer voir où ils en sont.

– Je peux m'en charger pendant que vous interrogerez le gosse. Biasini doit reprendre le service après le déjeuner, on ira ensemble.

*

Louis et Frédéric sortirent de l'hôpital et s'arrêtèrent près d'une allée bordée d'aloès et d'eucalyptus. Le policier fit grésiller le bout d'une cigarette – il n'avait jamais autant fumé que ces derniers mois, mis sous pression par l'enquête. La visite qu'ils avaient rendue à l'enfant séquestré les avait éprouvés.

– L'important est que vous l'ayez sauvé, nota le médecin sans grand enthousiasme.

– Hum… Un gosse sauvé, mais sans doute aussi un orphelin à l'heure qu'il est.

Interroger l'ultime victime de l'Ogre n'avait pas été chose aisée. Comme l'avait expliqué Leroux, Daron

Najarian parlait un français très approximatif et Louis avait dû simplifier ses questions pour être sûr de se faire comprendre. Mais plus que la barrière de la langue, c'est l'anxiété de l'enfant qui avait rendu l'entretien difficile. Prostré dans son lit, Daron ne cessait de répéter entre deux questions les mêmes mots, *mayrig* et *hayrik*, dont il n'avait guère été compliqué de comprendre la signification.

Avec patience, les deux hommes avaient cependant réussi à glaner quelques informations. Missak et Anouk Najarian, ses parents, étaient arrivés de Turquie l'année précédente. Le père possédait un petit atelier de cordonnier à l'arrière d'une maison dans le quartier Saint-Étienne. L'enfant avait d'ailleurs pu leur fournir l'adresse exacte. Plus délicate avait été la question de son enlèvement. Les souvenirs de l'enfant étaient plutôt confus, à moins que ce ne fussent ses explications. Visiblement, le rapt avait eu lieu en plein jour, à deux pas de la boutique de ses parents. « Un camion, l'homme a un camion », avait expliqué Daron avec un accent très prononcé. Puis il avait saisi le rebord de son drap et se l'était violemment appliqué sur la bouche, pour faire comprendre qu'on l'avait chloroformé. Selon lui, l'enlèvement remontait au jeudi, soit deux jours plus tôt. Forts de ces éléments, Louis et Frédéric avaient préféré ne pas pousser l'interrogatoire trop loin.

– En tout cas, tu avais raison, admit Louis en exhalant une volute de fumée. Le gosse a été enlevé après la libération de John. Il n'y avait donc pas d'autre enfant séquestré. C'est bien Jeansart qui l'a relâché.

– J'étais sûr que Daron avait été enlevé mercredi ou jeudi dernier.

– Ah bon ?

– Mardi dernier tombait le jour des nones. S'il l'avait enlevé avant, il l'aurait certainement tué ce jour-là.

– Bien vu ! Je n'y avais pas pensé.

Louis jeta son mégot dans une grille d'égout.

– Bon, je vais aller récupérer Laforgue.

De l'hôpital, il avait appelé la brigade et demandé que l'inspecteur l'accompagne à l'atelier des Najarian. Leroux s'apprêtait de son côté à partir pour vérifier l'avancement des fouilles.

– Tu veux venir avec nous ?

– Je n'ai pas envie de vous lâcher maintenant, quoi qu'on puisse découvrir là-bas.

Ils firent un détour rue de l'Église. Ils ne mirent ensuite pas plus d'un quart d'heure pour rejoindre l'adresse des Najarian, après avoir longé la Promenade et emprunté l'avenue de la Gare. Le quartier Saint-Étienne se situait juste à côté du Piol, une zone à l'origine maraîchère et oléicole qui avait accueilli la noblesse russe à la fin du XIXᵉ siècle. Il abritait de très belles villas de plaisance auxquelles se mêlaient des maisonnettes niçoises et des hangars. Ce qui n'était autrefois qu'un hameau s'était transformé en un ensemble de rues rectilignes après l'installation de la gare PLM.

Ils trouvèrent facilement la maison au bout d'une ruelle déserte, l'une des rares qui eussent conservé le charme du vieux quartier. La boutique ne possédait pas de store métallique mais, derrière la vitre de la devanture, un rideau aubergine entièrement tiré soustrayait l'intérieur à leurs regards. Forestier tapa à coups redoublés contre la vitrine, puis contre la porte d'entrée de la petite maison. Il fit signe à Laforgue d'en faire le tour.

– C'est fermé ! fit une voix éraillée derrière eux.

Ils se retournèrent et virent, penchée à un balcon de l'immeuble d'en face, une vieille au visage émacié et rabougri qui arrosait ses jardinières.

– Nous sommes de la police, madame ! hurla Louis pour être sûr de se faire entendre.

– *Sieu pas balorda !* cria-t-elle presque aussi fort.

– Depuis quand est-ce fermé ?

La femme se pencha à la rambarde fleurie.

– Hier. *Davantiè* peut-être, j'étais pas là jeudi.

– Vous savez où ils sont ?

Elle leva les bras au ciel en un geste grandiloquent.

– Pauvre mère, non ! Ils ferment jamais la boutique. *Que noun pens' au lendeman, fa un marri Caramentran.*

– Qu'est-ce qu'elle raconte ? demanda Frédéric, qui n'arrivait plus à suivre la conversation.

– Un dicton du coin… Visiblement, ils passent leur temps à travailler.

Forestier lui fit un signe de la main pour la remercier, alors que Laforgue venait de réapparaître.

– Patron, j'ai trouvé une fenêtre ouverte, de l'autre côté. Les volets ont juste été repliés.

*

La lumière pénétra dans la maison comme si elle y était aspirée. Les trois hommes enjambèrent sans mal la traverse basse de la fenêtre. Ils se trouvaient dans un salon modeste mais coquet, propre et bien tenu, contenant quelques meubles rustiques.

– La boutique, indiqua Louis en se dirigeant vers une porte sur la gauche.

Un étroit couloir les mena dans l'atelier, qui n'était éclairé que par la lumière tamisée provenant du rideau de la devanture. Une odeur de chairs en décomposition les saisit, dissipant leurs derniers doutes sur le sort qu'avaient subi les Najarian. Derrière un comptoir recouvert de morceaux de cuir et de gabarits étaient alignés des alênes, des tranchets, des marteaux à battre et à clouer. La pièce était remplie de chaussures et d'accessoires en cuir disposés sur des tablettes fixées directement aux murs.

Forestier traversa la pièce et ouvrit le rideau. Il vit immédiatement par terre les flaques de sang séchées, couleur rouille, et les mouchetures grenat qui salissaient le comptoir. Le policier s'avança et constata que Laforgue et Frédéric avaient les pieds dans des taches qui s'étaient épanouies sur le parquet en larges corolles. Tant de sang et pas de corps !

Personne ne prononça le moindre mot. Laforgue tourna le regard vers une ouverture, au fond de la pièce, qui devait donner sur une arrière-boutique.

Les cadavres de Missak et d'Anouk Najarian étaient disposés l'un sur l'autre dans le réduit où le cordonnier entassait ses marchandises et ses outils les plus volumineux. Barbouillés de sang, ils semblaient ne plus former qu'un seul corps, étrange être hybride dont les jambes et les bras avaient été placés dans des positions improbables, peut-être pour les déshumaniser mieux que ne l'avait fait la mort. Louis fixa les cadavres, recherchant machinalement les déchirures dans les vêtements pour voir où les coups avaient été portés. Il ne put en compter que quatre, mais il savait par expérience que, vu la quantité de sang, le couple avait dû en recevoir des dizaines.

*

Les renforts, le légiste, l'évacuation des corps… Forestier avait l'impression que la même pièce macabre se jouait une ultime fois devant eux, comme si d'outre-tombe Jeansart était encore capable de répandre le mal. Lorsque l'ambulance s'éloigna en direction de la place, le commissaire songea au petit Daron qui espérait retrouver ses parents. Il avait vu comment des trauma-tismes d'enfance avaient métamorphosé un être comme Albain Jeansart et il se demanda quel avenir pouvait bien l'attendre désormais.

Dans l'heure qui suivit, en compagnie de Laforgue, il procéda à l'interrogatoire du voisinage. Personne n'avait rien vu, ni de l'enlèvement ni du passage de l'Ogre dans la boutique. Tout le monde en revanche s'accordait pour dire que les Najarian étaient des gens honnêtes et discrets, qui s'occupaient bien de leur fils et n'avaient jamais posé le moindre problème dans le quartier. Personne, pourtant, n'avait trouvé utile de s'interroger sur leur absence soudaine et inhabituelle.

Il était près de 18 heures quand ils repartirent dans la Panhard.

– Je ne comprends pas, fit Louis en descendant la rue de la Gare, bordée d'élégants magasins. Pourquoi les a-t-il tués ? Et pourquoi avec une telle sauvagerie ? Il avait enlevé le gosse sans difficulté, il n'avait pas besoin de ça…

Assis à ses côtés, Frédéric semblait lui aussi cir-conspect.

– C'est vrai que l'on sort de son *modus operandi*. Yvette Cordier avait été un vrai obstacle pour lui, contrairement aux Najarian.

445

– Et ses motivations, dans tout ça ? Les Najarian étaient de gros travailleurs, de bons parents, Daron semble les adorer, tu l'as senti comme moi. Pourquoi alors l'avoir choisi *lui* ? Ce n'est pas un gosse malheureux ni battu, et il est difficile de croire que Jeansart se soit autant identifié à lui qu'au petit Kendall.

Frédéric s'était fait les mêmes remarques, mais en attendant les policiers il avait déjà élaboré plusieurs hypothèses.

– Je pense justement que tout a basculé avec John. Si son enlèvement a créé un moment de doute chez le tueur, ce moment n'a pas duré et n'a fait que décupler sa violence. Il a compris que rien ne pourrait l'apaiser, qu'il ne trouverait plus de sens à son existence que dans la répétition de l'acte. Il est devenu un vampire qui a besoin pour survivre de vider le sang de ses victimes. La mise à mort des Najarian lui a sans doute donné l'impression d'un sursis.

– Un sursis ? Mais à quoi ?

– À sa propre destruction. Il savait que nous finirions par le rattraper. Plus il se sentait menacé et en voie de perdition, plus il avait besoin d'extérioriser sa violence. Souviens-toi de ce que j'ai toujours dit : anéantir l'autre pour ne pas être soi-même anéanti.

– En tout cas, tu te demandais si Jeansart tirait une réelle jouissance de ses mises à mort, eh bien je crois que nous avons la réponse avec ce déchaînement de violence. Jamais il n'avait à ce point mutilé des corps.

Frédéric s'agita sur son siège.

– Je ne formulerais pas les choses de cette manière. Ce déchaînement sur les victimes ne traduit pas une jouissance morbide, il est le signe de sa colère. Les Najarian étaient des parents modèles, autrement dit…

– Tout ce que n'ont pas été ceux de Jeansart !

– Exactement. Je suis presque sûr qu'il a voulu détruire ce dont il avait manqué. Ces gens lui renvoyaient une image trop idyllique de la famille. Il ne pouvait pas le supporter.

L'air frais de la mer leur fit du bien. Le ciel prenait déjà des teintes pourpres au-dessus de l'étendue soyeuse de la Méditerranée. Frédéric regarda les rares promeneurs défiler entre les palmiers et les massifs de giroflées. À l'exception de quelques baptêmes de l'air, il n'y avait eu dans la journée ni compétition ni exhibition aérienne et la Promenade avait retrouvé son calme de fin de saison.

Quand ils arrivèrent devant les locaux de la brigade, Delville les attendait sur le trottoir, une cigarette à la bouche. Malgré ses béquilles, il se hâta vers le véhicule et vint se planter devant la vitre du conducteur.

– Qu'est-ce qui se passe ?

– Patron, Leroux a appelé il y a une heure. Il était dans un état ! Ils ont trouvé quelque chose à la scierie, mais pas ce à quoi on s'attendait.

10

La scierie n'était plus qu'un tas de ruines. Toute la partie supérieure de l'édifice avait brûlé et les murs de la cave n'avaient pas totalement résisté sous le poids de la charpente et de l'ossature de bois. La maisonnette elle aussi avait souffert : les murs étaient noircis et l'étage qui jouxtait la halle s'était en partie effondré.

En franchissant le portail, Louis songea qu'à la même heure, la veille, il était en train de prendre position avec ses hommes autour du repaire. La folie meurtrière de l'Ogre allait prendre fin, du moins le croyait-il.

Leroux l'attendait, assis sur un muret de pierres, à côté d'un tas de planches consumées qu'on avait dégagées pour accéder au bâtiment. Il se leva brutalement, comme si l'arrivée du commissaire le ramenait soudain à la réalité.

– Dis-moi que ce n'est pas vrai !

– Delville t'a expliqué ?

– Dans les grandes lignes. Mais reprends tout depuis le début.

Leroux se tourna et désigna de la main le bâtiment calciné.

– Ils ont mis des heures à explorer les salles du rez-de-chaussée. Ils n'ont pas trouvé le corps de Jeansart et ne le trouveront pas. Tu te souviens que c'était autrefois une scierie à roue ?

Louis fit un signe affirmatif.

– Il y avait sous nos pieds un cours dérivé du Paillon et un canal d'amenée d'eau, reprit l'inspecteur. Un jour, certainement à la suite d'une grosse sécheresse qui a tari le fleuve, on a fait disparaître cette dérivation et on a condamné les vannes qui permettaient d'acheminer l'eau jusqu'à la roue à aubes. C'est à ce moment que la scierie a été équipée d'un système à vapeur.

Louis n'avait que trop compris où voulait en venir son collègue.

– Mais le canal, lui, existe toujours…

– Il existe. Les hommes ont retrouvé l'ancienne vanne qui permettait de libérer ou de limiter le débit d'eau sur les augets de la roue. Elle était dissimulée derrière une fausse cloison et donne directement accès au canal.

– Ils l'ont exploré ?

– Il n'est pas praticable sur toute sa longueur, mais on peut parcourir une bonne centaine de mètres jusqu'à un regard de visite qui donne de l'autre côté de la rue. Je suis descendu tout à l'heure.

Forestier gratta son œil droit mutilé, signe chez lui d'une profonde anxiété.

– Mais tu n'as pas la certitude que Jeansart se soit échappé par là ?

Leroux sortit de sa poche une arme de service à la crosse en bois sombre… qui n'était pas la sienne.

– Merde ! Mon Browning ! ragea Louis entre ses dents. Où l'as-tu trouvé ?

– Au bout du canal, posé bien en évidence. On ne pouvait pas passer à côté. Il l'a laissé pour toi, pour te donner la preuve qu'il est en vie.

De rage, Forestier racla la terre de sa chaussure comme un cheval agité le ferait de ses sabots.

– Je n'arrive pas à le croire, Marcel. C'est la deuxième fois qu'il nous échappe ! Vingt hommes armés, et on n'est même pas capables de lui mettre la main dessus !

Leroux demeura coi en attendant que sa colère s'apaise un peu.

– J'aurais dû suivre Biasini, murmura-t-il enfin.

– Quoi ?

– Hier, quand on a repéré Jeansart devant le portail, Biasini voulait intervenir. On aurait pu le neutraliser en moins de deux. Je l'ai engueulé pour qu'il ne tente rien.

Chose rare, Forestier perçut une pointe de reproche dans le ton de son ami. Il comprenait que les ordres qu'il avait donnés avaient freiné chez l'inspecteur toute initiative. Leroux sentit que ses sentiments étaient mis au jour.

– De toute façon, tempéra-t-il, ça ne sert à rien de réécrire l'histoire. Jeansart s'est échappé, mais il n'a plus de tanière et il est sans ressources.

– Sans ressources, c'est vite dit. S'il avait prévu une issue pour s'enfuir, rien ne dit qu'il n'a pas été aussi prévoyant côté argent. Il s'est fait la malle depuis vingt-quatre heures, ce qui signifie qu'il a eu le temps de quitter le quartier et de se cacher n'importe où dans cette ville… ou ailleurs.

Des aboiements se firent entendre. Forestier avisa un groupe de pompiers et de policiers à l'arrière de la propriété.

– Les chiens de la municipale ? Qu'est-ce qu'ils font là ?

– Les pompiers les ont fait amener pour qu'ils les aident dans leurs fouilles. Viens, c'est la deuxième surprise de la journée.

C'était Louis Lépine, le célèbre préfet de police dont la loi absurde avait fermé à Louis les portes de la police judiciaire, qui avait créé la première brigade canine, pour lutter contre les cambriolages. Après sa réorganisation en 1920, la police municipale de Nice avait fait l'acquisition d'un couple de terre-neuve – Amélie et Manda, comme on les avait surnommés par allusion au célèbre couple d'apaches –, dans le but d'aider les agents dans leurs patrouilles.

Les deux policiers traversèrent le terrain encombré de détritus et de déblais.

– Dans l'après-midi, la chienne s'est mise à creuser nerveusement dans ce coin. Les hommes ont tout de suite remarqué que la terre avait été remuée récemment.

L'équipe de recherches se tenait près d'un trou large mais peu profond qui ressemblait à une tombe attendant son cercueil. À côté, à même le sol, une couverture semblait recouvrir une forme humaine.

– Commissaire, salua le chef des pompiers. On était venus pour retrouver un mort, et on en a un, mais pas le bon.

Le pompier souleva la couverture pour dévoiler le haut du cadavre. Après la découverte dans l'atelier des Najarian, c'était le troisième auquel Louis était confronté dans la même journée et il dut faire un effort pour contenir le haut-le-cœur qui le saisissait. Il tenta de ne pas trop s'attarder sur le lacis de veines gonflées et les cloques verdâtres pleines de liquide séreux qu'attaquaient déjà les insectes nécrophages et fixa son attention sur le visage encore maculé de terre mais dont on distinguait nettement le nez en bec-de-corbin.

– Vous savez qui c'est ?

Louis indiqua d'un geste rapide qu'on pouvait recouvrir le mort.

– Murati, le complice de Jeansart.

À force de fréquenter les légistes, il avait acquis quelques notions sur la décomposition des cadavres. À partir de ce qu'il avait vu, il estima que celui-ci reposait sous terre depuis au moins une semaine.

– Il a disparu il y a dix jours. Je suis sûr que Jeansart l'a buté juste après l'enlèvement du petit Kendall. Je ne pensais pas qu'on le retrouverait. Bon travail, en tout cas !

– Il faut dire merci à Amélie, fit le pompier en passant une main dans le pelage de la chienne, qui continuait à s'agiter près du corps.

*

La nouvelle de la fuite de Jeansart fit grand bruit à Paris. Bouvier était dans tous ses états. « Ridiculisé ! » Cette affaire avait ridiculisé ses brigades ! Une telle mobilisation de moyens pour un si piètre résultat ! Et lui qui avait déjà contacté les journalistes pour leur annoncer « la mort du tueur de la Riviera » ! Ils allaient essuyer un de ces camouflets !

Louis se doutait que cette issue regrettable risquait de lui coûter sa place. La brigade de Nice était fragile et avait eu du mal à s'imposer face à celle de Toulon. Une affaire aussi grave pouvait facilement remettre en cause son existence même.

À la fin de son interminable laïus, Bouvier avait conclu qu'il valait mieux garder le silence pour le moment sur la disparition de Jeansart. Il devait en référer en haut lieu avant de décider de la version officielle qu'on transmettrait aux journalistes.

L'autopsie montra que Missak Najarian avait reçu dix-huit coups de couteau et sa femme neuf, sans qu'on pût naturellement déterminer si l'homme avait offert plus de résistance ou si Jeansart avait voulu régler ses propres comptes avec son père à travers ce meurtre. D'après les conclusions de l'enquête, le couple avait été tué à l'intérieur de la boutique, peut-être même avant que le rideau de la devanture n'eût été tiré, ce qui montrait, si tant est que ce fût encore nécessaire, l'incroyable assurance de Jeansart lors de l'exécution de ses crimes.

Le corps de Renzo Murati ne portait quant à lui aucune marque de blessure, mais le légiste indiqua qu'il avait été empoisonné au cyanure, sans doute sous une forme dissoute dans un liquide. Étant donné les quantités d'alcool qu'il ingurgitait chaque jour, il n'avait guère été difficile pour Jeansart de lui en administrer. C'était en tout cas la seule victime qu'il n'eût pas tuée à l'arme blanche. Autrement dit, un meurtre purement « utilitaire » pour l'Ogre, qu'il avait voulu clairement dissocier des autres.

Daron Najarian resta deux jours à l'hôpital avant d'être placé dans un foyer. Forestier se démena pour qu'on lui trouve une famille d'accueil au plus vite. Un médecin et sa femme qui avaient déjà aidé des orphelins dans le passé acceptèrent de le prendre temporairement chez eux.

René Caujolle se rétablissait lentement à l'hôpital. Il pouvait désormais parler et s'alimenter à peu près normalement. Les médecins étaient en revanche incapables d'estimer s'il y aurait des séquelles. Les policiers se relayaient à son chevet pour qu'il se sentît le moins seul possible.

Albain Jeansart continuait d'occuper tous les esprits. Le meurtrier courait toujours mais il n'existait plus aucun moyen de le localiser. Avait-il quitté la ville ? Frédéric en doutait. Rien dans sa psychologie ne pouvait laisser penser qu'il voulût fuir loin de Nice. Tout s'était joué ici. Les violences que sa mère et lui-même avaient subies lorsqu'il était petit, la mort de son père, les meurtres rituels… Il l'imaginait mal reconstruire sa vie ou perpétrer d'autres crimes ailleurs, d'autant plus qu'il avait un compte à régler avec la brigade qui avait contrecarré ses plans à deux reprises et l'avait conduit à détruire son repaire. D'une façon ou d'une autre, la boucle devait être bouclée. Sur les conseils de Frédéric, Forestier avait incité ses inspecteurs à se tenir sur leurs gardes. Il était possible que Jeansart, désormais aux abois, veuille faire un dernier coup d'éclat et s'en prenne à eux ou à un membre de leur famille. Par précaution, le commissaire avait demandé à sa femme de rester encore quelques jours à Marseille, même s'il savait que cette solution ne pourrait pas durer si on ne retrouvait pas Jeansart très vite.

Le lundi matin, Louis reçut des nouvelles du ministère de la Guerre. Albain Jeansart avait été enrôlé dans le 32e régiment d'infanterie. Combats d'Erbéviller, batailles de la Marne, des Flandres… le régiment avait perdu trois mille hommes dans les derniers mois de 14. En février 1915, il avait été placé en observation à l'infirmerie pour « troubles psychiques ». D'après ses camarades et ses supérieurs, il était enclin à des comportements de grande violence qui succédaient à des phases de mutisme et de renfermement. Le médecin qui l'avait examiné avait sommairement conclu qu'il était « atteint d'idées noires avec délire de persécution ». Il avait pourtant réintégré son régiment jusqu'à l'offensive en Artois de mai 1915. Son comportement s'était alors aggravé et ses supérieurs avaient craint qu'il ne déteigne sur les autres soldats, si bien qu'ils l'avaient expédié dans l'un des centres psychiatriques que l'armée venait de créer pour éviter les internements. Frédéric expliqua à Louis que dès les premiers mois de la guerre ces centres avaient accueilli un afflux de blessés d'un type nouveau : des « enterrés vivants », victimes de l'éclatement d'une marmite et affligés du syndrome des éboulés, des soldats pris de tremblements chroniques, des délirants, des sourds-muets, des convulsifs… longue liste de malades touchés par ce qu'on avait appelé l'« obusite ». Un bataillon de médecins avaient été mobilisés, moins pour les aider que pour dépister les simulateurs en utilisant notamment le « torpillage », une sorte de choc d'électricité statique. Au total, sur les vingt mille militaires traités dans les centres psychiatriques des camps, moins de cinq mille avaient fini par être internés. Quoique ses troubles ne fussent pas à l'évidence consécutifs aux bombardements, Jeansart en avait fait partie. « Délire mélancolique avec idées de persécution, impulsions violentes, troubles mentaux graves », indiquait le rapport qui lui était consacré. Aucun document ne portait en revanche mention de ses antécédents psychiatriques. Il avait été interné temporairement à l'hôpital Buffon avant de rejoindre la Pitié en compagnie des « plicaturés vertébraux » et des délirants. Ensuite, le ministère de la Guerre n'avait plus trace du soldat Jeansart. Il n'avait visiblement pas été réintégré et ne figurait pas non plus sur la liste des déserteurs. Sur les huit millions de mobilisés et les cinq millions de soldats qui avaient combattu les Allemands, indiqua-t-on au policier, il n'était pas rare que les archives du ministère soient parcellaires ou incomplètes.

De son internement à la Pitié jusqu'au premier meurtre niçois, personne ne savait ce qu'était devenu Albain Jeansart.

*

Le dimanche précédent avait eu lieu le deuxième jour de la compétition aérienne, qui avait été consacré à la reconstitution d'une bataille avec attaque de sous-marin et avait culminé avec l'incendie volontaire d'un ballon dirigeable. Son moteur réparé, Mathesson avait obtenu la troisième place dans la coupe Eugène-Gilbert, épreuve qui consistait à réaliser le plus grand nombre de huit.

Plutôt satisfait de sa performance après ses récents déboires, Raphaël invita le lundi soir Louis et Frédéric à venir prendre un verre dans sa villa. Ils se retrouvèrent dans son bureau, là même où l'aviateur avait entamé le récit de la descente aux Enfers de l'Ogre. Mary ne put s'empêcher de leur préparer quelques sandwichs de viande froide qu'ils dégustèrent devant la baie vitrée donnant sur la mer.

– Je ne désespère pas de décrocher une première place jeudi prochain, affirma Mathesson en se servant un deuxième verre de scotch. Vous viendrez, Frédéric ?

Le médecin secoua la tête avec déception.

– Je regrette. J'ai déjà pris mes billets, je m'en vais justement jeudi.

– Quel dommage ! J'avais presque oublié que vous repartiriez un jour. Vous serez donc là mercredi soir ?

– Euh... oui.

– Vous savez que vous êtes tous les deux invités ?

– Invités ? répéta Louis en fronçant les sourcils. Où ça ?

– Mais à la soirée costumée que donne Edmonde !

Forestier faillit recracher le morceau de sandwich qu'il mastiquait.

– Quoi ? Après ce qui est arrivé au petit, elle ne l'a pas annulée ?

– Oh, elle a hésité, mais toutes les invitations avaient été envoyées et j'imagine qu'elle a trouvé difficile d'expliquer au gratin que la réception n'aurait pas lieu.

– Mais vous n'avez aucune décence ! La fine fleur de la société, tu parles !

– Tu n'as pas l'intention de venir, alors ?

Forestier avala une gorgée de vin.

– Bien sûr que j'irai ! Les Kendall sont toujours sous protection policière, du moins tant qu'ils sont à Nice.

– Je crois qu'ils ont l'intention de rentrer à Paris à la fin de la semaine. Vous serez bientôt débarrassés d'eux... Et Jeansart, vous croyez qu'on entendra encore parler de lui ? Après tout, le tueur de Whitechapel a cessé de tuer du jour au lendemain.

– Tu n'en as pas marre de ton rosbif sanguinaire ! D'abord, rien ne prouve qu'il ait cessé de tuer. Qui te dit qu'il n'est pas mort après son dernier meurtre ou qu'il n'a pas quitté l'Angleterre ?

– Pas la peine de t'exciter !

– De toute façon, si Jeansart a l'intention de rester à Nice, on finira par le coincer.

– J'ai déjà entendu ce refrain, fit Raphaël sans délicatesse.

Forestier lui jeta un regard noir et l'aviateur sentit qu'il venait de toucher une corde sensible. Conscient d'être allé trop loin, il essaya de détourner la conversation.

– Au fait, Frédéric, je me suis occupé de notre affaire.

– C'est vrai ?

– Si tout va bien, elle entre à mon service la semaine prochaine.

Louis le dévisagea.

– De quoi parlez-vous ? Qu'est-ce que vous complotez tous les deux ?

– Cathy, notre marchande d'amour. J'ai épongé ses dettes.

– Cathy, du bordel des roses ?

– Elle a en claqué la porte ce matin. Il fallait bien lui rendre service, après ce qu'elle a fait pour vous. La patronne n'a pas été contente ! À l'écouter, elle était prête à aller voir les flics pour savoir où elle avait pu dégoter cet argent. Cathy lui a dit que, si elle voulait se plaindre, elle n'avait qu'à « rendre visite au commissaire Forestier ».

– Non ! Elle a dit ça ?

– C'est moi qui le lui ai conseillé.

– Et elle va travailler pour toi ?

– En changeant d'activité, naturellement. Je n'ai pas l'intention de me reconvertir en souteneur. Elle a accepté de venir s'occuper du ménage à la villa, temporairement du moins. Je crois qu'elle a l'intention de prendre un nouveau départ et de retourner chez elle.

– Quel grand cœur tu as ! Tu nous avais caché ça.

Mathesson se leva et alla chercher un petit livre à la couverture rouge vif sur son bureau.

– Tenez, Frédéric, c'est pour vous. Un petit souvenir de votre séjour parmi nous. Rassurez-vous, ce n'est pas un exemplaire de l'*Énéide*.

– Merci, mais…

– C'est le livre d'Edith Wharton dont je vous ai parlé : *The Age of Innocence*. Désolé, le roman est en anglais, mais il est dédicacé à votre nom. Edith vous a écrit un gentil mot, et dans la langue de Molière, s'il vous plaît !

– Faute de le lire, tu pourras au moins apprécier la dédicace, railla Forestier.

Raphaël se frotta vigoureusement les mains.

– Bon ! Ça vous dirait, une petite partie de poker ? Ne vous inquiétez pas, on ne parie pas d'argent.

– J'espère bien, fit Louis en riant, si tu ne veux pas voir débarquer la police des jeux !

*

Louis et Frédéric s'attardèrent chez Raphaël plus longtemps que prévu. Ils ne rentrèrent qu'à minuit et ce n'est que vers 2 heures du matin, alors que le policier ruminait ses regrets dans son lit, que l'idée devint vraiment précise dans son esprit. Un dernier coup d'éclat… La boucle doit être bouclée… La réception chez les Kendall… Le tueur n'obéissait pas à la même logique qu'eux. Le meurtre des Najarian l'avait prouvé : il ne réglait plus ses actes sur les seuls risques qu'il courait à se faire prendre. Bien plus, il pouvait se comporter de façon inconsidérée, se jeter dans les filets qu'on lui tendait pour repousser ses propres limites… et peut-être pour que l'on mette un terme à sa descente infernale. Car Louis n'en doutait plus. Jeansart était un animal traqué, mais un animal épuisé qui devait secrètement espérer que sonne l'hallali.

11

13 avril 1922

Avant guerre, la réception que donnait Edmonde Kendall à la fin de la saison d'hiver – qui empiétait désormais sur le printemps – aurait semblé quelconque, noyée dans les bals, les dîners et les représentations de gala qui s'imposaient aux gens du monde soucieux de soutenir leur rang. Mais les quatre années de conflit avaient considérablement réduit le nombre des festivités, tout comme elles avaient changé le visage des hivernants. Si les Anglais avaient vite retrouvé la route du littoral, les Russes n'étaient revenus qu'en qualité d'exilés, avec des moyens financiers réduits ; de même, les Autrichiens et les Allemands s'abstenaient encore de paraître chez leur vainqueur. Surtout, aux anciennes classes dirigeantes de l'aristocratie s'était substituée une nouvelle bourgeoisie constituée de négociants et de financiers originaires souvent des États-Unis.

La réception costumée des Kendall était donc devenue l'une des soirées les plus prisées de la fin de saison et il était rare qu'on en déclinât l'invitation. Edmonde Kendall s'en était longtemps tenue à des règles drastiques concernant le choix de ses hôtes. Elle se faisait un point d'honneur à ne convier que des « résidents », terme assez vague qui rassemblait pour elle les habitués du littoral, fidèle cortège de fortunes venues soigner leur santé languissante en profitant du climat de la Côte, snobant les « éphémères », les « tueurs de temps », ceux qui n'avaient pas d'attaches réelles avec la Riviera et qui n'apparaissaient que le temps d'une saison. Plus paradoxal, elle s'était longtemps ingéniée à fermer sa porte aux nouveaux riches, feignant d'oublier que, si elle était de sang bleu, elle ne devait son rang qu'à la fortune insolente de son mari, prototype de ces grands bourgeois d'outre-Atlantique qui faisaient tout pour s'assimiler aux anciennes élites. Au fil des ans, elle avait mis de l'eau dans son vin et les conviait désormais « *volens nolens* », comme elle aimait à le dire. Les Verdurin avaient réussi à s'inviter chez les Guermantes.

*

Forestier était arrivé assez tôt avec Frédéric. Il avait garé sa Panhard entre une Rolls-Royce 40/50 HP et une Alfa Romeo Torpedo.

– Voilà de quoi on aurait besoin dans les brigades ! fit-il en désignant le bolide.

– Un peu clinquant, non ? rétorqua Frédéric, amusé. Alors qu'ils s'apprêtaient à entrer dans la villa Coralie, un klaxon strident retentit derrière eux. C'était la Bugatti de Raphaël qui arrivait à vive allure. Louis et Frédéric s'immobilisèrent. De la Type 30 sortit un Henry VIII plus vrai que nature : Raphaël était affublé d'une jupe à tuyaux, de chausses, d'une chamarre rouge et coiffé d'un bonnet de velours. Il s'approcha d'eux dans une démarche altière.

– Qu'en pensez-vous ? demanda-t-il en montant les marches du perron.

Forestier lui jeta un regard désapprobateur.

– Tu n'as rien trouvé de plus discret ? Le carnaval est fini depuis belle lurette !

Raphaël le toisa.

– Dans « soirée costumée », il y a « costume », que je sache. Je me déguise toujours en roi… d'Angleterre, cela va sans dire. *I'm Henery the Eighth, I am… How are ye, my dear fellows ?*

– Pas trop mal, répondit Louis, qui, quoique n'entendant rien à l'anglais, avait fini par deviner le sens de ses formules.

– Pas de nouvelles de Jeansart depuis l'autre jour, j'imagine ?

Louis se contenta d'un signe négatif de la tête. Il remarqua soudain la proéminente braguette qui sortait de la saie du costume du millionnaire.

– Tu n'as pas peur de choquer avec ça ? l'interrogea-t-il en désignant son entrejambe.

– Détail d'époque, mon ami, destiné à valoriser le membre viril et à souligner la puissance du monarque.

Frédéric rit sous cape. Ils entrèrent et donnèrent leurs pardessus à un valet de pied, mais Raphaël tint à garder sa tenue complète.

On avait aménagé l'intérieur de la villa avec faste pour la réception : des tapisseries avaient été tendues dans le vestibule, des bouquets de fleurs savamment composés s'épanouissaient dans chaque coin, et une multitude de fauteuils Empire avaient été disposés dans le premier salon, où devisaient les invités sous la lumière étincelante des lustres de cristal. Il y avait là des Pompadour, des sultanes, une Cléo de Mérode, des femmes en robe de soirée tenant des masques

463

vénitiens sur tige. Certains hommes étaient revêtus de dominos sombres, les mêmes qu'ils portaient lors de la prestigieuse redoute du Carnaval au Casino municipal. Ces masses noires tranchaient avec la moire d'étoffes claires et le scintillement des bijoux des femmes.

Forestier avisa Edmonde Kendall, à l'autre bout du salon, dans une incroyable robe en satin abricot drapé par un nœud en chrysanthème, un loup de soie sur le visage. Elle s'avança promptement vers leur petit groupe.

– Messieurs, je suis si heureuse que vous ayez pu venir ! Je n'envisageais pas cette soirée sans vous.

Son ton semblait sincère, nullement dicté par les simples convenances. Raphaël exécuta un baisemain plein d'élégance. Frédéric et Louis l'imitèrent plus maladroitement.

– Mais que vous êtes austères ! reprit-elle. Je ne parle pas de vous, Raphaël. Vous auriez pu vous costumer ou mettre un peu de fantaisie dans vos tenues !

– Oh ! Ça ne se voit pas mais ils sont costumés, Edmonde !

– Ah ! Voulez-vous bien me dire en quoi ?

– Mais, en hommes du monde. Vous n'avez donc pas vu les horribles costumes que porte d'habitude le commissaire ?

Raphaël avait fait appel à son tailleur personnel pour fournir à Louis un smoking qui convînt à sa carrure inhabituelle. Mme Kendall sourit avec bienveillance.

– Ne taquinez pas nos amis, vous allez leur faire regretter d'être venus. Avez-vous vu Lisa ?

– Non, pas encore, répondit Frédéric, sans doute avec trop d'empressement.

– Elle porte une tenue… d'une fraîcheur qui détonne dans cette foule de comtesses et de marquises. Elle nous jouera quelques pièces de Chopin tout à l'heure. Bon, un seul mot d'ordre ce soir : amusez-vous ! Interdiction de parler travail ou politique. Nous avons vécu assez de choses horribles ces derniers temps. Je vais vous demander de m'excuser un instant, je dois accueillir mes autres invités. Les impérieux devoirs d'une hôtesse ! Mais promettez-moi que nous aurons l'occasion de discuter tout à l'heure.

– Elle semble bien guillerette ce soir, remarqua Louis une fois qu'elle se fut éloignée.

– C'est vrai qu'on a du mal à la reconnaître, confirma Frédéric. Probablement la vertu carnavalesque de cette soirée…

Un jeune serveur passa près d'eux, portant un plateau couvert de flûtes de champagne.

– Le jeune échanson que voici nous offrira bien une coupe de nectar, déclara Raphaël. Tu n'es pas vraiment de service ce soir, tu peux t'amuser.

Forestier toussota avec gêne.

– Allons-y pour un verre ! Mais un seul !

Les trois hommes prirent chacun une coupe.

– Ah ! Désolé, les gars, je viens d'apercevoir la comtesse de Beauchamp. Il faut que j'aille la saluer. C'est un peu grâce à elle que j'ai compris pour le calendrier. Vous saurez vous débrouiller seuls ?

– Nous sommes des rustres, mais on va essayer de ne pas trop se faire remarquer.

Raphaël s'éloigna avec un haussement d'épaules méprisant.

– « Pas vraiment de service » ? répéta Frédéric. Raphaël ne sait rien ?

Forestier esquissa un non de la tête.

– Ça ne le regarde pas. Qu'est-ce que j'aurais bien pu lui dire ? Qu'il y a une chance infime que Jeansart tente quelque chose ce soir ?

– Une chance infime ? Ce n'est pas vraiment la conclusion à laquelle tu étais arrivé.

Comme pour toutes les réceptions privées importantes, les journaux avaient annoncé dans leur gazette mondaine la soirée costumée donnée à la villa Coralie. Certains avaient même développé leur article en rappelant l'enlèvement du petit John et l'incendie de la scierie. Pour Louis, il était tout à fait plausible que Jeansart en ait eu vent. Il avait envoyé la lettre anonyme à *L'Éclaireur* et était manifestement attentif à la façon dont les quotidiens suivaient son parcours meurtrier. Cette soirée pouvait être une occasion pour lui de revenir sur les lieux de son quatrième enlèvement et de défier les brigades après l'incendie de son repaire. Le policier qui protégeait les Kendall depuis la libération de John ne suffisait plus, Forestier était persuadé qu'il fallait sécuriser les lieux pour éviter toute mauvaise surprise. Il avait donc posté un agent au portail d'entrée avec ordre de contrôler les invitations et une équipe de cinq hommes en sentinelle autour de la villa et le long des murs qui ceignaient la propriété.

– On verra bien, conclut-il. Inutile de tirer des plans sur la comète. Si Jeansart se pointe, nous aurons de quoi l'accueillir.

*

La Packard Twin Six roulait à faible allure, ses phares balayant la longue allée bordée de pins maritimes et de palmiers. La lune était encore quasi pleine mais voilée par des nuages. Le quinquagénaire au volant s'appelait

James Woodfield, un riche négociant anglais qui passait tous les hivers dans sa villa palladienne à Beaulieu-sur-Mer. Il était accompagné de sa femme Vera, une ancienne danseuse de cabaret qu'il avait rencontrée à Paris et épousée sur le tard, une de ces beautés que les ans semblent incapables de faner. Quelques mauvaises langues avaient surnommé Woodfield « Actéon » car, comme Artémis qui avait métamorphosé en cerf le chasseur l'ayant surprise dans son bain, on murmurait qu'elle lui faisait pousser des cornes.

– Croyez-vous que la comtesse de Grémont sera présente ce soir ? demanda Vera Woodfield, le regard perdu dans les arbres au-dehors.

Son mari ne quitta pas la route des yeux.

– Comment veux-tu que je le sache ?

– Ah non, je vous en prie ! Vous savez que j'ai le tutoiement en horreur ! Cela fait mauvais genre dans ces soirées.

– Mais nous sommes seuls !

Sa femme ne crut pas utile de se justifier. Elle souffrait encore trop du mépris mal dissimulé dont on témoignait à son égard dans les salons pour donner à ses ennemis des raisons objectives de vitupérer sa « vulgarité ».

– Vous ai-je dit que la comtesse a organisé une sauterie la semaine dernière et que nous n'y avons pas été invités ?

– Qu'est-ce que cela peut bien vous faire ? Vous la détestez !

– Ce que vous pouvez être ballot parfois, mon ami ! s'écria-t-elle. Et cette idée saugrenue de conduire soi-même cette automobile ! Nous avons un chauffeur. Je me demande bien à quoi nous le payons.

Woodfield ne répondit rien, habitué qu'il était aux récriminations de sa femme. L'allée était sinueuse et la Packard amorça un léger virage.

– Oh, James ! Attention !

Au milieu du chemin se tenait un homme qui balançait une lampe torche et leur fit signe de ralentir. Le conducteur freina, un peu trop brutalement, et Vera ne put retenir un second cri.

– Qu'est-ce que… ? grogna son époux.

L'homme arriva à petites foulées à leur hauteur en leur adressant un geste rassurant de la main.

– J'espère que je ne vous ai pas effrayés, fit-il d'une voix calme et posée. Je suis le commissaire Forestier, de la brigade mobile de Nice, j'assure la sécurité de la soirée.

– La sécurité ? répéta Woodfield, surpris, dans un français presque dénué d'accent.

– Eh bien, vous n'ignorez pas ce qui est arrivé au fils des Kendall ?

– Non, bien sûr !

La lampe qu'il dirigeait vers l'automobile les empêchait de voir clairement son visage.

– Je préférerais ne pas vous importuner avec des formalités, mais pourriez-vous simplement me montrer vos invitations ?

– Nous l'avons déjà fait. Nous avons croisé un de vos hommes au portail, expliqua Woodfield, soudain agacé.

Sa femme lui donna un coup de coude énergique.

– Vous ne nous importunez pas du tout, commissaire. Après ce qui est arrivé à cette pauvre Edmonde, c'est bien la moindre des choses.

Elle sortit de son sac à main deux bristols couleur crème. L'homme les prit et y jeta un rapide coup d'œil sous la lumière crue de la lampe.

– C'est parfait !

Le commissaire pointa alors la torche sur le visage des deux invités, qui furent un instant éblouis.

– Mais…

La lame pénétra violemment dans le cou de James Woodfield, rompant net la carotide. Un jet épais se répandit sur le pare-brise tandis que le visage de Vera était éclaboussé de sang. Elle resta deux secondes paralysée et ce n'est que lorsqu'elle vit le corps de son mari agité de puissants soubresauts qu'elle poussa un hurlement effroyable. L'homme à la torche contourna en un éclair l'automobile. Vera Woodfield eut à peine le temps d'ouvrir la portière et de faire deux pas dans l'allée avant que le faisceau lumineux se braque sur son visage. Elle hurla à nouveau. Le premier coup l'atteignit dans l'abdomen. Son corps s'affaissa. Le second coup fut porté à la poitrine et elle chuta lourdement en arrière. Un râle s'échappa de ses lèvres. L'homme dirigea la torche sur son visage. La vie, doucement, quittait son regard déjà vide. Sous les gouttes de sang, le collier de diamants autour de son cou scintillait comme des rubis.

*

Malgré leur surface impressionnante, les deux salons en enfilade commençaient à paraître étroits. Les invités étaient tous arrivés et, au milieu de la cohue, il faisait maintenant vraiment chaud sous le ruissellement des lustres.

– Tiens ! Regarde qui va là ! fit Forestier en levant le menton.

Frédéric se retourna et vit Lisa Kendall venir dans leur direction. Dans son costume de bergère, elle avait une allure gracile et insouciante. Ils se saluèrent. Après quelques amabilités, Louis les laissa seuls en prétextant qu'il allait se chercher un autre verre.

— Je vais jeter un œil dehors, voir si tout se passe bien, murmura-t-il en passant près de Frédéric.

— Très joli, votre costume. Votre mère avait raison : c'est un bol d'air frais dans cette horde de robes d'apparat.

Lisa sourit.

— Vous savez, Marie-Antoinette et Mme de Pompadour se déguisaient en bergère et en paysanne.

— Vos sabots cachent donc des pieds de princesse ?

— Je ne sais pas si la pantoufle de vair me siérait.

Ce fut au tour de Frédéric de sourire.

— Je craignais que vous ne soyez déjà reparti pour Paris, confia Lisa d'un ton plus grave.

— Je ne voulais pas rater cette soirée, mais je repars demain. Je ne me suis jamais éloigné aussi longtemps de mon hôpital. Mes patients m'attendent.

— Bien sûr. De toute façon, tout est éphémère ici. On prend goût au soleil, à l'insouciance, et voilà que déjà il faut faire ses malles. Nous ne tarderons pas, nous non plus, à rejoindre la capitale.

— Peut-être nous recroiserons-nous à Paris.

Lisa lui lança un regard un peu triste et sceptique.

— Je ne crois pas trop au hasard… ni aux promesses.

Une clameur s'éleva parmi l'assistance. On venait d'ouvrir les portes de la salle à manger, où avait été dressé un somptueux buffet.

— Venez, fit Lisa d'un ton volontairement détaché. Ils sont bien capables de tout manger. L'appel du ventre leur fait oublier les convenances.

*

Mathesson naviguait entre les invités, un énième verre à la main, dans un état de douce griserie. Une contemporaine de Louis XV qu'il aurait aimé éviter l'alpagua.

– Oh, notre cher Raphaël !

C'était la veuve d'un lord qu'il avait connue à Londres et qu'il croisait désormais chaque hiver sur la Côte d'Azur, une femme toute en rondeurs qui en raison de ses bourrelets disgracieux avait troqué la robe à la française contre une robe volante à plis Watteau.

– Quel costume singulier ! s'exclama l'importune. Oh, laissez-moi deviner. Vous êtes un roi de France…

– Vous brûlez…

– Louis XIV ?

– Le Roi-Soleil est ébloui par votre sagacité !

– Mais alors, dit-elle en riant et en désignant son propre costume, nous aurions pu être amants !

Raphaël se força à rire.

– Il vous est, paraît-il, arrivé des misères lors du meeting d'aviation !

– Les impondérables de la mécanique. Mais j'ai déjà pris ma revanche dimanche dernier.

La femme émit un petit gloussement et se tourna vers les autres invités.

– J'adore ce genre de spectacles. Avez-vous assisté à la journée d'ouverture ? Toutes ces mitrailleuses… C'était un moment inoubliable. Savez-vous que mon époux, feu sir Henry, a assisté au premier meeting aérien de la Brayelle…

Elle partit dans un de ses monologues habituels, mais Raphaël ne l'écoutait que d'une oreille distraite. Derrière leur petit groupe, il venait de voir passer un homme en domino portant un masque assez terrifiant, qui rappelait le visage de Méphistophélès. Mais, plus qu'à l'histoire de Faust, l'aviateur songea brièvement au *Masque de la Mort Rouge*, cette nouvelle d'Edgar Allan Poe qu'il avait lue adolescent. Il se souvenait du bal masqué donné au cœur d'une effroyable épidémie auquel s'invite la Mort Rouge elle-même, dont le véritable visage est pris par les hôtes pour un simple masque. Cette histoire l'avait terrifié et avait souvent peuplé ses cauchemars avec son cortège de décors gothiques, de masques effrayants et de victimes terrassées par le mystérieux invité.

— Et vous, Raphaël ?

La question tira brutalement l'aviateur de ses pensées.

— Moi ? répéta-t-il pour tenter de reprendre le fil de la conversation, tandis que les images qui l'avaient distrait s'effaçaient de son esprit.

— Ah ! reprit son interlocutrice en se gaussant. Quel élève indiscipliné vous faites ! Je suis certaine que vous n'avez pas écouté un mot de ce que je disais !

Derrière eux, l'homme au masque de mort avait déjà disparu dans la foule.

12

Les premières notes de la *Valse en* si *mineur* de Chopin s'élevèrent dans le salon, lentes et tristes. Lisa, dans son costume de bergère, assise devant le piano à queue, offrait un spectacle insolite. Son jeu n'était pas virtuose, mais la délicatesse et la rondeur de son exécution convenaient à merveille à l'intimité et à la mélancolie romantique du morceau.

Les femmes s'étaient confortablement installées sur des fauteuils disposés en demi-cercle devant la scène de concert. Quelques places avaient été réservées pour les doyens de l'assistance, mais la plupart des hommes se tenaient debout, au fond de la salle ; certains, peu versés dans la musique, continuaient discrètement leurs conversations.

Frédéric, lui non plus, n'était pas un grand mélomane, mais il avait toujours aimé cette valse posthume, nostalgique à souhait, qui n'avait sans doute jamais été destinée à être dansée. Et ce morceau résonnait en lui avec d'autant plus de force qu'il était interprété par Lisa. Même si elle ne pouvait évidemment pas connaître ses goûts, il se prit à imaginer qu'elle l'avait choisi pour lui.

Il avait encore fraîche à l'esprit sa conversation avec Louis au sujet de la jeune femme. À en croire les reproches à peine voilés qu'elle lui avait adressés ce soir, il ne faisait plus de doute que son attirance était partagée.

Alors que le piano s'animait dans le dernier mouvement de la valse, l'attention de Frédéric fut attirée par Louis, qui venait de débarquer dans le premier salon, le visage en alarme, encadré par deux des policiers qu'il avait mis en faction dans la propriété. Le médecin s'éclipsa sans bruit pour les rejoindre.

– Qu'est-ce qui se passe ?

– Jeansart est ici, répondit Forestier en évitant d'élever la voix.

– Tu es sûr ? s'écria Frédéric malgré lui.

– Moins fort ! On a retrouvé une voiture sur le bas-côté de l'allée. Pas de corps mais du sang partout dans l'habitacle ! Un vrai carnage.

– Tu crois qu'il peut être *dans* la villa ?

– Impossible à dire. Les valets m'ont certifié que tous ceux qui sont entrés avaient une invitation. Mais il a pu la voler au propriétaire du véhicule. Rien de plus facile que de passer inaperçu au milieu de tous ces masques et de ces costumes… Tu n'as rien remarqué de louche ?

Frédéric, encore abasourdi par la nouvelle, secoua la tête.

– Alors on va monter à l'étage pour s'assurer que tout va bien.

Au moment où Lisa entamait sa deuxième valse, plus animée et plus rapide que la précédente, un coup de feu éclata dans la villa et fit taire le piano.

*

La chambre était plongée dans une demi-obscurité. Quelques rayons de lune s'immisçaient entre les per-

474

siennes, faisant ressortir le contour des meubles et des jouets. La porte s'ouvrit lentement et laissa pénétrer un peu plus de lumière. L'homme entra et la referma rapidement derrière lui. Il ôta son masque funeste, qu'il laissa tomber à terre. D'abord, il demeura un instant immobile pour s'imprégner de l'atmosphère du lieu. Il était venu dans cette chambre exactement quatorze jours plus tôt. Rien n'avait changé, il reconnaissait chaque détail, du moins des parties de la pièce qui n'étaient pas noyées dans l'ombre.

Il distingua une forme inerte sous les draps. Il s'approcha du lit et sortit de son costume le couteau encore maculé du sang de ses deux dernières victimes. John... oh, John ! Il se souvenait de cette matinée du 23 mars où à travers la fenêtre du petit salon de la villa, alors qu'il retirait les persiennes du rez-de-chaussée, il avait assisté à la leçon. Le précepteur et l'enfant étaient assis et lui tournaient le dos, penchés sur les livres. Il voyait la chevelure châtain clair de l'élève et son costume marin. La pièce, qui sentait bon l'encaustique, formait un cocon rassurant. La leçon était dispensée en anglais et il ne comprenait pas un mot de leur échange. La voix de l'enfant était douce et calme, parfois ponctuée d'intonations plus véhémentes dues aux différentes intensités de la langue. Mais soudain, dans le flot incompréhensible et rapide de leur conversation, il avait reconnu les premiers vers de l'*Odyssée* : « *Andra moi ennepe, Mousa, polutropon...* », « Conte-moi, ô Muse, l'histoire de l'homme aux mille ruses. » Il s'était pétrifié, le monde autour de lui n'était plus qu'un décor confus. Assis à la table de travail, ce n'étaient plus désormais l'enfant et son précepteur, c'étaient lui et le docteur, dans le bureau sinistre du château aux murs couverts de têtes d'animaux empaillés. L'horloge sur le manteau de la cheminée revenait à son oreille, égrenant son tic-tac lancinant. L'odeur dégagée par le docteur, mélange de parfum de lavande et de senteur d'homme vieillissant, envahissait ses narines, intacte. Il avait fermé les yeux, tandis que John, tels les aèdes de l'Antiquité, scandait l'épopée grecque qu'il connaissait lui-même par cœur.

Debout près du lit, sa main trembla. Une hésitation qu'il ne supportait pas et qu'il croyait, depuis le temps, avoir réussi à dompter. John l'avait déjà fait vaciller une fois. Il avait ravivé en lui tant d'images douloureuses qu'il n'avait pu se résoudre à passer à l'acte. Cet enfant, c'était lui. Et le tuer, c'était se détruire soi-même. Mais il n'y avait plus d'autre issue. Tout devait prendre fin, ici et maintenant.

Au moment où il agrippait la couverture pour la tirer, une lumière violente inonda la chambre et le fit sursauter.

– Désolé, Jeansart, on ne bouge plus !

Il se retourna brusquement. Dans un recoin opposé de la chambre qui était resté jusque-là dans l'obscurité se tenait l'acolyte de Forestier, une arme pointée sur lui. Il l'avait déjà vu plusieurs fois lorsqu'il avait espionné les membres de la brigade, de loin, à la sortie de leurs locaux. Jeansart jeta un coup d'œil vers le lit… Vide. Un simple traversin avait été disposé sous les couvertures pour simuler la présence d'un corps. Un piège enfantin !

– Jette ce couteau au sol ! hurla Leroux. Ne me donne pas l'occasion de te descendre ! L'envie me démange depuis un moment.

Pas de résistance. Jeansart lâcha aussitôt son arme, mais un discret sourire se dessina sur ses lèvres. Il venait de remarquer sur la table de chevet une boule bleutée qui contenait un petit hippocampe figé dans le verre. Sa dernière chance de s'en sortir… tout autant que de se faire descendre. Il la saisit et l'expédia de toutes ses forces sur le policier.

Juste avant que la boule l'atteigne en plein visage, l'inspecteur tira. La balle traversa le bras de Jeansart et alla se loger dans le mur tapissé de la chambre.

*

Flanqués des deux policiers, Louis et Frédéric s'engouffrèrent dans le grand escalier, s'agrippant à la main courante de la balustrade en marbre. Derrière eux retentissaient le brouhaha et les cris des invités, dont certains étaient accourus en direction des marches.

Forestier connaissait la disposition des pièces à l'étage et il se dirigeait directement vers la chambre de John quand Leroux en sortit en se tenant le front d'une main.

– Il a filé par là, au deuxième ! Il est blessé et sans arme.

– Ça va, toi ?

– C'est bon. Allons-y !

Les policiers rebroussèrent chemin et grimpèrent les marches deux à deux. Le commissaire remarqua sur le tapis de l'escalier quelques gouttes de sang qui les conduisirent jusqu'à une porte entrebâillée. Louis l'enfonça d'un coup de pied, sans même réfléchir.

Ils découvrirent un cabinet de toilette de style pompéien, au sol entièrement recouvert de mosaïques, contenant une immense baignoire en marbre noir dans une alcôve. La fenêtre à gauche d'un trumeau avec lavabo était grande ouverte.

– Les échafaudages !

Louis s'avança et passa la tête par l'ouverture.

– Il n'ira pas loin s'il descend, nos hommes sont en bas.

La structure métallique installée pour les travaux de ravalement résonna bruyamment.

– Il est en train de rejoindre le toit.

Forestier gagna l'échafaudage. Leroux et les deux autres policiers lui emboîtèrent le pas. Debout sur la plate-forme, le commissaire sentit son vertige le regagner. Il s'appuya brièvement contre la traverse du garde-corps et progressa sur le palier. Il s'agrippa ensuite à l'échelle sur le côté, puis entreprit d'escalader les barreaux.

Comme la plupart des demeures néo-classiques, la villa Coralie possédait un toit plat entouré de balustres. Louis dut sauter pour atteindre la tablette qui les surmontait, un des policiers en dessous lui servant d'appui.

Il parcourut le toit du regard mais ne vit pas trace de Jeansart. Le tueur ne pouvait guère se cacher que derrière l'une des nombreuses cheminées qui fleurissaient devant lui. Leroux avait dit qu'il n'était pas armé, mais pouvait-il en avoir la certitude ?

Louis se retourna pour aider ses collègues dans leur ascension. Du sommet de la villa, on surplombait parfaitement la mer hérissée d'écailles d'argent sous le reflet de la lune. Il distinguait l'étroit chemin qui descendait vers la plage, celui qu'il avait emprunté le jour de la disparition de John pour rejoindre sa mère supposée et Lisa. Alors qu'il dominait le vide, le commissaire s'aperçut qu'il avait moins peur.

Les quatre policiers se retrouvèrent côte à côte sur le toit. Louis ordonna qu'ils se séparent en deux groupes pour prendre Jeansart à revers. Ils avancèrent en silence.

Bientôt, la silhouette du tueur apparut. Il était recroquevillé derrière une sortie de cheminée, la tête enfouie entre les genoux, et se tenait le bras gauche d'une main.

– Jeansart ! cria Louis. Montre tes mains et lève-toi.

L'homme, toujours prostré, ne réagit pas.

– Jeansart ! répéta-t-il. Ne fais pas le con, obéis !

Leroux, de l'autre côté du toit, esquissa un pas en avant, mais Louis lui fit un signe de la main pour l'arrêter. Le commissaire fixa l'Ogre et se demanda à quoi il pouvait bien songer en ce moment particulier où la série de crimes qu'il avait perpétrés s'achevait. Pelotonné dans son coin, Jeansart lui fit penser à un enfant apeuré. Le policier eut alors une idée.

– Albain, dit-il d'une voix dénuée de toute autorité ou agressivité.

Comme par miracle, l'Ogre releva aussitôt la tête dans sa direction. Les nuages autour de la lune s'étaient dissipés et Louis put voir assez clairement ses traits. Jeansart n'avait plus rien de l'être sûr de lui et dominateur qu'il avait croisé sur les toits de la ville quelques jours plus tôt. Son visage de cire à la clarté lunaire affichait simplement de la peur.

– Albain, continua Louis. Montre-moi tes mains.

Jeansart s'exécuta et leva les mains en l'air, comme un gosse qui voudrait prouver qu'il se les est bien lavées avant le dîner. On voyait qu'à cause de sa blessure il avait du mal à lever le bras gauche.

– Très bien. Tu vas te mettre debout maintenant, lentement.

Cette fois, les paroles de Louis n'eurent pas l'effet escompté.

– Vous savez, je n'ai jamais voulu leur faire de mal.

C'était la première fois qu'on entendait sa voix. Elle était frêle et trop aiguë, et il était presque incroyable qu'elle pût appartenir à cet être qui avait semé la terreur aux quatre coins de la ville. Louis ne trouva rien à répondre. Il voulait d'abord le neutraliser totalement, craignant qu'il ne leur eût réservé une dernière surprise.

– Non, non, continua-t-il en secouant la tête. Je voulais juste les sauver…

Louis n'en croyait pas ses oreilles, tant Frédéric avait vu juste en lui.

– Nous le savons. Tu pourras nous expliquer tout ça, mais il faut te rendre d'abord.

Jeansart lui semblait à présent misérable. Leur face-à-face avait quelque chose de décevant : il ne ressemblait à aucun des scénarios qu'il avait imaginés et il comprit pourquoi tant de psychiatres finissaient par conclure à l'irresponsabilité des tueurs dans son genre. Ils étaient trop insaisissables et leur apparence banale, une fois qu'ils ne pouvaient plus nuire, ne reflétait en rien la violence prédatrice dont ils étaient capables.

– Évidemment, se rendre… murmura Jeansart en se levant.

Gardant toujours son arme au poing, Louis s'avança et sortit la paire de menottes qu'il conservait toujours dans sa poche. Un instant, il crut vraiment que l'Ogre n'offrirait aucune résistance. Mais Jeansart fixa les ténèbres devant lui avant de se mettre à courir en direction du rebord du toit, laissant les policiers médusés.

– Non ! hurla Louis.

Il pointa son arme, visa la jambe et tira. Jeansart fut atteint en pleine cuisse au moment où il s'apprêtait à s'élancer dans le vide et son corps heurta violemment le balustre.

– Ne tirez pas ! ordonna Louis à ses hommes.

L'Ogre émit un grognement rauque. Il releva la tête et, dans un ultime effort, se hissa de sa jambe valide sur la tablette de pierre. Les quatre policiers se ruèrent vers lui. Forestier sentit le sang lui battre les tempes et il comprit qu'il ne pourrait rien empêcher.

Jeansart n'eut qu'à se laisser basculer en avant pour chuter dans le vide.

*

Des cris horrifiés déchirèrent la nuit. Après le premier coup de feu de Leroux dans la chambre, on avait fait évacuer les invités devant la villa. Des dizaines de robes et de dominos se croisaient en un étrange ballet nocturne dans les jardins.

Le corps de Jeansart s'était écrasé deux étages plus bas, à quelques mètres des hôtes. Les policiers utilisèrent la trappe d'accès au toit pour redescendre et Louis se précipita vers le tueur, ne sachant trop s'il devait espérer qu'il fût encore en vie. Il se pencha pour lui prendre le pouls.

– Appelez les secours ! cria-t-il à un policier à ses côtés. Il n'est pas mort !

Le visage crayeux de Jeansart émergeait à peine de sa capuche, qui s'était rabattue sur lui pendant la chute. Un filet de sang coulait de sa bouche. Ses paupières palpitèrent puis dévoilèrent des yeux révulsés. Louis connaissait trop ce genre de regard éteint pour ignorer qu'il allait mourir.

Jeansart revint vaguement à lui. Ses pupilles se dilatèrent. Dès qu'il reconnut Forestier, il essaya de parler, mais de sa bouche ne sortit qu'un affreux gargouillis. Le policier aurait dû l'empêcher d'épuiser ses dernières forces, mais il espérait pouvoir encore lui arracher quelques informations. Jeansart agrippa le revers de sa veste et l'attira vers lui jusqu'à ce que son oreille colle presque à sa bouche ensanglantée. Alors il réussit à murmurer quelques mots tout juste perceptibles.

Le regard de Louis flotta : les paroles de l'Ogre résonnèrent en lui comme une énigme qui a besoin d'être déchiffrée. Puis, quand leur sens ne fit plus de doute, il agita la tête en signe d'incrédulité. Lorsqu'il reposa les yeux sur Albain Jeansart, il constata que sa tête s'était affaissée sur le côté. Définitivement.

Malgré l'obscurité, Leroux avait senti son trouble.

– Qu'est-ce qu'il a dit ?

– Je n'ai pas compris, mentit Louis.

13

Front de l'Est, 24 décembre 1914

La nuit s'étend au-dessus de lui comme un dais bleu roi. Il marche en lisière des arbres, camouflé en militaire. C'est une forêt touffue, faite de petits chênes trapus, de bouleaux et de hêtres, recouverts d'une fine pellicule de neige. Il fait froid. Le vent souffle en rafales, faisant voler de rares flocons. Il accélère le pas pour se réchauffer. La route, rectiligne et monotone, n'offre aucun point de repère et il se demande s'il n'a pas manqué le sentier dont on lui a parlé.

Soir de Noël. Louis Forestier espérait profiter jusqu'au bout de son maigre congé et passer le réveillon dans sa famille, mais depuis qu'il a été affecté au service de contre-espionnage, sous le commandement de l'état-major de l'armée, il sait qu'il peut être appelé à tout instant pour des missions de surveillance et d'infiltration. Il n'a passé qu'une semaine, au mois d'août, dans son régiment d'infanterie avant d'être convoqué au ministère de l'Intérieur. Sa guerre à lui se fera à la fois à l'arrière et au front, sans qu'il sache vraiment s'il est toujours policier ou soldat.

Soudain, une lumière et une voix :

– Qui va là ? Arrêtez-vous !

Forestier distingue la capote gris-bleu et le pantalon rouge garance d'un adjudant. Il décline son identité, donne le mot de passe réglementaire et lui présente ses pièces d'identité.

– On ne savait pas si vous aviez eu notre message : les communications téléphoniques ont été coupées juste à ce moment-là. Vous êtes seul ?

Il acquiesce.

– C'est risqué, reprend le militaire. En pleine nuit, dans un coin pareil ! On aurait pu vous envoyer à plusieurs.

« Comme si on m'avait donné le choix ! » Deux des collègues de Forestier ont été arrêtés la semaine dernière et ont failli être passés par les armes malgré leur laissez-passer. La peur de l'espionnite fait perdre la tête à tout le monde, entraînant dénonciations et exécutions sommaires. On fusille d'abord, on cherche à comprendre après.

– On a juste entendu que vous aviez arrêté des hommes, rétorque Louis en soufflant dans ses mains.

– En début de soirée. Deux soldats.

– Qu'est-ce qu'ils faisaient là ?

– Ils disent qu'un contingent est arrivé et qu'il n'y a plus assez de place dans la caserne. On a les a soi-disant envoyés pour répartir les hommes en cantonnement, dans les hameaux et les fermes des environs.

– Et vous ne les croyez pas ?

– Ils n'ont pas d'ordre signé.

– Ça arrive.

– Eh bien ça ne devrait pas ! On est en guerre, bordel !

– S'ils disent vrai, c'est leur hiérarchie qui est en faute.

L'adjudant fronce les sourcils.

– C'est pas des choses à dire ! Vous devriez faire attention à vos paroles. On voit bien que vous venez de l'arrière !

Louis ne répond rien, il n'a pas envie de polémiquer dans un moment pareil. Tout ce qu'il sait, c'est qu'il enchaîne depuis des mois des missions de surveillance qui le placent en première ligne, comme les autres troufions.

– Vous croyez que ce sont des déserteurs ?

– Pas des déserteurs. Pire, des espions ! Mais on vous expliquera tout là-bas.

Ils empruntent une laie, tout juste assez large pour permettre le passage d'un véhicule. À mesure qu'on s'y enfonce, le bois est de plus en plus dense – un enchevêtrement de broussailles et d'arbres aux rameaux fournis. La neige, qui n'est pas tombée abondamment, semble être passée au crible des branches et ne recouvre pas uniformément le sol.

– Où va-t-on ?

– Au poste de commandement.

« Dans ce coin paumé ? » songe Louis. Il est surpris mais continue à avancer en silence.

Au bout de plusieurs minutes de marche, ils arrivent à destination. Le poste de commandement en question est en réalité un ancien pavillon de chasse délabré, au toit affaissé par le temps. Devant le bâtiment est garé un camion De Dion-Bouton.

Ils entrent. L'intérieur est mal éclairé par des lampes à acétylène. Aux murs, des boiseries abîmées témoignent d'un luxe à jamais disparu. Trois soldats sont assis autour d'une table vermoulue. Une odeur de biffre flotte dans l'air : du singe, à l'évidence. L'adjudant pose son attirail près des havresacs dans un coin de la pièce poussiéreuse.

– Vous voulez un coup de gnôle ?

Forestier est transi et il ne se sent pas le cœur de refuser. Il remarque les fusils appuyés contre le mur. L'adjudant a suivi son regard.

– On est prêts à les fusiller… cette nuit même, énonce-t-il d'un ton sec.

Louis n'est pas surpris. Il sait qu'en tant que commandant d'un poste avancé le militaire a pour ordre de passer par les armes tout individu suspecté d'espionnage au profit des Allemands. Nul besoin de preuves, une intime conviction suffit. Plusieurs hommes ont déjà été exécutés dans des conditions douteuses. Des erreurs, sans doute, mais quelle importance pour l'état-major quand des centaines de milliers de soldats tombent au champ d'honneur ? Le problème avec les morts, c'est que, quand il y en a trop, on ne les compte plus.

– Où sont-ils ?

– Dans une pièce, de l'autre côté du poste.

– De quoi les soupçonnez-vous exactement ?

– Les fameux signaux lumineux, on pense que c'est eux.

Depuis deux semaines, un chef de poste signale des lueurs suspectes dans son secteur, chaque soir vers 23 heures. Des points de guet ont été installés un peu partout près des lignes de front pour repérer le passage d'avions allemands et les signaux envoyés par des espions à l'intérieur des lignes françaises.

Forestier avale une gorgée de la bouteille qu'on lui tend.

– Vous faites fausse route, dit-il alors que son gosier se réchauffe. Cette affaire est réglée, j'ai fait mon compte rendu à l'état-major ce matin.

– Quoi ? s'étrangle l'adjudant.

Forestier commence à leur raconter sa dernière mission. L'avant-veille, il s'est posté en haut d'un clocher et a effectivement repéré des lumières étranges. Le lendemain, arpentant la campagne, il a essayé d'en trouver la source. Il a constaté qu'une ligne de chemin de fer à la rampe très inclinée passait dans les environs. Il s'est mis en planque, bien décidé à attendre toute la nuit. Vers 23 heures, un train de marchandises est passé. Avant d'aborder la montée, le cheminot a ouvert la porte du foyer pour activer la locomotive, illuminant la nuit d'une clarté ardente. Louis a aussitôt informé le général des résultats de son enquête.

Les quatre hommes se regardent, stupéfaits.

– Vous êtes certain de ce que vous dites ?

– À cent pour cent ! Ces types ont peut-être quelque chose à se reprocher, mais ce ne sont certainement pas des espions.

– Qu'est-ce qu'on fait maintenant ? Je ne peux pas les libérer sans être sûr…

Louis passe une main sur son visage fatigué.

– Enfermez-moi avec eux.

L'adjudant reste interdit.

– Faites-leur croire que vous venez de m'arrêter. Je les ferai parler. Je suis plutôt doué pour établir une relation de confiance.

L'adjudant semble hésiter un moment. La proposition est peu réglementaire, mais si elle peut mettre fin à ce sac de nœuds…

– D'accord ! finit-il par lâcher. Donnez-moi votre arme.

*

487

Louis a été jeté sans ménagement dans la pièce qui sert de cellule improvisée. On gèle. Pour tout éclairage, il n'y a qu'une lampe fumeuse qui empeste l'huile bon marché et projette sur les murs des ombres vacillantes. Par terre, accroupis et serrés l'un contre l'autre, les deux prisonniers tentent de lutter contre le froid. Ils sont emmitouflés dans leur capote, si bien que Louis ne voit de leur visage qu'une paire d'yeux fatigués et hagards qui l'observent avec méfiance. Son arrivée semble les avoir sortis de leur léthargie. L'un des deux gars se redresse. Il paraît à bout de forces, et la peur s'est installée sur ses traits tirés.

– T'es qui, toi ?

Louis s'appuie contre le mur de planches et leur jette un regard bravache.

– On m'a pas dit que j'aurais droit à de la compagnie !

Un silence suspicieux s'installe entre eux. Louis perçoit une vague odeur de pisse et il se demande si un des gars ne s'est pas fait dessus.

– Pourquoi ils t'ont arrêté ?

C'est toujours le même soldat qui parle.

– Promenade nocturne.

L'esprit des hommes est visiblement aussi engourdi que leur corps, et ils lui lancent un regard perplexe qui tient lieu de question.

– J'ai foutu le camp, continue Louis. Qu'est-ce que vous croyez ? Ils peuvent bien faire ce qu'ils veulent de moi, je retournerai pas là-bas.

Il se met à parler de plus en plus fort, frappant le mur devant lui à coups répétés, comme s'il avait perdu la raison.

– J'en peux plus de ces morts ! On n'est pas des chiens ! Les bras, les jambes, les têtes arrachées... La semaine dernière, je me suis retrouvé avec les tripes d'un copain sur la gueule… du sang, de la bidoche qui barbouillaient mon visage. J'y retournerai pas, je vous dis ! Ça non. On n'est pas des chiens !

Louis se calme un peu, mais un sourire inquiétant se forme sur ses lèvres et il désigne les deux prisonniers du doigt.

– Au moins, je serai pas tout seul à me faire zigouiller. C'est quand même plus drôle d'aller au peloton en bande, non ? Ils ont déjà tout préparé dehors.

Le deuxième soldat reste immobile, tandis que l'autre se dresse en agitant la tête nerveusement, la lèvre tremblante.

– T'es dingo ! On n'a rien fait, nous ! On était en mission. Notre putain de colonel qui nous envoie pour le cantonnement. On n'a rien demandé à personne. Se geler les miches en pleine nuit et se retrouver arrêtés pour des conneries de signaux dont j'ai jamais entendu parler !

Le prisonnier s'agite de plus en plus, une franche panique le gagne.

– J'ai pas l'intention de crever ici ! Tu peux bien leur raconter ce que tu veux, mais nous embarque pas dans ton histoire… Non, j'ai pas l'intention de crever ici, t'entends ?

*

Louis se roule du perlot que l'adjudant vient de lui donner. Dans la nuit glaciale traversée de neige, la fumée le réchauffe un peu, de manière illusoire. Il est resté près d'un quart d'heure dans la cellule, largement le temps d'acquérir la certitude que ces types n'ont rien de déserteurs ni d'espions. Jouer son rôle lui a coûté, plus qu'il n'aurait cru. Manipuler les autres, c'était bon en temps de paix quand il fallait cuisiner des truands, pas pour pousser à bout des bidasses fragilisés et terrifiés.

L'adjudant regarde Louis d'un air embarrassé, l'œil un peu fuyant.

– Et dire qu'on était prêts à leur faire la peau ! Cette guerre… se contente-t-il de murmurer sans pouvoir finir sa phrase.

« Oui, cette guerre… » répète Louis intérieurement.

– Qu'allez-vous faire d'eux maintenant ? demande-t-il en crachant par terre de fines particules de tabac.

– On va les reconduire à leur caserne. Après, je m'en lave les mains. On va aussi vous ramener – à moins que vous ayez envie de rester dans ce trou avec nous…

Plus loin, les deux hommes sont déjà montés à l'arrière du De Dion devant le pavillon de chasse. Louis les regarde avec la satisfaction de ne pas avoir été inutile ce soir.

Le premier soldat se prend la tête entre les mains et se frotte le visage comme pour se réveiller d'un mauvais rêve.

– Merde ! Quand on y pense, on a vraiment failli y passer ! T'as vu ce type… C'est un sacré comédien… « On n'est pas des chiens ! » J'y ai vraiment cru. N'empêche, c'est grâce à lui si on s'en est si bien sortis. T'imagines s'il était pas arrivé ?

Son camarade à ses côtés ne répond rien. Il semble fixer une cible invisible dans l'ébène de la nuit. L'autre le secoue légèrement par l'épaule.

– C'est pas possible ! T'es vraiment un mec tordu ! On dirait que t'as jamais peur. Ils auraient pu nous attacher à un poteau, je suis sûr que t'aurais pas cillé. Pas vrai, Jeansart ?

14

« Noël 1914… On n'est pas des chiens. »

Les dernières paroles de l'Ogre faisaient encore écho dans sa tête. Toute la nuit, qu'il avait passée blanche, elles avaient formé à ses oreilles une musique lancinante. « On n'est pas des chiens. » Les propres mots qu'il avait prononcés huit ans plus tôt, la nuit du réveillon, dans un pavillon de chasse d'une forêt perdue au nord-est de la France.

Alors qu'une myriade de tâches attendait Louis – les coups de fil pour Paris, le rapport des événements, les sollicitations des journalistes, qui allaient se déchaîner –, sa première action de la journée avait été de se rendre à la morgue, où l'on avait transporté le corps de Jeansart.

Il faisait à peine jour. Derrière le bâtiment de pierres grises, un lavis orangé teintait le ciel à l'horizon. La morgue était presque vide. Un gardien lui avait ouvert et permis d'accéder à la salle où étaient entreposés les corps fraîchement arrivés. Louis avait descendu les marches familières jusqu'aux murs suintants du sous-sol qui semblaient s'être imprégnés au fil des ans des effluves écœurants du formol et des morts.

Il était resté longtemps planté devant le cadavre du tueur placé sur une table d'opération, sous une lumière jaune et mortuaire. Le corps était dénudé jusqu'à la taille et Louis avait fixé les cicatrices qui recouvraient son buste, la peau cartonneuse, blanche ou brunâtre, qui avait jadis été dévorée par les flammes.

Albain Jeansart. Ce nom ne lui avait rien dit lorsque Boissonnard l'avait épelé la première fois au téléphone, il n'avait pas cillé. Et il ne lui était pas davantage revenu par la suite. Mais dès que l'Ogre avait murmuré cette date et ces quelques mots à son oreille, les souvenirs l'avaient anéanti. Jeansart… l'un des deux soldats qu'il avait sauvés cette nuit de décembre. Louis avait même mentionné son nom dans le rapport qu'il avait remis le lendemain à son état-major. C'est à peine s'il avait vu son visage dans la cellule et il se rappelait qu'il n'avait pas prononcé le moindre mot, demeurant prostré durant toute leur conversation.

« On n'est pas des chiens. » Il comprenait désormais pourquoi le tueur l'avait épargné ce jour-là sur les toits. Jeansart savait qui il était. Quand avait-il appris que le commissaire qui enquêtait sur ses propres meurtres était celui qui lui avait évité le peloton d'exécution huit ans plus tôt ? Dès qu'il avait lu son nom dans le journal ? Quand il l'avait dévisagé sur le toit ? Ou avant, s'il avait pu espionner les membres de la brigade comme l'avait supposé Frédéric ?

« La prochaine fois, pas de cadeau », avait-il écrit à son intention sur la porte de sa maison. C'était donc que la première fois il lui en avait fait un, parce qu'il se sentait redevable de quelque chose. Même dans sa folie furieuse, la dette qu'il avait à son égard avait été assez forte pour qu'il ne le tue pas.

« J'ai sauvé l'Ogre… » Il avait beau se répéter cette phrase et la ressasser, elle lui semblait toujours irréelle. Sans lui, Jeansart aurait probablement été exécuté à l'âge de 22 ans pour espionnage ou désertion. Sans lui, Louise Germain, Yvette Mercier, Pierre Corteggiani, Adrien Albertini, Yvonne et Jean Cordier… – la liste des victimes lui donnait le tournis – seraient encore en vie. « J'ai sauvé l'Ogre… »

En quittant la morgue, juste après avoir croisé le légiste qui commençait sa journée, Louis dut faire un effort surhumain pour paraître normal. Reprendre le cours de sa vie lui paraissait une chose insurmontable, mais il devait donner le change. Du moins dans l'immédiat. Il ne parlerait à personne des dernières paroles du tueur. Dans son rapport, il écrirait : « Albain Jeansart est mort quelques minutes après sa chute, sans avoir repris connaissance. »

L'Ogre était mort, mais son calvaire à lui ne faisait que commencer.

*

La mort de Jeansart avait créé une véritable panique parmi les invités. Plusieurs femmes s'étaient évanouies, certains convives s'étaient réfugiés dans la villa en poussant des hurlements, mais la plupart avaient contemplé la scène avec un mélange d'effroi et de fascination, conscients qu'elle nourrirait durant des mois, des années peut-être, leurs conversations de salon.

– On n'oubliera pas cette soirée de sitôt. Je ne sais pas qui pourra désormais rivaliser avec Edmonde, avait résumé Raphaël avec son flegme et son ironie tout britanniques.

Dans l'après-midi précédant la réception, les policiers avaient fait évacuer John de la villa Coralie pour l'emmener chez une amie des Kendall sur les hauteurs de Gairaut. Leroux s'était posté dans sa chambre, dans l'attente hypothétique de la venue de Jeansart.

Une heure après sa mort, on découvrait, cachés au milieu d'eucalyptus et d'arbousiers, les corps de James et de Vera Woodfield. D'après les premières constatations, l'homme avait eu la carotide tranchée – la mort la plus foudroyante en cas d'égorgement –, tandis que sa femme avait reçu deux coups de couteau mortels au ventre et à la poitrine.

De son propre père au couple d'Anglais, le nombre total des victimes de l'Ogre s'élevait à treize personnes, mais nul ne pouvait certifier que la liste établie par les policiers fût complète.

14 avril 1922, 11 heures

Après l'avoir observée un moment, Louis raccrocha au mur de son bureau la photographie des membres de la brigade, celle que Pauvert avait regardée avec une envie mal dissimulée quelques jours plus tôt.

Trois ans déjà. Il se souvenait de cette matinée d'octobre 1919 où, en compagnie de Leroux et de Caujolle, il avait découvert les pièces poussiéreuses qui allaient servir de locaux à la nouvelle brigade de Nice. Les trois policiers s'étaient regardés avec consternation, se demandant dans quel guêpier ils s'étaient fourrés. Une nouvelle période de sa vie commençait et il avait le sentiment qu'après douze ans dans les brigades il allait devoir repartir de zéro. Jamais, à ce moment précis, il n'aurait cru qu'il serait confronté un jour à une affaire de cette dimension.

Delville et Caujolle. Deux de ses hommes avaient failli mourir dans cette enquête, peut-être à cause de ses erreurs de jugement, peut-être parce qu'il avait sous-estimé son adversaire. Cela aussi, le policier devrait le porter comme un fardeau.

On frappa. Frédéric apparut dans l'embrasure, les traits fatigués et sur les lèvres un sourire que Louis jugea un peu forcé.

– Alors, ça y est ! Cette fois, tu t'en vas pour de bon ?

– Pour de bon !

Le médecin remarqua sur le bureau les photographies des enfants que Louis avait déjà enlevées de la salle des inspecteurs. Le policier les désigna d'un geste circulaire de la main.

– J'ai du mal à croire que tout soit fini. Je pensais que quand Jeansart serait mort j'aurais un poids en moins sur la poitrine, mais rien n'a changé.

Louis tripota son paquet de cigarettes sur le bureau. Comment les choses auraient-elles pu changer après ce que l'Ogre lui avait révélé ?

– Il ne fera plus de mal à personne.

Le commissaire secoua tristement la tête.

– Sans toi, je ne sais pas si on aurait pu l'arrêter. Tu m'as tellement aidé sur ce coup. Tes analyses, tes intuitions…

– C'est mon travail, Louis. Mon seul regret, c'est de ne pas avoir eu l'occasion de lui parler, même brièvement. J'aurais tellement aimé savoir…

Frédéric s'arrêta, comme s'il avait du mal à trouver les mots justes.

– Savoir ce qu'il ressentait vraiment quand il commettait ses meurtres. Savoir quelle conscience il avait de sa *monstruosité*.

Le médecin avait lâché le mot presque malgré lui. C'était désormais le seul qui lui vînt pour qualifier

Jeansart. Et l'utiliser sonnait un peu pour lui comme une défaite. Il observa un instant les portraits épars devant lui avant de reprendre :

– Est-ce que le corps de Jeansart va être autopsié ?

Louis leva les yeux avec étonnement.

– Tu as comploté avec le légiste ?

– Pourquoi dis-tu ça ?

– Parce que je l'ai quitté il y a deux heures et qu'il veut à tout prix le charcuter.

– Le cerveau ? demanda Frédéric, même si sa question ressemblait plus à une affirmation.

– Tout juste. Tu penses qu'on peut trouver quelque chose ?

Frédéric leva les mains.

– Je suis un agnostique en la matière. Après sa mort, on a procédé à des examens morphologiques et histologiques du cerveau de Joseph Vacher.

– Et ?

– On n'a pas trouvé d'altérations ou d'anomalies particulières. Oh, on a bien décelé un plissement des circonvolutions un peu supérieur à la normale, mais rien de vraiment probant.

– Et pourtant, tu penses que Vacher était vraiment fou… enfin, que c'était un aliéné ?

– Je pense que nos connaissances scientifiques sur le cerveau sont insuffisantes.

– Donc cette autopsie ne servira à rien ?

– À l'époque, Édouard Toulouse, qui avait pratiqué l'analyse du cerveau de Vacher, a émis une hypothèse judicieuse. « Imaginons, disait-il, qu'au lieu d'une dizaine de crimes Vacher n'en ait commis qu'un seul, si horrible soit-il. On l'aurait sans doute présenté au tribunal comme un véritable délirant, un aliéné irresponsable. Au lieu de ça, le caractère abominable de ses multiples meurtres n'en a fait qu'un criminel face à la société. On a oublié le mot *malade* pour ne considérer que celui de *meurtrier*. »

– Tu ne réponds pas à ma question !

– D'une certaine façon, si. La vérité scientifique, s'il en existe une, importe peu dans un cas comme celui-ci. Si l'on découvre des anomalies lors de cette autopsie, elle ne sera jamais rendue publique. Personne ne prendra le risque de donner aux criminels un brevet d'impunité. Si l'on ne découvre rien, ce sera la preuve que Jeansart était parfaitement responsable de ses actes.

Louis rassembla toutes les photographies en un tas maladroit, manière illusoire de chasser un moment le souvenir des victimes.

– Tu sais quel jour nous étions, hier ? reprit Frédéric.

– Le 13 avril, pourquoi ?

– Autrement dit, le jour des ides.

Louis le fixa, éberlué.

– Je n'y avais même pas pensé. John devait donc être la prochaine victime de son calendrier.

– John ou lui-même.

– Que veux-tu dire ?

Frédéric soupira.

– Que sa dernière victime pouvait être l'enfant qu'il a été il y a bien longtemps, qu'il a peut-être libéré hier soir le gosse qui était en lui.

– Tu penses qu'il savait qu'il allait mourir ?

– Tu l'as supposé toi aussi. Sinon, tu ne lui aurais pas tendu ce piège. Tenter de tuer John lors de cette soirée qu'il savait surveillée, on peut faire mieux comme plan ! Son attitude était… suicidaire ? Un « dernier coup d'éclat » : tu te souviens ?

Louis acquiesça. Il avait eu, sans s'en rendre compte, la même intuition que Frédéric quand il était face à l'Ogre sur le toit de la villa Coralie. N'avait-il pas intérieurement comparé Jeansart à un enfant prostré ? Ne l'avait-il pas appelé par son prénom pour le faire réagir ? Albain... le dernier enfant, la dernière victime.

Le policier essaya de passer à un sujet moins grave.

– Je t'accompagne à la gare tout à l'heure ?

– Oh non ! Je vais prendre un taxi.

– Ne te fais pas avoir sur la course. Ici, les chauffeurs ont tendance à prendre même les gens du cru pour des touristes.

– Je ferai attention.

– Et promets-moi que, cette fois, on n'attendra pas un an avant de se revoir. Tu vas nous manquer. Même Caujolle avait fini par s'habituer à toi. Il n'aura plus personne à charrier !

– Comment va-t-il, au fait ?

– Il doit sortir ce soir. Il va mieux, même si les médecins ont dit qu'il garderait probablement de sérieux problèmes respiratoires. Bon, tu vas faire tes adieux aux autres, à côté ?

Quand ils sortirent du bureau, Leroux et Biasini étaient en train de s'engueuler.

– Mais qu'est-ce que tu as l'intention de lui raconter ? Tu n'étais même pas là hier soir ! s'exclamait le vétéran de la brigade.

Biasini lissa ses cheveux noirs de jais et commença à se pavaner dans la pièce comme un paon.

– Comment voudrais-tu qu'elle le sache ? Rien de tel pour séduire une femme que les actions héroïques d'un policier jeune et beau comme moi ! Oh, patron ! Je ne vous avais pas vu...

– Rassure-moi, Don Juan : elle n'est pas mariée celle-là ?

– Tout dépend de ce que vous entendez par « mariée »…

– Bon, je préfère ne pas savoir, fit Louis en le rabrouant d'un geste de la main. Tu veux un conseil, Biasini ? Trouve-toi une vraie petite femme. Une qui le soir ne te demandera pas de lui raconter tes exploits, mais t'attendra sur le seuil de ta maison pour voir s'il ne t'est rien arrivé.

*

Lorsque Frédéric se retrouva dehors, le ciel tournait à la pluie et annonçait une de ces brusques averses dont les Niçois ont l'habitude. Une charrette remplie de fleurs passa devant lui et se dirigea vers le marché du cours Saleya. Il demeura un moment au milieu du trottoir, indécis.

Son train partait dans quatre heures. En se dépêchant, il avait encore le temps de rendre une dernière visite aux Kendall… à Lisa.

Remarque de l'auteur

Il m'est arrivé, pour les besoins de l'intrigue, de prendre quelques libertés avec la réalité, notamment au niveau des dates. Par exemple, la Grande Semaine aéronautique, si elle eut bien lieu à Nice en 1922, se déroula du 26 mars au 2 avril. Néanmoins, j'ai essayé autant que possible de respecter l'esprit de l'époque et le travail des brigades créées par Clemenceau.

Plusieurs scènes du livre (le cadavre de l'enfant dans la citerne, l'escroquerie au diamant de la fausse princesse, les signaux lumineux à l'arrière des lignes de front) sont inspirées de vraies enquêtes que les mobilards ont eu à résoudre.

Il me serait impossible de signaler toutes les sources qu'il m'a fallu consulter pour l'écriture de ce roman, mais je ne peux pas me dispenser d'en citer une : les mémoires du commissaire Jules Belin (*Trente ans de Sûreté Nationale*, Bibliothèque France-Soir, 1950), resté célèbre pour avoir procédé à l'arrestation d'Henri Désiré Landru, un matin d'avril 1919. Son parcours, ses anecdotes toujours savoureuses et pleines d'humour m'ont beaucoup aidé à donner vie à Louis Forestier et à ses inspecteurs.

RÉALISATION : IGS-CP À L'ISLE-D'ESPAGNAC
IMPRESSION : CPI BRODARD ET TAUPIN À LA FLÈCHE
DÉPÔT LÉGAL : OCTOBRE 2013. N° 113783 (3001459)
IMPRIMÉ EN FRANCE